gestion de stress et travail policier

Jacinthe Thiboutot

MODULO

Nous remercions le Centre collégial de développement de matériel didactique (CCDMD) pour sa contribution financière à la réalisation de cet ouvrage.

Nous reconnaissons l'aide financière du gouvernement du Canada par l'entremise du Programme d'Aide au Développement de l'Industrie de l'Édition (PADIE) pour nos activités d'édition.

Données de catalogage avant publication (Canada)

Thiboutot, Jacinthe

    Gestion de stress et travail policier

    Comprend des réf. bibliogr. et un index.

    ISBN 2-89113-823-6

    1. Policiers - Stress dû au travail. 2. Gestion du stress. 3. Stress - Prévention. 4. Stress. 5. Gestion du stress - Cas, Études de. I. Titre.

HV7936.J63T44 2000   363.2'2'019   C00-941676-5

Équipe de production
Révision linguistique : Renée Léo Guimont
Correction d'épreuves : Renée Léo Guimont, Annick Morin, Renée Théorêt
Illustrations : Lise Marceau
Typographie : Carole Deslandes, Suzanne L'Heureux
Montage : Suzanne L'Heureux
Maquette et couverture : Marguerite Gouin

Gestion de stress et travail policier
© Modulo Éditeur, 2000
233, av. Dunbar
Mont-Royal (Québec)
Canada   H3P 2H4
Téléphone (514) 738-9818 / 1-888-738-9818
Télécopieur (514) 738-5838 / 1-888-273-5247
Site Internet : www.groupemodulo.com

Dépôt légal — Bibliothèque nationale du Québec, 2000
Bibliothèque nationale du Canada, 2000
ISBN 2-89113-823-6

Imprimé au Canada
4 5 6 7 8   10 09 08 07 06

Remerciements _____

Merci du fond du cœur aux policiers du poste 1-74, des PDQ 28, 29, 20 et 23 du SPCUM et de la MRC de Kamouraska, appartenant au district de Rimouski de la Sûreté du Québec, qui m'ont permis de les suivre en patrouille et de constater sur le vif les risques du métier. Ils ont alimenté ma réflexion, et cet ouvrage leur est grandement redevable.

Je tiens à remercier également les personnes suivantes dont le soutien a rendu possible la conception et l'élaboration de ce livre.

- L'agent Marc Charbonneau, du SPCUM, qui a annoté l'ébauche du projet avec rigueur, précision et sensibilité, me faisant généreusement bénéficier de son expérience.
- L'enquêteur Jean-François Cimon, du SPCUM, dont le témoignage personnel touchant reflète bien la réalité et la souffrance du stress post-traumatique que ne peuvent exprimer que ceux qui l'ont connue.
- Mario Moisan, professeur de psychologie du collège F.-X.-Garneau, dont la contribution exceptionnelle, les judicieux conseils et la volonté indéfectible à rendre cet ouvrage utile aux étudiants et aux policiers a grandement inspiré l'orientation générale, la structure et la présentation de ce manuel.
- Sylvie Charbonneau, chargée de projet au Centre collégial de développement de matériel didactique (CCDMD), pour l'appui financier à ce projet.

- Pierre Desrochers, psychologue-instructeur à l'École nationale de police du Québec, pour ses précieuses suggestions.
- Annick Bève, professeure de psychologie au collège Ahuntsic, ma collègue et amie, qui, spontanément, a corrigé des parties du texte et m'a aidée à organiser mes idées en m'écoutant patiemment et en m'encourageant à persévérer.

Ma reconnaissance va également aux personnes suivantes pour la disponibilité et la générosité avec lesquelles elles m'ont dispensé temps, informations et connaissances : Mme Suzanne Comeau, psychologue au Programme d'aide aux policiers du SPCUM, M. Simon Bigras, chef des Services de santé et de sécurité de la Sûreté du Québec, Mme Lucie Charbonneau, responsable de projet à l'Association québécoise de suicidologie et membre de CRISE et Mme Maureen Clapperton, chef de division des ressources documentaires à la bibliothèque de la Sûreté du Québec. Je remercie également M. Jacques Vézina, chef d'équipe à la formation de base, et M. Jean-Luc Gélinas, moniteur de tir et du FATS à l'École nationale de police du Québec, qui m'ont chaleureusement accueillie dans leurs classes. Ce faisant, ils m'ont permis de mieux arrimer le développement de la compétence en gestion de stress avec les compétences propres à l'intervention policière.

La cueillette initiale de la documentation du projet dans les bibliothèques universitaires a été soutenue par le service de la bibliothèque du collège Ahuntsic et effectuée par Claudine Thibodeau, étudiante de maîtrise en Service social à l'Université de Montréal.

Un merci particulier à mes étudiants en techniques policières du collège Ahuntsic (aut. 1998 et 1999) et aux étudiants du cours *Stress et travail policier* (aut. 1999) de Mme Colette Desgent, professeure de psychologie au Collège de l'Outaouais, pour leurs commentaires critiques.

Finalement, ce volume n'aurait pas été possible sans la collaboration soutenue et efficace de Louis Moffatt et le travail de révision linguistique et de conception graphique de Mmes Michèle Morin, Renée Léo Guimont, Lise Marceau et Suzanne L'Heureux de l'équipe de production de Modulo Éditeur.

Table des matières _____

Avant-propos

Les images de la scène de suicide de la fin de son quart de travail obsèdent un policier. Il n'a pas fermé l'œil de la nuit et n'arrive pas non plus à avaler une bouchée ce matin.

Jacques s'entend si mal avec son partenaire qu'il lui arrive de craindre pour sa sécurité lors de certaines de leurs interventions.

Vous vous ennuyez tellement lors de plusieurs quarts de travail consécutifs que vous vous demandez si vous avez toujours envie de faire ce métier.

Votre conjoint est policier et il n'est pas rentré de son quart de travail comme prévu et il ne vous a pas appelée. Que s'est-il passé ? Est-il en danger ? A-t-il eu un accident ?

Vous êtes policière et devez vous présenter en cour pendant votre congé pour une cause dont vous aviez monté les éléments de preuve avec professionnalisme. Le juge libère le contrevenant.

Vous vous rendez sur les lieux d'un appel, à la suite d'informations assez vagues du répartiteur, et vous retrouvez face à face avec un individu armé, sans possibilité d'assistance immédiate.

Vous aviez prévu une fête à l'occasion du deuxième anniversaire de votre fils et votre conjointe, policière, vient d'être appelée au travail.

Les témoignages de policiers sont remplis de faits comme ceux-ci. Ce ne sont pas des incidents qui font la une des journaux, mais ce sont là autant d'exemples du stress auquel les policiers, les policières et leurs conjoints sont soumis. *Gestion de stress et travail policier* se propose de traiter du stress policier au moyen d'une approche préventive en fournissant aux policiers et à leurs conjoints des outils pour :

- comprendre les mécanismes du stress;
- agir efficacement en situation de stress.

Le stress policier au Québec

Depuis les années 1970, de nombreux chercheurs s'intéressent au métier de policier et tentent de trouver des façons d'aider les différents acteurs des organisations policières à composer avec le stress propre à ce métier.

Cette volonté de s'outiller pour affronter la réalité quotidienne du stress policier s'est concrétisée dans les corps policiers du Québec vers la fin des années 1980. Duchesneau a réalisé une recherche sur le stress des policiers du SPCUM en 1988. La même année, Lavallée et coll. comparaient les composantes de l'épuisement professionnel présentes dans les divers corps policiers du Québec, et Oligny publiait un ouvrage sur le stress policier au Québec en 1990. Dans la foulée, des programmes d'aide aux policiers ont vu le jour dans les services de police. En réponse à certains incidents critiques, chaque corps de police possède maintenant ses propres stratégies d'intervention auprès des policiers victimes d'événements bouleversants. Des mesures de prévention du suicide et un programme d'entraide par des pairs ayant vécu des situations problématiques particulières ont été mis sur pied au SPCUM (programmes « Ensemble pour la vie » et « Policiers-ressources»).

À des fins de prévention primaire, les chercheurs et conseillers du milieu insistent sur la nécessité de préparer les aspirants policiers à faire face aux événements stressants qui les attendent en carrière. Il s'agit en quelque sorte d'une « inoculation anti-stress » (Anderson et coll., 1995 : Blau, 1994; Mitchell et Everly, 1997).

Adhérant à ces préoccupations, le programme de formation des policiers au Québec comprend une compétence en gestion de stress à l'intérieur de la formation au collégial en techniques policières, dont le développement est l'objectif général de ce volume.

Les postulats de base du volume

Voici les principes ou postulats sur lesquels se fonde le contenu de *Gestion de stress et travail policier.*

- La qualité de l'intervention du policier repose sur une bonne gestion de ce qui se passe entre ses deux oreilles.
- La gestion du stress des policiers est liée positivement à l'amélioration de la qualité de leurs services et à la diminution d'erreurs déontologiques.
- Les causes du stress sont aux confins de la relation du policier avec son environnement. Conséquemment, sa gestion repose sur une double responsabilité individuelle et collective.
- Le stress est normal; il n'est pas mauvais en soi. C'est la façon dont on le gère qui fera qu'on l'utilisera pour se préparer à l'action ou qu'on s'épuisera.
- La bonne gestion du stress n'est pas innée. Elle s'apprend.
- On ne peut pas gérer son stress une fois pour toutes.

Le contenu du volume

Le découpage des chapitres procède des trois grandes préoccupations suivantes :

1. **Définir et expliquer le stress policier.** Le chapitre 1 s'y emploie en abordant le mécanisme du stress et en mettant en relation l'ensemble des dimensions du stress policier au moyen de l'approche écologique.
2. **Comprendre comment se vit le stress au quotidien.** Les chapitres 2, 3 et 4 présentent respectivement une explication des aspects physiques, psychologiques et sociaux du stress policier et proposent des stratégies d'ajustement reliées à chacun de ces aspects.

3. Comprendre les conséquences des événements propres à la profession qui mettent à l'épreuve et fragilisent la capacité à gérer le stress. Les chapitres 5, 6, 7 et 8 traitent de quatre conséquences du stress des policiers et des moyens de les prévenir ou de composer avec. Ces conséquences sont l'épuisement professionnel, le stress post-traumatique, la dépendance à l'alcool et le suicide.

Quoique les parties soient interreliées, le lecteur peut aborder chacune indépendamment. Aussi, les événements et les périodes de vie professionnelle se succèdent et comportent leurs défis particuliers. Il est donc possible que certains chapitres conviennent mieux à un moment précis de votre carrière. Nous souhaitons que ce livre soit pour vous un outil de référence simple que vous pourrez consulter au besoin.

La présentation de *Gestion de stress et travail policier*

Gestion de stress et travail policier se propose deux grands objectifs : faire comprendre ce qu'est le stress et donner des moyens de le contrer ou de le mieux gérer.

- **La compréhension du stress**

  Les objectifs de chaque chapitre sont introduits à l'aide d'une situation vécue par des policiers. Vous pourrez plus aisément ensuite établir des liens avec cette situation de départ et le contenu de votre lecture. Un résumé reprend les éléments essentiels du chapitre. Une étude de cas permet d'intégrer les connaissances fraîchement acquises en les appliquant à une situation concrète.

- **L'action sur le stress**

  Une démarche de gestion de stress est suggérée à partir de la fin du chapitre 1 jusqu'à la fin du chapitre 4. Pour l'entreprendre, vous répondrez d'abord à une série de courts questionnaires portant sur divers aspects de votre vie. Cela vous permettra d'établir un profil de stress (Annexe, A.1) et d'obtenir des suggestions de stratégies d'ajustement appropriées à votre rôle (policier, conjoint, superviseur). Ces stratégies, que vous trouverez à la fin des chapitres 2, 3 et 4, ont été choisies spécialement pour les policiers et leurs proches en raison de leur rapidité, de leur commodité et de leur efficacité avant, pendant ou après l'exposition à un agent stressant.

  Pour vous aider à déterminer la stratégie la mieux appropriée aux circonstances, les fiches *Pour faire un choix judicieux* sont présentés aux pages 42 (aspects physiques), 79 (aspects psychologiques) et 111 (aspects sociaux). N'hésitez pas à essayer ces stratégies et à intégrer ensuite à vos habitudes de vie celles qui vous conviennent. Comme chaque personne est différente et qu'une stratégie peut être utile pour un policier et stressante pour un autre, des questions d'évaluation vous permettront de juger des stratégies qui vous conviennent (Annexe, A.2).

  Pour faire face aux conséquences du stress, les chapitres 5, 6, 7 et 8 comprennent une partie intitulée « Réagir », montée sous forme de tableaux indiquant les actions que la personne stressée et ses proches peuvent entreprendre ou au contraire éviter pour faire face aux conséquences du stress.

  Bonne lecture et bonne gestion de stress !

Préface

Les professionnels de la sécurité publique (policières et policiers patrouilleurs, enquêteurs généralistes, enquêteurs spécialisés, etc.) se heurtent quotidiennement à des situations difficiles. On exige d'eux professionnalisme, calme, courtoisie et intégrité, et on leur refuse le droit à l'erreur.

J'ai exercé ce métier durant vingt-cinq ans et je sais tout le stress qu'il comporte. Les policiers sont souvent agressés verbalement ou physiquement par les contrevenants de la route. Ils sont souvent les premiers sur les lieux d'accidents mortels. Ils ont souvent à annoncer le décès aux proches d'une victime. Il leur arrive de se trouver en présence d'individus armés sur les lieux d'un crime et d'avoir ensuite à porter assistance aux personnes en état de choc. Ils doivent savoir les calmer, les rassurer et recueillir ensuite leur version de l'événement. Voilà autant de situations stressantes de la vie professionnelle qui, mal gérées ou associées à des situations stressantes de la vie personnelle, peuvent avoir des conséquences fâcheuses. Il est donc primordial que les policiers, les aspirants policiers ainsi que leurs proches apprennent à connaître les agents stressants, qu'ils sachent quelles réponses y apporter et qu'ils développent des stratégies d'ajustement efficaces pour y faire face.

Pour cela, l'ouvrage de Jacinthe Thiboutot est essentiel, car il est très complet et s'appuie sur la recherche mondiale sur le stress, et plus particulièrement le stress policier. Les mises en situation, de même que les études de cas, sont réelles et renvoient à des incidents qui font partie de la vie courante des policiers. Ces derniers s'y retrouveront donc et auront envie d'essayer les stratégies d'ajustement au stress simples et réalisables qu'on leur propose. L'ouvrage contient également des questionnaires, grâce auxquels le lecteur pourra établir son profil de stress, et cinquante stratégies de gestion du stress à utiliser selon ses besoins. Il procure aux policiers, aux aspirants policiers ainsi qu'à leurs proches des outils pour reconnaître les symptômes de l'épuisement professionnel, du stress post-traumatique, de la dépendance à l'alcool, de même que les signes précurseurs du suicide. Il propose aussi des moyens pour réduire les conséquences néfastes des situations stressantes inhérentes au métier de policier.

Le programme révisé de techniques policières comprend maintenant une compétence en gestion de stress. De cela, il y a donc lieu de se réjouir, tout autant d'ailleurs que de la parution de Gestion de stress et travail policier, puisque c'est à n'en pas douter un livre indispensable aux enseignants et aux étudiants en techniques policières.

Lionel Prévost

Chapitre 1
Le stress policier _____

À la fin d'une soirée essentiellement consacrée à des opérations routinières de sécurité routière, deux coéquipiers patrouilleurs reçoivent un appel d'urgence concernant un cas de violence conjugale présentant, selon le message du répartiteur, des signes de dangerosité. Mathieu sent sa fréquence cardiaque s'accélérer, tandis qu'un sentiment d'anxiété fait surface. Il regrette d'avoir à intervenir juste avant la fin du quart de travail dans ce type de situation à la fois fréquente et imprévisible. Quant à Nicolas, qui est au volant, il est en état d'alerte et plutôt content de terminer la soirée avec un peu d'action. Il enfonce l'accélérateur et entreprend de revoir avec Mathieu les divers scénarios à mettre en œuvre une fois arrivés sur les lieux.

Un événement, deux policiers : deux réactions différentes. Avant même d'affronter la situation, lequel éprouve le plus de stress ? Pourquoi ? En quoi les réactions de chacun influenceront-elles leur capacité à mener à bien l'intervention ? Pour comprendre ce qui se passe en chacun d'eux, nous commencerons dans ce chapitre par :

- définir le stress;
- expliquer pourquoi chaque policier y réagit de façon personnelle;
- démontrer les relations entre les agents stressants liés au travail policier, les ressources dont le policier dispose, l'apparition de réponses de stress et les conséquences du stress.

1.1 Le mécanisme du stress

Pour expliquer l'exemple cité dans l'introduction, Kroes (1985) compare le processus du stress à une lentille de caméra. La lumière pénètre la lentille, dont le rôle est de faire converger les rayons lumineux pour obtenir une image cohérente. Les deux policiers ont chacun une lentille personnelle, basée sur l'interprétation qu'ils font de cet appel et des ressources dont ils disposent pour y répondre. C'est ce qui déterminera l'intensité de leurs réactions physiques et psychologiques avant et pendant leur intervention et, par conséquent, leur efficacité à dénouer la situation de violence conjugale.

Dans cet exemple, le stress n'est pas uniquement créé par l'appel et l'intervention à effectuer. Il ne constitue pas non plus la seule réaction de chacun des policiers. Le **stress**[1] de chacun est plutôt le résultat de l'*interaction* entre l'**agent stressant**, c'est-à-dire le contexte de l'intervention (présence d'arme, nombre de personnes sur les lieux, leur degré de violence et d'ébriété éventuelle) et les **ressources**, réelles ou perçues, dont ils disposent pour répondre à cet appel (leur capacité à maîtriser verbalement la scène, la qualité de leur

_____

1. Tous les mots en gras dans le texte sont définis au glossaire qui se trouve à la fin de votre manuel. Consultez-le.

travail en équipe, leur matériel (arme, poivre de Cayenne, menottes) et la possibilité ou non d'assistance en cas de danger).

Cette interaction déterminera la qualité et l'intensité de la **réponse de stress** de chacun des policiers. On entend ici par réponse de stress l'ensemble de leurs réactions physiques et psychologiques, ainsi que leurs comportements à partir du moment où ils reçoivent un appel. Selon leur intensité, ces réactions dureront plus ou moins longtemps après l'intervention. Le mécanisme du stress repose donc sur l'interaction entre l'agent stressant, les ressources de la personne et la réponse de stress.

Le stress est normal, stimulant et, contrairement à une croyance répandue, pas nécessairement négatif. Son rôle est de préparer le policier à l'action. Ainsi, l'appel auquel Nicolas et Mathieu doivent répondre contient les facteurs de stress et d'**eustress** suivants :

- *Facteurs de stress* : imprévisibilité, menace d'atteinte à l'intégrité physique, appel à caractère répétitif, absence de recours à une assistance rapide.

- *Facteurs d'eustress* : imprévisibilité, montée d'adrénaline conséquente à la rupture de la monotonie, possibilité de faire appel à plusieurs ressources personnelles pour résoudre le problème.

La figure 1.1 explique le mécanisme du stress tout en dégageant ses aspects positifs et négatifs. En présence d'un agent stressant, le policier interprète la situation. Cette interprétation déclenche une **activation émotionnelle**. Souvent faite en quelques fractions de secondes, l'analyse que fait le policier des ressources dont il dispose pour faire face à l'agent stressant dépend de son interprétation de la situation et de l'intensité des émotions qu'elle suscite chez lui. S'il perçoit que ses ressources sont insuffisantes, il risque d'utiliser des **stratégies d'ajustement** inefficaces et de subir les conséquences de ce stress négatif. S'il perçoit que ses ressources sont suffisantes, leur pleine utilisation entraîne l'eustress, lui procurant l'énergie de sélectionner et d'appliquer les stratégies appropriées pour lutter contre les agents stressants. À l'opposé, une sous-utilisation de ses ressources, pourtant perçues comme suffisantes, génère du stress négatif, faisant apparaître des conséquences de stress comparables à une demande excédant ses ressources disponibles. Par exemple, certains policiers, et ils ne sont pas en cela différents des autres professionnels, peuvent subir les conséquences du stress dû à la monotonie d'une tâche qu'ils ne perçoivent plus comme stimulante.

On applique au mécanisme du stress le principe *de l'équilibre ou de l'***homéostasie**. Imaginez les plateaux d'une balance dans lesquels on mettrait d'un côté les demandes exercées sur le policier par son environnement physique et social et de l'autre, celui de ses capacités réelles et perçues pour y répondre. Si les deux poids sont équivalents, on parle de stress positif et d'équilibre; autrement, il y a déséquilibre ou absence d'homéostasie. Comme chaque policier est différent quant à ses ressources et au niveau de pression qu'il est capable de supporter, la gestion de son stress repose sur la recherche et le maintien de sa **zone de stabilité** tout au long de sa carrière. En connaissant bien son seuil d'ennui générateur de stress et le niveau de stimulation ou de pression qu'il ne doit pas dépasser, le policier peut faire les choix qui le maintiendront dans sa zone de stabilité.

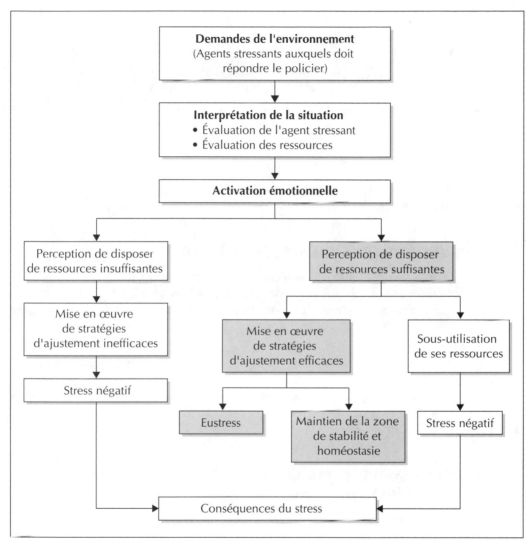

Figure 1.1 Le mécanisme du stress. Adapté de Turcotte (1983 : *voir* Duchesneau, 1988) et de Mitchell et Everly (1997).

En comparaison avec d'autres métiers, le cadre de l'intervention policière engendre davantage de conséquences graves pour la santé et la sécurité de la population et du policier lui-même. Ainsi, dans l'exemple de violence conjugale cité en début de chapitre, si le conjoint possède une arme à feu et qu'il menace de tuer son épouse, le tort susceptible d'être causé si l'intervention cafouille augmentera considérablement le stress des coéquipiers. Il est donc indispensable, pour des policiers, d'ajouter dans la balance le poids

Figure 1.2 Équation de McGraft calculant le stress policier en tenant compte du potentiel de tort perçu lors d'opérations à haut risque (McGraft, 1970 : *voir* Duchesneau, 1988).

additionnel du degré de tort perçu en cas de difficulté à mener à bien une opération. Le niveau de stress d'un policier résulterait donc du calcul présenté à la figure 1.2.

1.2 Les dimensions du stress policier

En se basant sur la compréhension du mécanisme du stress, auquel s'ajoute le poids des conséquences souvent graves liées aux prises de décision des policiers, précisons maintenant les quatre dimensions du stress propre aux policiers. Ces dimensions[2] qui interagissent sont :

1. Les agents stressants.
2. Les ressources personnelles et sociales du policier, qui modéreront l'impact des agents stressants.
3. Les réponses de stress, plus ou moins intenses selon le type d'agent stressant et les ressources déployées pour y faire face.
4. Les conséquences du stress.

Les agents stressants présents dans les divers niveaux de système de l'environnement du policier

L'approche écologique permet de classer selon leur origine les divers agents stressants, les ressources accessibles au policier et les lieux d'impact des conséquences du stress policier (Bronfenbrenner, 1979). Le tableau 1.1 identifie les divers niveaux de système explicités par cette approche.

Chacun de ces niveaux comporte ses agents stressants spécifiques et interagit avec les autres niveaux. En effet, les valeurs sociales du macrosystème conditionnent les décisions

---

2. L'élaboration de ces dimensions s'appuie sur les écrits ou recherches de Kroes (1985, p. 154), de Duchesneau (1988, p. 113), de Brown et Campbell (1990), de Campbell (1994, p. 58), de Lord (1995, p. 509), et de Violanti et Aron (1994, 1995), portant sur l'explication du stress policier, ainsi que sur la recherche de Stevens (1999) mesurant les conséquences du stress liées aux agents stressants signalées par 415 policiers de divers États américains.

Tableau 1.1 Les niveaux de système de l'environnement policier selon l'approche écologique.

Niveau de système	Définition	Exemples
Microsystème	Environnements immédiats du policier auxquels il participe activement.	• Le milieu de travail • La famille • Les amis
Mésosystème	Interaction entre les divers microsystèmes : • positive : les ressources présentes dans un microsystème facilitent l'adaptation dans un autre microsystème; • négative : les demandes d'un microsystème nuisent à l'adaptation dans un autre micro-système.	• Relations familiales chaleureuses et travail • Relations familiales tendues et travail
Exosystème	Structures et personnes constituant le milieu social et politique élargi du policier. Lieux où se prennent les décisions.	• Le ministère de la Sécurité publique : sa mission, ses politiques • La municipalité • L'organisation policière d'appartenance • Le syndicat d'apparte-nance • Les médias
Macrosystème	Valeurs et tendances propres à la culture policière et à la société.	• Valorisation de la solida-rité dans le milieu policier • Attentes de la société envers les policiers

que prennent, dans les organisations, les personnes appartenant à l'exosystème. Ces décisions influent à leur tour sur le mésosystème du policier et sur chacun des microsystèmes dans lesquels il évolue. La figure 1.3 illustre les interactions entre les niveaux de système.

Ces niveaux comportent chacun leurs agents stressants spécifiques qu'il importe de considérer sous l'angle de la durée. Ellison et Genz (1983) distinguent en effet deux types d'agents stressants auxquels sont exposés les policiers : 1. les *agents stressants de courte durée*, créés principalement par des changements subits, et 2. les *agents stressants chroniques*, qui sont constamment présents dans l'un ou l'autre des niveaux de système environnant le policier.

Agents stressants présents dans le microsystème

Le climat de travail et les exigences liées à l'exercice même de la tâche sont deux types d'agents stressants présents dans l'environnement de travail immédiat du policier.

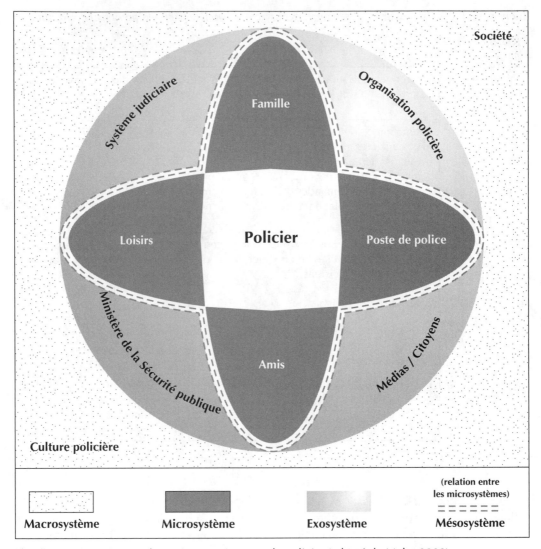

Figure 1.3 Les niveaux de système environnant le policier (adapté de Malo, 2000).

Le climat de travail   Le climat de travail constitue une source de stress chronique aussi importante, sinon plus, que le stress causé par la tâche elle-même. Parmi les facteurs organisationnels du microsystème qui influent sur le climat de travail, on retrouve le style de supervision et les relations avec les collègues.

Le style de supervision   Le climat de travail à l'intérieur d'une relève est une condition d'efficacité liée en grande partie à la qualité de la supervision. En effet, une supervision inadéquate ou superficielle est en elle-même un agent stressant. Qu'elle soit quasi inexistante, et les policiers auront l'impression d'être laissés à eux-mêmes. Qu'elle soit au contraire très autocratique, et ils auront l'impression de ne pas avoir voix au chapitre lors de décisions orientant leur travail quotidien. Spécialement en début de carrière, une supervision adéquate est importante, car elle aide les policiers à s'adapter à leur nouveau milieu et à consacrer davantage d'énergie à l'exercice de la profession qu'à l'adaptation au style de gestion des supérieurs[3].

Les relations avec les collègues   Les policiers portent des jugements informels sévères sur la compétence de certains de leurs collègues. Les relations avec les collègues peuvent être à la fois une source de stress, lorsqu'elles sont perçues comme négatives, et un barrage contre le stress, lorsqu'elles sont imprégnées de respect et de confiance.

En duo, le partenaire est un rouage essentiel d'intervention et un compagnon pendant tout le quart de travail. La proximité physique et l'interdépendance des deux partenaires peuvent engendrer des conflits qui empoisonnent le climat de travail, lorsque leurs styles personnels sont incompatibles ou que l'un des deux se conduit de façon répréhensible. La collaboration ou l'absence de soutien de la part du coéquipier peut tout autant protéger du stress que devenir invivable.

Les agents stressants liés à la tâche de policier   Les policiers sont des intervenants de première ligne auxquels on fait appel en désespoir de cause, souvent lorsque les autres ressources ont failli. Ils sont là pour régler des situations toujours conflictuelles, toujours nouvelles, leur demandant une capacité constante d'adaptation.

L'imprévisibilité   Un policier ne sait jamais ce qu'un appel à l'aide lui réserve et cela est à la fois motivant et stressant ! À chaque intervention, il pénètre dans un « territoire » physique et culturel nouveau, il doit entrer en contact avec des inconnus, dans une situation où l'indice de danger est variable et imprévisible. Un appel à première vue banal concernant une sonnerie d'alarme dans un immeuble peut se révéler dangereux si les policiers doivent y affronter un intrus armé. Cette imprévisibilité est aussi un facteur d'excitation ou d'eustress. Les policiers interrogés par Storch et Panzarella (1996) classent l'excitation au premier rang des aspects qu'ils apprécient le plus dans leur travail.

Le danger, le contact avec la mort et la possibilité de traumatisme   Le risque qu'un policier soit atteint dans son intégrité et sa santé physiques ou mentales est élevé compte tenu de la forte probabilité qu'il a, dans sa carrière, d'être témoin d'un incident critique ou d'y participer. Il est à tout instant exposé à la menace du *danger*. La peur est une des émotions, amie ou ennemie, que côtoie nécessairement le policier (Duchesneau, 1988; Storch et Panzarella, 1996).

Certaines conditions d'intervention comportent des facteurs de risque plus élevés. Par exemple, dans les milieux ruraux, il arrive que les policiers patrouillent en solo et doivent intervenir isolément. Comment se protéger lors d'un incident impliquant un individu armé dans un rang éloigné, sans possibilité d'assistance immédiate ? (Sandy et Devine, 1978 : *voir* Bartol, 1992; Anderson et coll., 1995).

---

3. Les auteurs suivants traitent de cet agent stressant : Blau, 1994; Duchesneau, 1988; Gallagher-Duffy, 1986 : *voir* Logan, 1995; Lavallée et coll., 1988; Stevens, 1999.

À l'instar des autres travailleurs des services d'urgence, les policiers sont plus fréquemment confrontés à l'implacable réalité de la *mort* (Anderson et coll., 1995). En effet, ils sont susceptibles :

- de voir un de leurs collègues mourir en service;
- de participer à une fusillade où il y a mort d'homme;
- d'intervenir, sur les lieux d'accidents d'automobile ou d'autres véhicules, auprès d'enfants ou d'adultes morts ou mutilés;
- d'intervenir sur des scènes de meurtres ou de suicide;
- d'établir des constats de mort naturelle;
- de devoir faire l'annonce d'un décès, parfois même à des proches, particulièrement en milieu rural.

La plupart des policiers ne restent pas marqués par les incidents critiques qu'ils ont vécus. Certains, cependant, subissent des *traumatismes* profonds qui changent le cours de leur vie. C'est la raison pour laquelle une très forte proportion des policiers considère le facteur de danger et de contact avec la mort comme étant le plus stressant.

Les contacts avec la population   Les policiers sont en contact continuel avec la population. Cet aspect du travail est un facteur d'eustress, qui explique souvent leur choix de cette profession (Storch et Panzarella, 1996). Cependant, leur « clientèle » est variée; elle se compose de citoyens qui ont ponctuellement besoin d'eux parce qu'ils souffrent socialement, émotionnellement ou physiquement, de gens qui ont un mode de vie déstabilisant pour leurs systèmes de valeurs et de perception, mais aussi de criminels.

Parce qu'ils sont fréquemment aux prises avec la souffrance ou la bêtise humaine, et constamment obligés d'agir en dernière limite, les policiers se sentent parfois intensément frustrés, impuissants, comme submergés par un sentiment d'inutilité et de colère (Oligny, 1990). Ils doivent faire preuve de souplesse et démontrer une capacité d'adaptation à toute épreuve pour agir différemment dans chaque nouvelle circonstance. Ils doivent se montrer courtois, déployer des habiletés complexes et diversifiées, car ils leur faut *faire vite et bien* (Duchesneau, 1988).

Les alternances entre l'ennui et la surcharge   La quantité de travail ne semble pas perçue comme un facteur de stress par les policiers (Stotland, 1991). L'alternance entre des *périodes tranquilles* et des *périodes « dans le jus »* est plus stressante que la lourdeur de la tâche. Alors que l'*action* constitue le noyau dur des motivations professionnelles des nouvelles recrues, il arrive fréquemment que les patrouilles soient plutôt ennuyeuses pendant de longues périodes, particulièrement la nuit dans les régions rurales (Anderson et coll., 1996; Violanti, 1996a). Un appel, une demande d'assistance, une infraction majeure au code de la route et le compteur de vitesse grimpe en quelques secondes ! Ainsi, un policier doit développer sa capacité de sortir rapidement de la torpeur de l'ennui pour se plonger au cœur de l'« action ».

Les quarts de travail variables   L'alternance des quarts de travail exige une adaptation physique hors du commun de la part du policier. La patrouille de nuit est la plus difficile, en raison de ses effets sur l'organisme. En effet, bien que chaque personne réagisse différemment au fait de devoir dormir le jour plutôt que la nuit, les cycles de sommeil des travailleurs de nuit sont modifiés. Ils n'arrivent à dormir que 5,5 heures en moyenne par jour, en regard des 8 heures requises pour un repos adéquat. Lors du sommeil diurne, ce sont les stades de sommeil les plus réparateurs qui sont écourtés, augmentant ainsi l'état de fatigue à long terme (Anderson et coll., 1995; Girdano et coll., 1997; O'Neil, 1986). Le travail nocturne modifie également les habitudes alimentaires : davantage de cafés et de collations irrégulières à valeur nutritive médiocre. Enfin, l'alternance des quarts de travail pose apparemment des problèmes d'ajustement qui s'intensifient avec l'âge (Tepas, 1990 : *voir* Blau, 1994).

Les contraintes liées à l'équipement Certains auteurs (Kroes, 1985, Duchesneau, 1988) considèrent l'équipement désuet comme un facteur potentiel de stress pour les policiers. Comme la rapidité et la concentration sont des conditions indispensables à la réussite de la plupart des interventions, les éléments du contexte matériel contrecarrant ces conditions sont perçus comme une source de stress par les policiers. Notons, par exemple, la lenteur du système de communication radio, les bruits répétitifs, les documents manquants au moment de remplir un dossier et les appareils défectueux.

Agents stressants provenant du mésosystème

Selon l'approche écologique, une interaction positive au niveau du mésosystème entre les divers microsystèmes exercerait un effet protecteur sur l'individu soumis à des agents stressants. À l'opposé, une interaction négative ou un conflit entre deux microsystèmes constitue un agent stressant. Par exemple, il y a effet intersystémique négatif entre deux microsystèmes du mésosystème, lorsque les quarts de travail variables rendent difficile l'organisation de la vie familiale (difficulté de voir les enfants à cause d'une incompatibilité d'horaires, etc.). On comprend donc qu'un soutien perçu comme utile par le policier dans un de ses microsystèmes le protégera des agents stressants inhérents à l'exercice de sa fonction (Thoits, 1995).

Ainsi, les horaires variables et les contraintes liées à l'appartenance au milieu policier sont des agents stressants qui engendrent des situations de conflits potentiels, pour le policier, entre les attentes sur le rôle du policier de la part des microsystèmes famille, amis, loisirs et celles du milieu de travail (Logan, 1995). Par exemple, il n'est pas rare que les policiers perdent dès le début de leur carrière leur réseau d'amis n'appartenant pas au milieu policier, à cause de la difficulté à faire coïncider les horaires ou leurs modes de vie. De même, parce qu'ils travaillent souvent en soirée, les fins de semaine et durant les congés, ils s'éloignent de la famille, passent moins de temps qu'ils ne le voudraient auprès des enfants et ont donc moins d'interactions positives avec leurs proches.

Agents stressants provenant de l'exosystème

L'exosystème est la source de contraintes ayant une incidence sur le stress chronique des policiers.

Les contraintes reliées à la structure et aux politiques de l'organisation policière Le style de gestion des organisations policières hautement complexes et hiérarchisées est traditionnellement autocratique. Or, dans la pratique courante de sa profession, le policier doit souvent prendre des décisions dont les conséquences sont importantes, alors qu'il se trouve paradoxalement en bas de la hiérarchie décisionnelle de l'organisation policière

(Kroes, 1985; Lavallée et coll., 1988). Il lui arrive donc de se sentir impuissant devant les décisions qui le concernent, sans possibilité de s'expliquer avec ses supérieurs, forcé d'obéir aux codes de comportement propres à l'organisation de la police.

Ces décisions concernant la tâche, les procédures et la conduite personnelle touchent directement la nature du travail policier. Par exemple, au SPCUM, l'alternance entre la centralisation et la décentralisation des services a, au fil des réformes, modifié substantiel-lement le quotidien des policiers. De même, s'il est trop tôt pour qu'on ait pu mesurer les conséquences sur le stress de l'instauration de la police communautaire en Amérique du Nord, et plus particulièrement dans les corps policiers du Québec, on peut néanmoins escompter que certains facteurs de stress s'y rattacheront. En effet, la pratique de la police communautaire exige du policier qu'il joue un rôle proactif. Il pourrait donc y avoir conflits de rôles, situations ambiguës avant que chacun ait bien intégré les limites de son nouveau rôle (Violanti et Aron, 1995).

Le manque de reconnaissance de la haute direction et les difficultés d'avancement, dont les règles ne sont pas perçues comme totalement transparentes, constituent d'autres contraintes organisationnelles susceptibles d'augmenter le stress des policiers.

Les pressions des médias et des citoyens   Il suffit d'ouvrir le journal pour y lire un fait divers mettant en vedette un policier, la plupart du temps pris en défaut. Les policiers souffrent de ce que les Américains appellent l'« **effet aquarium** ». Autrement dit : ils ont beaucoup de visibilité. L'*absence d'anonymat,* qui prévaut dans les petites villes et les campagnes, exerce une pression supplémentaire sur les policiers qui y œuvrent. Leurs habitudes et leurs comportements sont connus de tous, d'autant plus que beaucoup sont nés dans la région. Le danger de conflit de rôles ou de loyauté est plus à craindre lorsqu'on doit appliquer la loi auprès de gens qui sont nos amis, nos parents ou des parents de parents de nos amis (Sandy et Devine, 1978 : *voir* Bartol, 1992).

Les relations avec le système judiciaire   Alors que Kroes (1985) classait les relations avec le système judiciaire parmi les quatre plus importantes sources de stress du policier, les policiers de la GRC leur attribuent le premier rang (Logan, 1995). Leur caractère stressant fait consensus, peu importent les milieux[4].

Les relations avec le système judiciaire sont laborieuses et ont un impact déterminant sur le travail normal du policier. Il est en effet difficile d'intégrer à l'horaire de travail régulier les comparutions en cour : la cour décide, elle fait attendre, elle reporte... Les contre-interrogatoires devant les tribunaux sont lourds de confrontations, les avocats et les juges se montrant parfois irrespectueux. Les dossiers de plaintes doivent être élaborés avec rigueur, et sont souvent rejetés pour des motifs techniques de rédaction. Dans ce contexte, la préparation et la comparution à la cour constituent une source d'*anxiété* pour les policiers.

En outre, ce que les policiers considèrent parfois comme de la clémence de la part des tribunaux envers les criminels et la lenteur du processus judiciaire sont pour eux des

---

4. L'ensemble des auteurs suivants abordent cet agent stressant ou ont procédé à des études auprès de policiers en soulignant l'importance : Duchesneau, 1988; Oligny, 1990; Anderson et coll., 1995; Finn, 1995; Violanti et Aron, 1995.

sources de *frustration* et de *révolte* : de longues enquêtes peuvent aboutir à un non-lieu et, à la longue, inciter les policiers à orienter différemment leur action sur le terrain, étant donné le peu de résultats qu'ils obtiennent du système judiciaire.

Agents stressants provenant du macrosystème

Au niveau du macrosystème, les particularités de la culture policière et l'ambiguïté des attentes de la société concernant le rôle des policiers s'ajoutent à leur visibilité, face aux médias et à l'opinion publique en général, pour augmenter insidieusement leur degré de stress chronique.

Les conduites et règles propres au milieu policier Alors que le travail policier comporte son lot d'événements difficiles sur le plan émotionnel, l'ensemble de la culture policière a tendance à décourager l'expression des émotions qu'ils suscitent chez les policiers, une fois ces incidents passés. Être triste, pleurer ou dire qu'on a eu peur sont des comportements peu valorisés dans le milieu. Pour s'y conformer, il vaut donc mieux taire ces sentiments et, à la longue, les refouler. Par contre, la colère et le désir de compétition, eux, sont valorisés (Duchesneau, 1988; Blau, 1994).

Une norme de solidarité prévaut dans la culture policière informelle; elle contribue positivement au sentiment d'appartenance nécessaire à l'exercice des opérations policières. Cependant, il arrive que cette norme, utilisée pour taire des inconduites, se transforme en **loi du silence**, mettant des policiers devant des conflits de valeurs difficilement solubles et augmentant d'autant leur stress. Les corps policiers font l'objet, de la part de la collectivité, d'une actuelle dénonciation des formes observables de cette « loi du silence », celle-ci demeurant par ailleurs enracinée dans les organisations policières.

L'ambiguïté des attentes de la société quant au rôle policier Lors de ses interventions, le policier choisit le mode d'action jugé le plus approprié pour faire respecter la loi, tout en utilisant la marge de manœuvre que lui confère son pouvoir discrétionnaire.

De son côté, la population est porteuse de doubles messages à l'égard du policier. On attend de lui qu'il fasse preuve de jugement en exerçant ce pouvoir discrétionnaire et l'on se plaint lorsqu'il fait respecter la loi à la lettre. Faire respecter la loi implique parfois l'utilisation de moyens coercitifs qui font l'objet de plaintes et de jugements sévères de la part de la population. Par contre, dans d'autres contextes, le policier peut aussi bien être blâmé pour avoir utilisé avec laxisme son pouvoir discrétionnaire. Aussi, on demande aux policiers d'être présents pour protéger la population tout en préférant ne pas les voir trop souvent dans le décor. Parent (1988 : *voir* Duchesneau, 1988) utilise l'image du « chèque en gris » confié aux policiers pour illustrer ces messages ambigus de la part de la population.

Dans l'exercice de ce rôle qui devrait lui conférer un certain prestige, le policier ne reçoit que bien peu de reconnaissance de la part de sa clientèle (Lavallée et coll., 1988). La police joue plutôt un rôle social de bouc émissaire. Tout en étant porteuse d'une grande responsabilité face à la population, elle se sent, plus souvent qu'autrement, « pieds et poings liés » dans l'exercice même de son pouvoir, par le système judiciaire, les médias et la communauté.

Les règles du milieu policier et les attentes de la société, combinées avec l'ensemble des agents stressants propres aux divers niveaux de système, convergent vers des attentes

Tableau 1.2 Les contradictions inhérentes au rôle du policier.

Le policier doit	mais
• être chaleureux	• ne pas exprimer ses émotions
• être compréhensif	• autoritaire
• être un coéquipier solidaire	• autonome
• tolérer l'ennui auquel il est soumis	• demeurer en alerte pour réagir rapidement aux situations de crise
• travailler sans relâche pour appréhender un criminel	• accepter que ses efforts ne donnent pas en cour les effets escomptés
• être patient	• têtu
• être tolérant	• méfiant

Source : adapté de Anderson et coll., 1995, p. 54.

de rôle contradictoires à l'égard du policier. Le tableau 1.2 présente les pôles opposés de ces attentes.

Si l'on regarde l'ensemble des agents stressants, il semble que les contraintes liées au climat de travail dans le microsystème et les agents stressants propres à l'exosystème sont considérés comme des agents de stress chroniques plus lourds que les agents stressants liés à la tâche. Le tableau 1.3 reprend l'ensemble des agents stressants propres à chaque niveau de système.

Tableau 1.3 Les agents stressants propres aux policiers dans les divers niveaux de système.

Microsystème	
1. LE CLIMAT DE TRAVAIL	
• Style de supervision	• Relations avec les collègues
2. LES AGENTS STRESSANTS LIÉS À LA TÂCHE	
• Imprévisibilité	• Alternance entre l'ennui et la surcharge
• Danger, contact avec la mort et possibilité de traumatisme	• Quarts de travail variables
	• Contraintes liées à l'équipement
• Contacts avec la population	

Mésosystème
Difficultés à concilier le travail avec les demandes des autres microsystèmes (la famille, les amis, les loisirs)

Exosystème
1. Contraintes liées à la structure et aux politiques de l'organisation de la police
2. Pressions des médias et des citoyens
3. Relations avec le système judiciaire

Macrosystème
1. Conduites et règles propres au milieu policier
2. Ambiguïté des attentes de la société quant au rôle policier

Tableau 1.4   Les ressources ayant un effet modérateur en présence d'agents stressants.

Type de ressources	Description
Ressources physiques	Condition physique découlant du mode de vie : sommeil, alimentation et exercice physique (chap. 2)
Ressources psychologiques	• Personnalité robuste • Contrôlabilité • Degré d'estime de soi (chap. 3)
Ressources sociales	Soutien social des personnes significatives pour le policier (chap. 4)

Les ressources

Plus un policier a de ressources à sa disposition, mieux il composera avec le stress et moins vulnérable il sera aux conséquences de stress à long terme. Ces ressources sont personnelles ou proviennent des personnes appartenant aux divers niveaux de système faisant partie de son environnement. Le tableau 1.4 énumère les ressources auxquelles il devrait pouvoir puiser et renvoie aux chapitres du volume où chacune d'elles sera abordée plus en détail.

Les réponses de stress

Selon l'efficacité relative de ses ressources, le policier soumis en cours de carrière aux agents stressants, qu'ils soient chroniques ou liés aux incidents critiques, peut éprouver, pendant une période plus ou moins longue, une ou plusieurs des réponses de stress présentées dans le tableau 1.5.

Tableau 1.5   Les réponses de stress.

Réponses physiques	Réponses psychologiques	Réponses comportementales
• Tensions musculaires • Maux de tête, maux de dos • Élévation du rythme cardiaque, de la tension artérielle • Élévation du taux de cholestérol • Épuisement et fatigue • Insomnie • Tremblements • Troubles digestifs • Mâchoires serrées, grincements de dents • Mains froides ou moites • Transpiration abondante • Changement d'appétit • Vulnérabilité aux accidents	• Anxiété • Irritabilité et sautes d'humeur • Apitoiement • Découragement • Cauchemars • Sentiments dépressifs • Trous de mémoire et difficultés de concentration • Confusion • Cynisme • Besoin constant de s'affirmer • Impression d'être dépassé • Intolérance	• Transformation évidente de la personnalité et des habitudes quotidiennes • Consommation de cigarettes, de drogues, d'alcool • Comportements étranges • Manque d'intimité avec les autres • Élocution et démarche rapide • Tendance à diminuer les contacts avec les autres • Accès de colère • Harcèlement

Source : adapté de Anderson et coll., 1995, p. 19, et de Pépin, 1999, p. 47.

Tableau 1.6 Les conséquences individuelles et systémiques du stress.

SANTÉ DU POLICIER	SANTÉ DU MÉSOSYSTÈME (chap. 4)	SANTÉ DE L'ORGANISATION POLICIÈRE (Stevens, 1999)
Troubles cardiaques Cancers reliés au système digestif Troubles psychologiques : • épuisement professionnel : chap. 5 • stress post-traumatique : chap. 6 • dépendance à l'alcool : chap. 7 • dépression : chap. 8 • suicide : chap. 8	Dysfonctions familiales Séparations, divorces et relations extraconjugales Isolement social du policier et de sa famille	**Santé du microsystème** • Diminution de la performance • Absentéisme, retards, cynisme contagieux dans l'équipe, accidents, erreurs, rapports incomplets • Racisme • Utilisation excessive de la force **Santé de l'exosystème** • Roulement du personnel • Climat de travail malsain • Équipement endommagé • Image publique de la police remise en question suite à des bavures

Les conséquences du stress

Le policier qui est aux prises avec des réponses de stress plus ou moins intenses et durables hypothèque en quelque sorte son capital de ressources et finit par se retrouver en déficit. Ce déséquilibre nuit non seulement à sa propre santé, mais aussi à celle de l'ensemble des niveaux de système qui constituent son environnement.

Le tableau 1.6 décrit ces conséquences et renvoie aux chapitres correspondants du présent volume, dans lesquels on en traitera plus en détail.

Le stress : résultat d'une interaction

Les quatre dimensions du stress policier sont interreliées. La figure 1.4 montre comment les liens entre les agents stressants, les ressources, les réponses de stress et les conséquences du stress s'articulent. Dans la perspective optimiste où les ressources du policier jouent efficacement le rôle de tampon contre les agents stressants, les lignes pointillées indiquent de faibles réponses de stress et une faible probabilité qu'il y ait des conséquences au stress.

Les prochains chapitres proposent des outils pour se maintenir à l'intérieur d'une zone de stabilité permettant de surmonter le stress plutôt que d'en être victime.

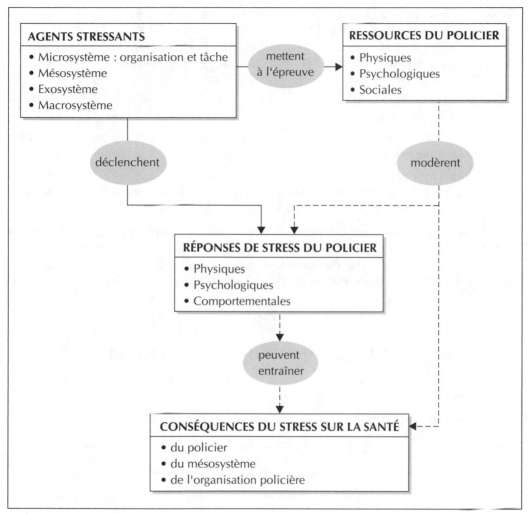

Figure 1.4   Liens entre les agents stressants, les ressources du policier, les réponses de stress et les conséquences du stress.

Résumé

Le stress est le résultat du processus par lequel les ressources de la personne sont mobilisées pour faire face aux agents stressants. Pour expliquer le stress, il faut tenir compte de l'interaction entre les agents stressants, les ressources, les réponses de stress et les conséquences du stress.

Les agents stressants propres au milieu policier appartiennent à l'un ou l'autre des niveaux de système suivants et peuvent être chroniques ou de courte durée.

- **dans le microsystème**, le climat de travail déterminé par le style de supervision et les relations avec les collègues s'ajoute aux agents stressants reliés à la tâche (l'imprévisibilité, le danger, le contact avec la mort et la possibilité de traumatisme, les contacts avec la population, l'alternance entre l'ennui et la surcharge, les quarts de travail variables et les contraintes liées à l'équipement);
- **dans le mésosystème**, il y a des frictions fréquentes entre le travail du policier et son milieu de vie personnel;
- **dans l'exosystème**, les agents stressants sont les contraintes de l'organisation policière, les pressions des médias et des citoyens et les relations avec le système judiciaire;
- **dans le macrosystème**, les conduites et règles propres au milieu policier, de même que l'attitude ambiguë qu'entretient la société par rapport aux policiers et le rôle de bouc émissaire qu'ils ont l'impression de jouer, sont des agents stressants.

Les ressources dont dispose le policier sont physiques, psychologiques et sociales, et **ses réponses de stress** peuvent être physiques, psychologiques et comportementales. À long terme, le stress entraîne **des conséquences** sur la santé physique et mentale du policier, de sa famille, de son équipe de travail immédiate et de l'ensemble de l'organisation policière.

Questions de compréhension et de réflexion

1. Sachant que le duo Mathieu et Nicolas (p. 1) patrouille dans une région où les possibilités d'assistance rapide sont limitées, quels sont :

   a) Les agents stressants ? _____

   _____

   _____

   b) Les ressources dont ces policiers disposent ? _____

   _____

   _____

   c) Les possibilités de torts à encourir si la situation n'est pas résolue ? _____

   _____

   _____

   d) Sur une échelle subjective de 0 à 10, évaluez le degré de stress que vous éprouveriez en pareille circonstance ? _____

   _____

2. Trouvez des exemples d'eustress qu'un policier est susceptible d'éprouver.

_____

_____

_____

3. Imaginez un policier qui a tendance à « avoir la mèche courte » si un citoyen n'obtempère pas immédiatement à ses demandes. Établissez :

a) ses réponses physiques possibles au stress : _____

_____

b) ses réponses psychologiques possibles au stress : _____

_____

c) ses réactions possibles à l'égard du citoyen : _____

_____

4. Imaginez une patrouilleure qui a quinze ans d'expérience et l'impression d'avoir fait le tour du jardin. Comme sa profession ne la stimule plus, elle n'éprouve plus de plaisir dans son travail. Elle s'absente de plus en plus et souffre de douleurs fréquentes au dos.

a) Dites quels éléments de cet exemple ont trait :

• aux demandes de l'environnement (agents stressants) : _____

• à l'interprétation que fait la policière de la situation : _____

• aux émotions de la policière : _____

• à ses stratégies d'ajustement : _____

• aux réponses de stress : _____

b) Les ressources de la policière sont-elles insuffisantes, sous-utilisées ou surutilisées ? Justifiez votre réponse. _____

_____

c) Si vous étiez à sa place, que feriez-vous ? _____

_____

_____

_____

5. Identifiez, dans chacun des exemples suivants, s'il s'agit d'un **agent stressant** (**AS**), en précisant le **niveau de système** d'où il provient (**micro, méso, exo** et **macro**); d'une **ressource personnelle** (**RP**) ou **sociale** (**RS**); d'une **réponse de stress** (**R**) ou d'une **conséquence du stress** (**C**).

a) le sentiment d'avoir le contrôle sur soi-même et sur l'environnement _____

b) ne pas savoir avec qui l'on patrouillera ce soir _____

c) les tensions musculaires _____

d) l'absentéisme _____

e) le soutien d'un conjoint _____

f) le style de leadership « laisser-faire » d'un superviseur _____

g) la mort d'un collègue lors d'une fusillade _____

h) la détérioration du climat familial du policier suite à son éloignement de sa famille

_____

i) la loi du silence _____

j) être blessé(e) dans une fusillade _____

k) la pratique régulière d'un sport _____

l) faire une crise cardiaque à 40 ans _____

m) avoir suffisamment d'estime de soi pour ne pas remettre en question l'ensemble de sa carrière après une erreur _____

n) participer à une poursuite automobile dangereuse _____

o) augmenter sa consommation d'alcool ou de cigarettes _____

6. Trouvez dans l'actualité policière des incidents impliquant des policiers et dites, à la lumière de l'information dont vous disposez, quels agents stressants sont en cause. Quelles ressources ont été déployées ? Quelles réponses de stress étaient visibles ? Quelles furent les conséquences de ces événements ?

_____

_____

_____

_____

_____

_____

_____

7. Répondez à ces questions pour établir votre zone de stabilité.

   a) Les tâches ou activités qui me stressent parce qu'elles sont ennuyeuses sont _____

   _____

   _____

   b) Les types de pressions ou de stimulations que je suis incapable de supporter sont :

   _____

   _____

8. Remplissez le tableau ci-dessous à partir de votre vie actuelle.

Agents stressants (AS)	Ressources dont vous disposez (RP ou RS)	Ressources à développer davantage (RP ou RS)

Démarche de gestion de stress : votre profil

Pour terminer ce chapitre, vous pouvez dès maintenant consulter l'annexe *Démarche de gestion de stress : profil de stress et utilisation de stratégies de gestion de stress*. Celle-ci vous permettra d'établir votre propre profil de stress au moyen de tests portant sur divers aspects du stress. Une fois vos résultats compilés et analysés, tâchez d'identifier des objectifs de mieux-être pour lesquels vous trouverez des stratégies d'ajustement dans les chapitres 2, 3 et 4.

Chapitre 2
Les aspects physiques du stress _____

Autant une société a ses lois essentielles, autant le corps a les siennes
(Duchesneau, 1988).

Depuis un mois, les habitants du quartier que patrouillent Patrice et Jean sont la cible d'infractions répétées : l'œuvre d'un rôdeur dont la police a la description. Ce soir, Patrice et Jean reçoivent un appel concernant ce rôdeur et se retrouvent au coin d'une ruelle face à face avec l'individu en question qui déguerpit en les apercevant. En moins de temps qu'il ne faut pour le dire, les policiers se lancent à sa poursuite et réussissent à l'épingler après une course de trois minutes. Ils ramènent le suspect à la voiture patrouille pour l'interroger. Ce faisant, Patrice reprend graduellement son souffle et les battements du cœur de Jean se ralentissent aussi. Grâce à quels mécanismes physiques ces policiers ont-ils pu engager cette course et retrouver ensuite leur calme ? Comment s'y prend-on pour maintenir ces mécanismes en bon état d'usage ?

Le corps est le « répartiteur interne » du policier : il est structuré pour lui « transmettre de l'information » sur son état physique. Ses messages le renseignent non seulement sur la faim, la soif ou le fait d'avoir chaud mais aussi sur des émotions comme la peur, le plaisir et la colère. En leur prêtant attention et respect, il est possible d'intervenir pour améliorer l'efficacité au travail et la qualité de vie en général (Anderson et coll., 1995; Dufford, 1986). Ce chapitre se propose donc de :

- faire comprendre les mécanismes des systèmes physiologiques impliqués dans le stress;
- décrire les étapes du processus physique d'adaptation au stress selon Selye;
- souligner les effets à long terme pour les policiers de l'hypervigilance qu'ils doivent maintenir dans le cadre de leur travail;
- détailler les ressources physiques nécessaires pour affronter les agents stressants;
- suggérer des stratégies physiques d'ajustement en vue de modérer les effets des agents stressants sur l'organisme.

2.1 Les bases biologiques du stress

Plusieurs systèmes physiques sont sollicités en présence d'agents stressants. Ces systèmes comprennent des structures qui, tout en ayant leur propre rôle, interagissent en vue d'aider l'organisme à s'ajuster. Tel qu'illustré à la figure 2.2 (p. 25), le système nerveux reçoit les informations de l'environnement, les interprète, puis déclenche les réactions à cet environnement. Les structures qui reçoivent ces informations et les transmettent aux muscles s'appellent les neurones. Leur rôle est comparable à celui des « fils électriques » d'une maison ou d'une automobile. Le système nerveux se compose de deux parties : le **système nerveux central** et le **système nerveux périphérique**.

Le système nerveux central (SNC)

Le commandant ou la boîte de contrôle de l'ensemble du corps est le système nerveux central. Il est situé au centre du corps et constitué de la moelle épinière et du **cerveau**. La moelle épinière est la voie de transmission de l'information provenant de l'environnement vers le cerveau et, par la suite, de celui-ci vers les muscles. Le cerveau est le centre de commande de l'ensemble de ces activités et comprend plusieurs structures. Parmi celles-ci, le cortex et les régions sous-corticales interviennent en présence d'agents stressants.

Le cortex cérébral

Le **cortex cérébral** est la surface plissée contenant les lobes et les aires responsables des fonctions supérieures comme la mémoire, le langage, l'audition, la vision, l'apprentissage, la planification des actions et la résolution de problèmes.

Les régions sous-corticales

Le cerveau contient également les régions sous-corticales, appelées ainsi parce qu'elles se situent en dessous du cortex. Le **système limbique** en fait partie. Il régit les émotions et plus particulièrement l'agressivité. Il comprend, entre autres structures, l'**hypothalamus** qui sert au maintien homéostatique de la température corporelle et régit la faim, la soif, la libido et l'agressivité. Cette structure communique avec le **système endocrinien** par l'intermédiaire de l'**hypophyse** qui, à son tour, déclenche les hormones impliquées dans la réaction au stress. Le système limbique, et plus particulièrement l'hypothalamus, sont donc responsables des émotions. Ils déclenchent et modulent l'intensité des réactions du système nerveux autonome, dont le rôle sera décrit plus loin.

Le système nerveux périphérique (SNP)

Le système nerveux périphérique, comme le mot périphérique le suggère, est constitué des nerfs qui relient le SNC au reste de l'organisme. Il se divise en deux parties : le **système nerveux somatique** et le **système nerveux autonome**.

Le système nerveux somatique (SNS)

Le système nerveux somatique s'active lors de tous les mouvements volontaires impliquant une activité musculaire que le policier exécute dans le cadre des opérations courantes de sa pratique : conduire, écrire, parler, assister des personnes physiquement ou utiliser la force requise. Ce système a pour rôle de transporter l'information provenant des récepteurs des sens vers le cerveau, et du cerveau vers les muscles squelettiques, lors d'actions motrices. Le SNS se trouve sous le contrôle volontaire du cortex cérébral, alors que le système nerveux autonome, comme son nom l'indique, fonctionne de façon autonome.

Le système nerveux autonome (SNA)

Ce système s'occupe des fonctions involontaires de l'organisme, principalement du maintien de l'homéostasie dans l'organisme. Pour ce faire, il régit les muscles lisses comme le muscle cardiaque, les bronches, l'estomac, l'intestin, la vessie, le foie et les pupilles. En présence d'un agent stressant, sous la gouverne de l'hypothalamus, il agit en collaboration avec le système endocrinien, lequel est constitué de glandes sécrétant des substances appelées hormones qui sont véhiculées dans le sang pour maintenir l'organisme en état d'homéostasie. Parmi l'ensemble des glandes du corps, les surrénales sont particulièrement sollicitées en présence d'agents stressants. Elles sécrètent des hormones comme l'**adrénaline** et la noradrénaline qui mobilisent l'organisme pour l'action. Le SNA a donc une fonction de survie. Il opère de la même façon en présence d'un eustress ou d'un agent stressant perçu comme menaçant.

Pour maintenir l'organisme en état d'équilibre, ce système dispose de deux sous-systèmes complémentaires : le **système nerveux sympathique**, qui prépare l'organisme à affronter le stress et le **système nerveux parasympathique**, qui ramène l'organisme à l'état de repos. En présence d'un agent stressant, ce système joue un rôle déterminant dans la régulation des mécanismes du stress en mobilisant automatiquement l'organisme à l'attaque ou à la fuite et en le ramenant au calme, une fois la demande stressante disparue.

Le tableau 2.1 présente un aperçu de quelques effets, observables ou non, de l'action complémentaire de ces deux sous-systèmes.

La recherche de la zone de stabilité

Les mécanismes du système nerveux autonome sont automatiques. Cependant, à cause de son mode de vie, le policier exerce une influence sur le degré d'activation de son propre système nerveux autonome, de sorte qu'il peut, par une saine gestion de ses ressources physiques, réguler son degré d'activation pour maintenir sa zone de stabilité. On peut tenter de situer cette zone de stabilité en se demandant quel est le meilleur degré

Tableau 2.1   Les mécanismes complémentaires du SNA.

SYSTÈME NERVEUX SYMPATHIQUE Attaque ou fuite	SYSTÈME NERVEUX PARASYMPATHIQUE Retour au calme
• Pupilles dilatées • Augmentation de la pression artérielle • Bouche sèche • Accélération du rythme cardiaque • Essoufflement et impression de manquer d'air • Relâchement de la vessie et des intestins • Estomac noué • Libération d'adrénaline dans le sang (action) • Libération du glucose dans le sang (énergie) • Augmentation de l'efficacité des contractions musculaires • Affluence de sang vers les organes vitaux et retrait des extrémités : mains et pieds froids • Augmentation de l'acuité auditive • Transpiration accrue	• Pupilles contractées • Bonne salivation • Rythme cardiaque lent • Respiration lente • Poursuite normale des fonctions digestives • Retour à l'état normal du taux d'adrénaline et du glucose dans le sang • Détente musculaire

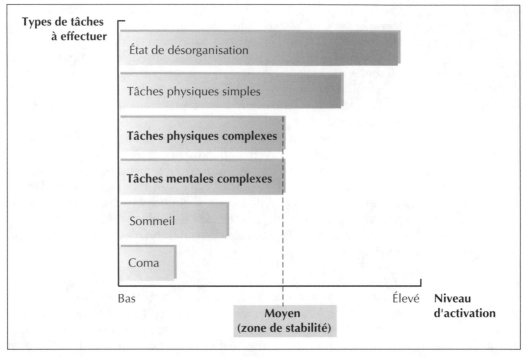

Figure 2.1 Niveau d'activation requis par type de tâche, selon Yerkes-Dodson (*voir* Dufford, 1986).

d'activation requis selon les caractéristiques d'une tâche à effectuer. Pour lire le schéma de la figure 2.1, il importe de déterminer d'abord la tâche à effectuer, puis de se reporter au niveau d'activation suggéré, en tenant compte du fait que les opérations de patrouille, par exemple, sont essentiellement des tâches physiques et mentales complexes.

Si un policier s'appuie sur ce schéma pour se préparer à un test de performance physique visant une promotion, il est préférable qu'il réchauffe préalablement ses muscles. Cependant, il devra être moins activé ou plus reposé s'il doit s'astreindre à des examens écrits. En cours de patrouille, le maintien de la zone de stabilité est d'autant plus important que les personnes auprès de qui les policiers interviennent sont souvent dans un état de désorganisation (le niveau le plus élevé d'activation). Il est plus facile de reprendre le contrôle d'une situation si on est alerte et dans un état d'activation inférieur à celui des citoyens.

La figure 2.2 illustre les relations entre les structures qui viennent d'être présentées et précise leur rôle en présence d'agents stressants.

Cette figure détaille l'équipement physique dont dispose le policier pour réagir à un agent stressant. Une rétroaction s'effectue du système périphérique, incluant le système somatique et le système nerveux autonome, vers le SNC, rétroaction qui permet de comprendre comment ces mécanismes peuvent à la fois travailler en harmonie pour une

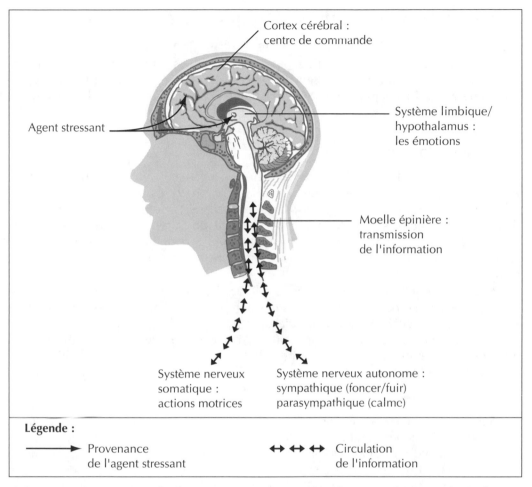

Figure 2.2   Interaction et rôle des structures impliquées dans le stress (adaptation de Girdano et
coll., 1997, p. 6).

action efficace ou en arriver à se nuire réciproquement. En effet, si le système nerveux
autonome produit une activation trop élevée par rapport aux demandes d'une situation, il
se peut que la dimension émotionnelle prenne toute la place et que, de ce fait, le cortex
exerce moins de contrôle sur le système nerveux somatique, ce qui augmente les risques
d'erreur. À l'inverse, et plus positivement, si le policier effectue les opérations techniques
adéquates, un sentiment de confiance en sa capacité de maîtriser la situation lui permettra
de s'activer modérément et de bien s'acquitter des tâches complexes requises.

Voilà précisés les rôles des structures reliées au stress. Décrivons maintenant les étapes
de réaction de l'organisme aux agents stressants.

2.2 Le mécanisme physiologique du stress

Le stress est le compteur de vitesse de la vie (Hans Selye).

C'est à un Canadien que l'on doit l'explication des phases du processus par lequel un organisme s'adapte à un agent stressant. Ce processus, Hans Selye (1974, 1976) l'a appelé **syndrome général d'adaptation** ou **SGA**. Il comprend trois phases : la phase d'alarme, la phase de résistance, la phase d'épuisement.

La phase d'alarme

Prenons pour exemple un citoyen qui vous agresserait verbalement lors d'une arrestation. À l'aide de la figure 2.2, tentez de reconstituer le processus physiologique de votre réaction. Votre cortex interprète l'information, votre système limbique et votre hypothalamus sont activés pour commander la mise en service du système nerveux autonome, branche sympathique. En même temps, l'hypothalamus commande au système endocrinien de mobiliser l'organisme en y libérant des hormones de stress, dont l'adrénaline.

L'adrénaline joue dans l'organisme le rôle de l'essence dans les automobiles : c'est l'énergie disponible pour l'ensemble des réactions émotionnelles, quelles que soient les situations qui déclenchent la réaction d'alarme (Tavris : *voir* Dufford, 1986). Le bruit, la chaleur, la condition physique (faim, fatigue, maladie), les urgences, les événements inattendus, les émotions dont on identifie mal la cause ou même le fait de nier qu'on est atteint émotionnellement, tous sont des éléments susceptibles de déclencher la réaction d'alarme et de faire circuler le carburant « adrénaline » à l'intérieur de l'organisme.

Selon l'intensité de la situation, l'alarme fait l'effet d'une surprise ou d'un choc. C'est alors que le policier peut perdre momentanément ses moyens et ne pas savoir quoi faire ou répondre. L'organisme se mobilise ensuite pour réagir rapidement : le rythme cardiaque, la pression artérielle et le rythme respiratoire s'accélèrent et le taux de glucose sanguin augmente. Cet état d'excitation est d'ailleurs agréable à certaines personnes qui peuvent même le rechercher et vouloir le maintenir. La réaction d'alarme est cependant de courte durée; la santé de l'organisme repose sur le retour à l'état de calme, une fois la situation alarmante résolue. Imaginons donc que notre citoyen fort en gueule se calme à la première réplique du policier; celui-ci est satisfait, son hypothalamus commande le retour à l'homéostasie via l'activation du système nerveux parasympathique et fiou ! La réaction d'alarme est terminée.

Les policiers subissent ce type de réaction plusieurs fois par jour. Du coup, plus la situation se répète ou plus la réaction d'alarme est forte, plus la dépense d'énergie est élevée. Il y aura alors apparition de réactions de fatigue. D'où la nécessité de régler le problème avant que la situation ne s'éternise. Autrement, l'organisme entrera dans la phase suivante du syndrome : la résistance. Dans des situations extrêmes comme lors d'une blessure grave, il est possible que l'agent stressant soit suffisamment fort pour que la résistance de l'organisme diminue et que l'individu en meure.

La phase de résistance

Contrairement à ce qui se produit lors d'une courte altercation, le policier engagé dans une poursuite ou une prise d'otages continue à combattre un agent stressant longtemps après avoir éprouvé les effets initiaux de la réaction d'alarme. De même, certaines personnes vivent dans un état d'anxiété permanent; d'autres se butent à des problèmes apparemment sans issue : par exemple, un patrouilleur éprouvant depuis trois ans à la fois des difficultés conjugales et des conflits avec son superviseur, sans possibilité de mutation.

La phase de résistance sert à s'adapter à de tels contextes. La personne va alors puiser dans ses réserves d'énergie pour continuer à faire face à la situation. Sa pression artérielle demeurera anormalement élevée; son taux de glucose reviendra à la normale alors que ses cellules utiliseront le glucose à la même vitesse qu'il entre dans la circulation sanguine, c'est-à-dire plus rapidement qu'à l'état de calme. Il est possible que cette personne réussisse à traverser cette période de vie plus difficile, aidée de ses réserves d'énergie et des ressources dont elle dispose. Elle reviendra donc à un état d'homéostasie.

Mais elle peut aussi s'épuiser petit à petit. Son taux de glucose diminuera, la fatigue apparaîtra, l'anxiété et l'angoisse s'installeront. À ce stade, les organes ne seront pas encore atteints malgré l'affaiblissement du système immunitaire censé protéger le corps des infections. Par contre, si la situation n'est pas réglée, bien que la personne semble s'adapter, elle s'épuisera à plus ou moins long terme, selon le niveau de ses capacités et de ses ressources.

La phase d'épuisement

Placée dans l'incapacité d'agir et de reprendre des forces, une personne soumise à des agressions successives finit par atteindre la phase d'épuisement. Le système d'attaque ou de fuite est miné. On constate alors l'apparition de maladies d'organes comme le cœur, le foie, les poumons et l'estomac. Psychologiquement, les difficultés de concentration ou de jugement, la dépression ou l'épuisement professionnel sont le propre de cette phase.

La figure 2.3 montre la représentation graphique des trois phases du syndrome général d'adaptation.

Au cours de l'alarme, le corps subit des changements et si l'agent stressant est suffisamment fort, la résistance commence à diminuer. En effet, la résistance n'est possible que si le corps peut s'adapter à l'agent stressant. Les signes physiques de la première phase peuvent avoir disparu mais le corps continue à se mobiliser au-delà du niveau normal pour résister au stress, en puisant dans ses ressources énergétiques. Une fois les réserves

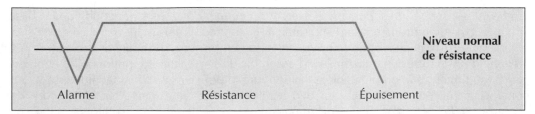

Figure 2.3 Le SGA d'après Selye (1974, p. 42).

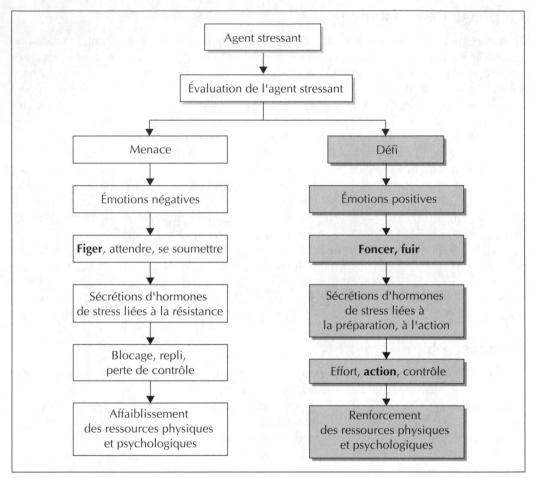

Figure 2.4   L'importance de l'action en présence d'un agent stressant, d'après Laborit (*voir* SIRIM, 1983 et Loehr, 1993).

d'énergie taries, c'est l'épuisement. Les mêmes signes de réaction d'alarme réapparaissent alors mais pour conduire, cette fois, à la mort.

Agir ou « faire quelque chose » de signifiant ou d'approprié en présence d'un agent stressant *sur lequel il est possible d'exercer un certain contrôle* est *la* condition de base pour ne pas atteindre la phase d'épuisement. La figure 2.4 illustre les deux axes de l'effet d'une action signifiante et de l'absence d'action en présence d'un agent stressant. On y réitère l'importance déterminante, sur l'ensemble de ses réactions émotionnelles et physiques, de l'interprétation préalable à l'action que le policier fera d'un agent stressant. S'il interprète l'événement comme un défi à relever, il se situe dans l'axe de l'effort, du contrôle et de l'action; s'il le perçoit comme une menace, il se retrouve plutôt dans l'axe de détresse, de la perte de contrôle et de l'inhibition de l'action (Jeammet et coll., 1996).

2.3 L'hypervigilance

L'état d'hypervigilance et sa conséquence physiologique constituent le premier domino d'une théorie sur le stress policier (Gilmartin, 1986, p. 447).

En plus d'être exposé aux agents stressants propres aux divers niveaux de système, le policier a appris durant sa formation et la pratique quotidienne de son travail un ensemble de comportements liés à la vigilance. Il doit continuellement prévoir tous les scénarios, relever tous les détails, se tenir prêt à réagir en situation d'urgence. Pendant un quart de travail, il « sollicite fortement » la réaction d'alarme, qui, rappelons-le, est un mécanisme conçu pour réagir rapidement sur de courtes périodes. Le policier est donc dans un état de vigilance supérieure à celle du citoyen ordinaire. Et il y a lieu de croire que cela l'amène à se maintenir constamment dans un état d'**hypervigilance** (Gilmartin, 1986; Sarason et coll., 1979).

En effet, l'hypervigilance et les poussées d'adrénaline dans l'organisme s'accompagnent d'une impression d'énergie et d'une vitesse d'esprit et d'action. La parole est plus rapide, l'humour et le sentiment d'être pleinement vivant sont optimaux. D'ailleurs, certains policiers sont parfois tentés d'entretenir délibérément cet état vivifiant en se tenant continuellement à l'affût de sensations fortes, en se méfiant sans raison des gens ou en fuyant les moments familiaux, qu'ils perçoivent comme trop calmes ou même ennuyeux par rapport à l'exaltation qu'ils éprouvent au travail. Cette recherche de sensation diminue leur capacité de se reposer et d'établir des relations agréables hors du cadre policier. Par conséquent, ils risquent éventuellement, en cours de carrière, de contaminer les autres dimensions de leur vie : leur santé physique, leur santé mentale et leurs relations familiales (Dufford, 1986; Gilmartin, 1986; Violanti, 1996a). Pour tirer profit de vos ressources physiques et des stratégies d'ajustement afin de vous maintenir dans l'état d'alerte nécessaire pendant les 8 heures de service quotidien, tout en vous « décontaminant » physiquement des effets de l'adrénaline, consultez le volet *Démarche de gestion de stress* présenté en page 35.

2.4 Les ressources physiques

Pour développer ses ressources physiques et les renouveler constamment malgré les contraintes inhérentes à son travail, le policier doit tâcher d'adopter un style de vie équilibré où l'idéal des trois 8 (8 heures de travail, 8 heures de détente, 8 heures de sommeil) fait loi.

Un sommeil efficace

Pour être le moins perturbé possible par le stress des horaires variables, il vaut la peine de se plier à une certaine hygiène. Comme les quarts de nuit bousculent davantage les habitudes de sommeil, voici des suggestions susceptibles de vous aider à jouir d'un sommeil régulier et réparateur (Anderson et coll., 1995) :

• portez des verres fumés au retour du travail le matin pour réduire les effets stimulants de la lumière;

- dormez immédiatement après le quart de travail plutôt qu'avant;
- dormez dans une pièce sombre et insonorisée;
- profitez de l'heure du repas pour faire une sieste de 10 à 30 minutes au maximum (cela vous reposera et ne vous empêchera pas d'être alerte pour continuer votre patrouille).

Une saine alimentation

Avouons-le : il n'est pas facile de s'alimenter de façon équilibrée quand on est sur la route et que les heures de repas sont soumises aux aléas des appels. Ce n'est pas facile, mais la chose est possible moyennant de la volonté, un peu d'organisation et la connaissance des bons endroits. Il est essentiel de prendre trois repas nutritifs par jour, sans excès d'alcool ni de tabac. Évitez la caféine sous toutes ses formes (thé, chocolat, aspirine, coca) cinq heures avant d'aller au lit. En période stressante, buvez beaucoup d'eau, réduisez votre apport en sel et mangez moins d'aliments contenant des sucres artificiels (Anderson et coll., 1995).

L'exercice physique

La bonne forme physique est une condition d'admission et de réussite à l'École nationale de police du Québec. Et cela se conçoit : essentielle à l'exercice de la fonction de policier, la bonne forme est indissociable de la santé mentale et physique. D'ailleurs, l'entraînement ne sert pas qu'à maintenir en bonne condition physique et mentale; c'est aussi un moyen de réduire le stress et de réintégrer sa zone de stabilité.

Le retour à la zone de stabilité

Supposons que tout va mal depuis trois jours et que vous êtes dans la phase de résistance du SGA. Pour réintégrer votre zone de stabilité, pour vous « décontaminer » (Gilmartin, 1986), un peu de la façon dont vous vous y prendriez pour décrasser un moteur, vous poussez votre machine à fond en faisant de l'exercice physique intense. En effet, pour nourrir les muscles et le cerveau sollicités par l'exercice, l'organisme augmente le taux de sucre et de graisse dans le sang et cela a pour effet de les décontracter. L'exercice augmente aussi l'oxygène dans les muscles et le cerveau (Girdano et coll., 1997). Cela améliore le fonctionnement du cortex et, du même coup, votre capacité de concentration et votre vivacité d'esprit. Enfin, le sang se nettoie des hormones de stress, sa composition revient à la normale, et simultanément, l'organisme sécrète des endorphines, les neuro-transmetteurs reliés à la détente et au plaisir (Loehr, 1993). Pousser la machine à fond permet donc la **décompression**. Agréable paradoxe !

L'entraînement augmente la capacité du corps à produire de l'énergie. On peut ainsi travailler plus longtemps, récupérer plus vite et disposer de plus d'énergie pour régler les problèmes.

Effet préventif de l'exercice physique

Comme n'importe quel muscle, le cœur gagne en puissance s'il est entraîné régulièrement. Cela se traduit par une fréquence cardiaque moins élevée en situations de stress et de repos. Un cœur sain s'use donc moins. N'ayant pas besoin de se contracter aussi souvent qu'un cœur non entraîné, il économise l'énergie et se fatigue moins. C'est déjà cela de gagné sur le plan de l'espérance de vie. En effet, la pratique régulière de l'exercice physique réduit jusqu'à 50 % les risques de troubles cardio-vasculaires (Desharnais, 1989). Par ailleurs, un cœur bien entraîné s'adapte mieux aux besoins de l'organisme et il répond plus rapidement aux demandes des muscles en action.

Les sensations psychologiques découlant de l'exercice physique

L'estime de soi et la confiance en ses performances physiques sont importantes pour le policier. S'il sait qu'il peut compter sur sa machine corporelle, il sera plus apte à déployer les énergies nécessaires dans des situations d'urgence ou à haut risque, qu'il percevra alors comme des défis à relever plutôt que comme des obstacles insurmontables.

L'exercice physique est l'antidépresseur par excellence, sans ordonnance, mais avec risque d'accoutumance, si on y goûte. Il produit à court et à moyen terme un état de bien-être et de calme intérieur, qui produit un sentiment de détente, un certain détachement face aux tracas de la vie quotidienne et une attitude générale plus positive. Les gens bien entraînés physiquement s'impatientent peu et perdent moins leur contrôle (Girdano et coll., 1997). Lors d'une intervention, une bonne condition physique aide à la mobilisation de l'attention et à la concentration et réduit les appréhensions négatives (Desharnais, 1989).

L'entraînement

Si vous avez décidé de vous entraîner pour réduire le stress, choisissez une activité non compétitive qui vous plaît et à laquelle vous pourrez vous adonner en solitaire (jogging, bicyclette, natation, stretching, musculation, Taï-Chi, etc.). En réduisant ainsi les difficultés à combiner horaires variables et entraînement, vous aurez aussi plus de chances d'assiduité. Il est important de faire de l'exercice physique trois fois par semaine.

Bien que chaque policier soit responsable de son sommeil, de son alimentation et de l'exercice physique auquel il s'adonne, il incombe également à l'organisation policière de promouvoir la bonne condition physique de ses membres, en facilitant l'accès à des espaces de conditionnement physique et de repos et en informant les policiers des endroits où ils sont plus susceptibles de prendre de bons repas (Sewell, 1998).

Résumé

Le stress s'explique physiologiquement. Notre organisme fonctionne comme une organisation policière : chaque structure a un rôle précis et communique avec les autres.

• Le système nerveux central est responsable de communiquer avec l'environnement, d'en analyser l'information et de donner à l'organisme l'ordre d'agir. Il est commandé par le cerveau qui comprend le cortex, responsable des cognitions, et le complexe système limbique/hypothalamus, qui régit les émotions en communiquant avec le système endocrinien et en contrôlant le système nerveux autonome.

- Le système nerveux périphérique a pour fonction d'agir ou de réagir à l'environnement. Il comprend le système nerveux somatique et le système nerveux autonome. Alors que le cortex commande les actions volontaires exécutées par le système nerveux somatique, les régions sous-corticales déclenchent le système nerveux autonome, responsable des réponses de stress. Ce système fonctionne en deux branches qui s'activent de façon antagoniste en présence d'un agent stressant : le système nerveux sympathique (attaque ou fuite), et le système nerveux parasympathique (calme).
- En adoptant un mode de vie sain, les policiers peuvent maintenir leur organisme à un niveau d'activation approprié aux types de tâches qu'ils ont à effectuer.

Les mécanismes responsables du stress sont conçus pour réagir à des situations d'urgence. Le SGA décrit les phases par lesquelles peut passer un policier soumis à un agent stressant, selon la possibilité qu'il a d'agir ou non sur la situation pour revenir à un état d'équilibre : *alarme, résistance et épuisement.* S'il peut exercer un certain contrôle, le fait de poser une action signifiante renforce les ressources et empêche l'épuisement.

Les policiers en fonction carburent à l'adrénaline et sont souvent en état d'hypervigilance. Cela expliquerait nombre de leurs réponses de stress physiques, psychologiques et sociales.

Un sommeil régulier, une alimentation saine et l'exercice physique sont les trois composantes de la bonne forme physique, la ressource primordiale pour affronter les agents stressants.

Étude de cas

Jean est policier auxiliaire dans une MRC. Ces temps-ci, il patrouille de nuit en remplacement de collègues permanents en vacances. Dans deux semaines, on l'évaluera pour l'obtention de sa permanence, puis on l'affectera à un poste quelconque à l'intérieur d'un district de 500 kilomètres carrés couvrant plusieurs MRC. Jean est tracassé par l'incertitude qui plane sur son avenir. Il y pense sans arrêt, au point d'avoir la gorge nouée et de la difficulté à dormir le jour.

Ce soir, c'est Anne, sa collègue, qui est au volant de la voiture patrouille. Le duo vient de capter un message radio concernant l'auteur d'un vol à main armée. Considéré comme dangereux, l'individu serait présentement en fuite sur la transcanadienne, non loin. N'ayant pas d'appels en provenance de leur localité, Anne et Jean décident de porter assistance à la patrouille sur l'autoroute. Au moment où ils s'engagent sur la voie rapide, une auto correspondant au signalement surgit à 130 km/h.

Anne sent son cœur cogner, elle enfonce l'accélérateur, sa concentration est maximale. Jean vérifie l'identification du suspect sur les ondes et annonce aux autres patrouilleurs, beaucoup plus distants, qu'ils engagent la poursuite. Il a la bouche sèche, le souffle court, sa voix tremble légèrement et il cherche ses mots. Les collègues répondent qu'ils s'amènent le plus vite possible. Ils auront leur homme !

Celui-ci a d'ailleurs fortement accéléré. Il roule maintenant entre 140 et 150 km/h. Anne actionne les gyrophares et le talonne de près. Anne et Jean savent qu'ils ne peuvent escompter d'aide des autres patrouilleurs pour monter un barrage routier : ils sont trop éloignés. Ils décident donc de continuer la poursuite dans l'espoir de coincer le suspect s'il s'avisait de quitter l'autoroute. Ils continuent donc de communiquer leur position aux autres véhicules du territoire et à leur superviseur. Durant vingt minutes, Anne et Jean vont demeurer en parfait contrôle de la situation, attentifs à ne pas perdre de vue le suspect ou réajustant un plan d'interception en collaboration avec les autres voitures patrouille, qui se rapprochent maintenant.

Tout à coup, le suspect s'engage dans une sortie, prend une route secondaire, brûle un feu et emboutit un camion dix kilomètres plus loin. Anne et Jean sont les premiers sur les lieux de l'accident : le suspect est gravement blessé, le conducteur du camion, plus légèrement. Jean, les jambes tremblantes, appelle l'ambulance. Anne veille à la sécurité du camionneur. Elle a l'estomac noué, mais recouvre peu à peu une respiration normale.

Cinq minutes plus tard, les renforts et l'ambulance sont là. Anne et Jean se serrent la main. À la réunion quotidienne du lendemain, leur superviseur les félicitera pour le bon travail.

1. Identifiez tous les agents stressants du cas que vous venez de lire et le niveau de système auxquels ils appartiennent.

   a) AS ne touchant que Jean

   AS : _____   Niveau de système : _____

   b) AS communs à Anne et à Jean :

   AS : _____   Niveau de système : _____

   AS : _____   Niveau de système : _____

   AS : _____   Niveau de système : _____

   c) Eustress : _____

   _____

   _____

   _____

2. Les structures responsables des opérations de conduite automobile lors de la poursuite sont, dans le système nerveux central, le _____ et dans le système nerveux périphérique, le _____.

3. Les structures du cerveau liées à l'anxiété qu'éprouve Jean par rapport à l'avenir et à sa satisfaction découlant des félicitations de son superviseur sont _____ et _____.

4. Le système faisant partie du système nerveux périphérique et responsable de fournir à Anne et à Jean l'énergie pour faire face à cette situation, est le _____ ; la branche de ce système qui est activée dans le cas présent est _____ .

5. Pour le type de tâche qu'ils ont à effectuer ici, quel niveau d'activation Anne et Jean auraient-ils avantage à maintenir ?
    a) Type de tâche : _____
    b) Niveau d'activation : _____

6. a) Au moment où ils aperçoivent l'auto du suspect pour la première fois, Anne et Jean se trouvent dans la phase _____ du SGA.

    b) Identifiez les réponses de stress de chacun durant cette phase.
       Anne : _____
       Jean : _____

7. Pendant la durée de la poursuite (environ 25 minutes), Anne et Jean sont dans la phase _____ .

8. Si les inquiétudes de Jean face à son avenir se manifestent par de l'insomnie et une gorge nouée, on peut déduire qu'il est dans la phase _____ du SGA.

9. a) Après la poursuite, quel signe indique qu'Anne est revenue à un état de calme ? _____

    b) Quelle branche du système nerveux autonome est responsable de ce retour au calme ? _____

10. a) Lequel de ces agents stressants est le moins susceptible d'avoir des effets négatifs sur l'organisme de Jean ?
       • L'attente de sa permanence et d'une nouvelle affectation à un autre poste.
       • La poursuite automobile décrite dans l'étude de cas.

    b) Justifiez votre réponse en utilisant le vocabulaire du stress que vous maîtrisez maintenant.
       _____
       _____
       _____
       _____

11. Quelles suggestions feriez-vous à Anne pour se « décontaminer » rapidement des effets physiques de l'hypervigilance qu'elle a éprouvés pendant la poursuite ? Ces suggestions renvoient-elles à l'aspect physique, psychologique ou social du stress ?

12. Que suggéreriez-vous à Jean pour réduire son anxiété par rapport à l'avenir ? Ces suggestions renvoient-elles à l'aspect physique, psychologique ou social du stress ?

13. Si vous étiez dans la même situation que Jean ou Anne, quelles seraient vos réactions ? Qu'est-ce qui serait le plus stressant pour vous ? Que feriez-vous ?

Démarche de gestion de stress : stratégies physiques d'ajustement

Il n'y a pas que l'exercice physique régulier qui puisse aider les policiers désireux de mieux gérer leur stress. Les stratégies physiques suivantes ont aussi fait leurs preuves.

- La sauvegarde d'énergie
- Le contrôle de la respiration
- La concentration dirigée
- Les techniques de relaxation
- Le rire
- Les exercices de décontraction des muscles associés la vigilance

Vous trouverez ci-après des indications sur les conditions d'utilisation de chacune. On en précisera d'abord le *type* (soit une activité visant à améliorer la connaissance de soi ou une action à prendre). Les *temps d'apprentissage et d'utilisation* sont indiqués. De plus, les prescriptions d'utilisation sont expliquées aux rubriques *À utiliser* et *Quand*. Enfin les *bénéfices escomptés* sont décrits.

Ces stratégies physiques sont rapides, simples et applicables au travail. Plus vous les utilisez dans divers contextes, plus vous vous protégez contre le stress. Vous en connaissez sûrement d'autres. Ajoutez-y les vôtres.

Les stratégies physiques sont conseillées à **toute personne qui souhaite gérer son stress, qu'importe son *profil de stress*** (voir Annexe, p. 185). Elles sont toutefois indispensables si vous avez tendance à réagir avec anxiété **(RA)**, avez des comportements de type A **(CTA)** ou un indice de frustration élevé **(F)**.

La sauvegarde de l'énergie

Une bonne façon de se protéger contre les agents stressants est d'économiser son énergie pour se maintenir dans sa zone de stabilité, c'est-à-dire qu'en présence d'un agent stressant, vous déployez l'énergie « juste nécessaire » pour faire face à la situation. Cela fait, il est important que vous décompressiez rapidement pour refaire le plein d'énergie. Le secret d'une saine gestion du stress réside dans l'alternance entre l'activation ou la dépense d'énergie et le repos. Imaginez les vagues de la mer; si vous arrivez à créer des vagues d'action et de repos dans votre vie, vous avez un rythme de vie sain. Arcand et Brissette (1995) suggèrent des exercices pour sauvegarder votre énergie ou pour identifier les conditions vous permettant de décompresser afin d'en refaire le plein.

> **STRATÉGIE D'AJUSTEMENT 1 :** Établir une « distance sécuritaire » psychologique
> *Type : connaissance de soi et action*
> *Temps d'apprentissage : 3 minutes la première fois*
> *À utiliser : avant, pendant ou après un agent stressant*
> *Temps d'utilisation : quelques fractions de secondes*
> *Effet à court terme escompté : protection psychologique et sentiment de sécurité et de contrôle*

Prenez une posture décontractée et faites le vide dans votre esprit. Imaginez quelque chose de souple et d'enveloppant comme une bulle ou un manteau de lumière qui vous protégerait des attaques malsaines. Vous pouvez ensuite utiliser cette image lors de vos interventions pour établir une « distance sécuritaire » psychologique entre vous et d'autres personnes (des citoyens agressifs, par exemple) ou des événements stressants.

Vous pouvez aussi vous répéter à chaque fois que vous vous sentez tourmenté(e) et en déperdition d'énergie : « *Je suis le gardien de mes énergies.* » Choisissez une autre phrase avec vos propres mots, si ceux-ci ne vous conviennent pas.

> **STRATÉGIE D'AJUSTEMENT 2 :** Refaire le plein d'énergie
> *Type : connaissance de soi*
> *À utiliser : quand vous voulez identifier les situations génératrices d'énergie*
> *Temps d'utilisation : 10 minutes, le temps de répondre aux questions, au besoin*
> *Effet escompté : sélectionner les moyens de refaire le plein d'énergie*

Remplissez le tableau suivant afin d'identifier comment vous vous y prenez habituellement pour décompresser ou pour refaire le plein d'énergie. Rappelez-vous de trois situations où vous débordiez d'énergie. Pour chacune d'entre elles, identifiez le lieu, le moment, les personnes avec qui vous étiez et l'activité que vous faisiez.

Situation	Où ?	Quand ?	Avec qui ?	Ce que vous faisiez
1.				
2.				
3.				

À l'aide de ce tableau, vous pouvez déduire des informations sur votre façon habituelle de décompresser. Voici quelques questions pour vous y aider :

1. Les lieux où je me trouve ont-ils des caractéristiques communes ?

2. Ai-je une préférence pour certains moments en particulier ?
3. Suis-je seul(e) ou en compagnie d'autres personnes ? Dans le deuxième cas, quelles sont ces personnes qui ont un effet reposant sur moi ?
4. Suis-je plutôt actif ou inactif ?
5. Si vous le désirez, vous pouvez répondre aux mêmes questions mais de manière négative cette fois, en identifiant les cas de perte d'énergie.

Étant donné que cet exercice vise essentiellement une réflexion sur vous-même, refaites-le au besoin lorsque votre situation change. Vous pouvez ainsi calculer le temps utilisé, dans une journée ou une semaine, à refaire le plein d'énergie. Est-il ou non suffisant ? En avez-vous besoin de plus ? Avez-vous des choix à faire concernant les situations qui renforcent ou minent votre énergie ?

La respiration

Plusieurs exercices de détente reposent sur l'attention portée à la respiration ou son ralentissement. En voici quelques-uns pouvant être faits rapidement.

> **STRATÉGIE D'AJUSTEMENT 3 :** Observer sa respiration (Handfield, 1996)
> *Type : connaissance de soi et action*
> *Temps d'apprentissage : aucun*
> *Temps d'utilisation : cinq minutes, avant ou après un agent stressant*
> *À utiliser : dans endroit calme*
> *Effet à court terme escompté : état de bien-être physique et psychologique*

Fermez les yeux et soyez attentif à la manière dont vous respirez. Ne pensez à rien d'autre qu'au rythme de votre respiration. Répétez-vous des paroles semblables à celles-ci : « Je me sens calme, reposé, je respire calmement ». Prenez conscience du mouvement de votre respiration — expiration, inspiration. Après 5 minutes, étirez-vous, souriez et retournez à vos opérations habituelles.

> **STRATÉGIE D'AJUSTEMENT 4 :** Respirer au ralenti
> *Type : connaissance de soi et action*
> *Temps d'apprentissage : le faire une fois et répéter au besoin*
> *Temps d'utilisation : une minute et plus, selon vos besoins, à répéter avant ou après un agent stressant*
> *À utiliser : un peu partout*
> *Effet à court terme escompté : décompression, concentration, perception de soi, ralentissement de la fréquence cardiaque*

Il s'agit ici de ralentir votre fréquence respiratoire : inspirez en comptant lentement jusqu'à trois; retenez votre souffle en comptant jusqu'à trois; expirez en comptant lentement jusqu'à trois; comptez jusqu'à trois avant d'inspirer à nouveau. Puis recommencez cet exercice en quatre temps.

> **STRATÉGIE D'AJUSTEMENT 5 :** Pratiquer l'hypoventilation
>
> *Type : action*
>
> *Temps d'apprentissage : répéter quelques fois par jour pendant au moins une semaine*
>
> *Temps d'utilisation : une minute, à répéter avant, pendant ou après un agent stressant*
>
> *À utiliser : peut se faire partout*
>
> *Effet à court terme escompté : diminution d'un état émotionnel intense, ralentissement de la fréquence cardiaque*

Apprenez d'abord à prendre votre pouls. Une fois que vous en êtes capable, pratiquez la technique d'hypoventilation proprement dite :

« Videz vos poumons, sans forcer, puis prenez un tout petit peu d'air; gardez cet air un court moment. Enfin, expirez sans vous forcer, comme un ballon qui se dégonfle de lui-même. Après quelques essais, vous percevrez un ralentissement au niveau du pouls, d'abord sous la forme d'un décrochage — par exemple un battement cardiaque en moins — ou d'une force pulsative plus faible, puis le rythme régulier reviendra. Persistez, sans effort, jusqu'à ce que le ralentissement soit bien net » (Cungi, 1998, p. 56-57).

Entraînez-vous jusqu'à ce que le ralentissement de votre pouls soit durable.

La concentration dirigée

Pour vous détendre le soir avant de dormir, libérer votre esprit des tracas de la journée ou vous « décontaminer » d'une intervention particulièrement exigeante, voici quelques exercices de concentration.

> **STRATÉGIE D'AJUSTEMENT 6 :** Compter (Black, 1999)
>
> *Type : action*
>
> *Temps d'utilisation : une minute, avant ou après un agent stressant*
>
> *À utiliser : peut se faire partout*
>
> *Effet à court terme escompté : diminution d'un état émotionnel intense, ralentissement de la fréquence cardiaque, concentration, rejet d'une pensée indésirable*

Fixez votre regard sur un endroit précis. Nommez mentalement cinq objets que vous voyez. Identifiez ensuite cinq sons que vous entendez. Énumérez cinq sensations que vous éprouvez. Ensuite, identifiez quatre objets que vous voyez, quatre sons que vous entendez, quatre sensations que vous éprouvez. Refaites l'exercice avec trois, deux et un. Vous pouvez réutiliser les mêmes objets ou les mêmes sons.

> **STRATÉGIE D'AJUSTEMENT 7 :** Fixer un objet
>
> *Type : action*
>
> *Temps d'utilisation : une minute, avant ou après un agent stressant*
>
> *À utiliser : peut se faire partout*
>
> *Effet à court terme escompté : diminution d'un état émotionnel intense, ralentissement de la fréquence cardiaque, concentration, rejet d'une pensée indésirable*

« Fixez votre regard sur un objet quelconque et concentrez-vous à le détailler jusqu'à ce que toute votre pensée soit occupée par cet objet. Recommencez l'exercice mentalement, les yeux fermés, avec le même objet, en le détaillant soigneusement. Si votre attention faiblit, arrêtez l'exercice, détendez-vous et recommencez un peu plus tard. Cet exercice augmente considérablement la capacité de concentration sur un fait précis » (Cungi, 1998, p. 61).

En utilisant cette stratégie, vous ferez d'une pierre deux coups : vous détendre et améliorer votre capacité d'observation.

La relaxation

Pour arriver au même résultat de réduction de stress, la relaxation utilise un procédé inverse à l'exercice physique en induisant un état physique de ralentissement du métabolisme. Grâce à la détente, la tension artérielle, la température corporelle, le rythme respiratoire et le taux de glucose diminuent. Voici d'abord un exercice de relaxation que vous pouvez faire rapidement.

STRATÉGIE D'AJUSTEMENT 8 : La relaxation des mains

Type : action et connaissance de soi

Temps d'apprentissage : la sensation de relaxation vient avec la pratique

Temps d'utilisation : une minute et plus, selon vos besoins, à répéter avant ou après les agents stressants

À utiliser : peut se faire partout

Effet à court terme escompté : détente des muscles, état de calme

Commencez par un exercice de ralentissement respiratoire, par exemple la stratégie d'ajustement 4 ou 5.

« Recherchez le calme ou la torpeur en position assise. Ensuite, concentrez-vous sur le poids et la surface de contact de vos mains posées à plat sur les cuisses. Plus les mains semblent lourdes et la surface de contact large, plus la relaxation est importante, puisque les muscles sont alors relâchés » (Cungi, 1998, p. 61).

STRATÉGIE D'AJUSTEMENT 9 : La relaxation rapide (Dufford, 1986)

Type : connaissance de soi et action

Temps d'apprentissage : le répéter trois à quatre fois par semaine pendant 5 minutes.

Temps d'utilisation : 5 minutes à la fois, au besoin, avant ou après un agent stressant

À utiliser : dans un endroit calme

Effet à court terme escompté : diminution d'un état émotionnel intense, ralentissement de la fréquence cardiaque, concentration, rejet d'une pensée indésirable

Adoptez une position confortable, et fermez les yeux. Maintenant, tendez chaque muscle de votre corps... maintenez la tension pendant 10 secondes... relâchez.

Laissez votre corps se détendre complètement... sentez la chaleur qui s'installe dans votre corps... sentez la tension qui s'en va.

Maintenant, tendez encore chaque muscle, même ceux de votre visage... tendez et maintenez pendant 10 secondes... relaxez... laissez chaque partie de votre corps relâcher la tension.

Maintenant, expulsez tout l'air de vos poumons par la bouche; commencez à inspirer par le nez et emplissez le bas... le milieu... et le haut de vos poumons (sans lever les épaules). Retenez votre souffle pendant 10 secondes... évacuez lentement tout l'air de vos poumons par la bouche.

Inspirez en emplissant le bas... le milieu... et le haut de vos poumons. Maintenez 10 secondes et expirez lentement tout l'air de vos poumons par la bouche. Respirez ainsi une autre fois.

Ouvrez lentement les yeux et constatez l'effet de détente et d'oxygénation.

Il existe deux autres méthodes de relaxation exigeant un entraînement plus long à l'aide d'une cassette d'instructions (Sabourin, 1992). Une fois maîtrisées, ces méthodes peuvent être pratiquées au travail pendant votre pause. Il s'agit de la *relaxation progressive* (Jacobson, 1980) et du *training autogène* (Schultz, 1987).

La méditation permet également d'atteindre un état de détente, réduisant ainsi le stress. Le biofeedback, technique utilisant des appareils pour informer une personne sur son degré d'activation sympathique afin de lui apprendre à contrôler cette activation, est un autre moyen physique susceptible de combattre le stress. Il est utilisé dans un cadre thérapeutique pour diminuer les réactions de peur et d'anxiété consécutives à l'épreuve d'incidents critiques.

Le rire provoqué

Le fait de rire exerce un effet de détente immédiat sur l'organisme. Vous avez probablement déjà tendance à l'utiliser naturellement en riant d'un incident ou en blaguant ensemble. Attention, cependant, de glisser vers le cynisme, lequel s'accompagne plutôt de tension ou de sensations désagréables ! Il est possible de déclencher les effets bénéfiques du rire en le provoquant. Voici deux exercices de rire provoqué suggérés par le docteur Jacques Drouin (1999), médecin en santé et sécurité au travail du CHUL.

STRATÉGIE D'AJUSTEMENT 10 : Les voyelles

Type : action

Temps d'apprentissage : aucun

Temps d'utilisation : une minute et plus, selon vos besoins, à répéter avant ou après les agents stressants

À utiliser : seul ou en équipe

Effet à court terme escompté : détente des muscles du visage, état de bien-être physique instantané

Cet exercice permet de mieux respirer et de passer à autre chose après une situation stressante. Seul(e), en auto, en marchant, en compagnie d'un(e) collègue avec qui vous pouvez vous permettre de le faire sans craindre le ridicule, prenez d'abord une grande respiration et riez en utilisant la voyelle A, jusqu'à ce que vous n'ayez plus d'air dans les poumons. Refaites le même exercice avec les voyelles E, I, O, U. Notez-en les bienfaits. Recommencez.

STRATÉGIE D'AJUSTEMENT 11 : La contraction du diaphragme

Type : action

Temps d'apprentissage : aucun

Temps d'utilisation : une minute et plus, selon vos besoins, à répéter avant ou après les agents stressants

À utiliser : seul ou en équipe

Effet à court terme escompté : état de bien-être physique instantané, sensation de détente musculaire et d'oxygénation

---

Pour décompresser rapidement, levez-vous, prenez une grande respiration que vous retenez en vous tenant les côtes. Puis, relâchez votre souffle en riant et en vous pliant en deux, les bras complètement ballants, les genoux légèrement fléchis. Prolongez votre rire jusqu'à ce qu'il ne reste plus d'air dans les poumons. Recommencez autant de fois qu'il le faut.

La détente musculaire : prévention des maux de tête et de dos

Les prochains exercices visent à relâcher en tout ou en partie certains muscles plus susceptibles d'être tendus suite à des interventions complexes ou encore à quelques heures de patrouille. Vous pouvez les faire seul(e) (ou en présence d'autrui, selon le degré d'ouverture de vos collègues !).

STRATÉGIE D'AJUSTEMENT 12 : La grimace (Drouin, 1999)

Type : action

Temps d'apprentissage : aucun, pour la plupart des mortels

Temps d'utilisation : une minute et plus, selon vos besoins, à répéter avant ou après les agents stressants

À utiliser : seul(e)

Effet à court terme escompté : détente des muscles du visage, apaisement de la colère, état de calme

---

Seul(e) — mais vraiment seul(e) cette fois — imaginez la pire grimace et faites-la pendant environ 20 secondes. Relâchez. Imaginez-en une bien pire et recommencez.

STRATÉGIE D'AJUSTEMENT 13 : Je ne sais pas

Type : action

Temps d'utilisation : une minute et plus, selon vos besoins, à répéter avant ou après les agents stressants

À utiliser : un peu partout et fréquemment, par exemple lors d'une journée de patrouille où vous sollicitez particulièrement les muscles du haut du dos

Effet à court terme escompté : détente des muscles des épaules, du dos et du cou

---

En position debout, haussez les épaules, retenez-les puis laissez-les retomber, en prenant le temps de ressentir la détente entre chaque haussement, les bras ballottant au mouvement des épaules. Répétez autant de fois qu'il vous conviendra.

> **STRATÉGIE D'AJUSTEMENT 14 :** La rotation du cou ou des épaules
> *Type : action*
> *Temps d'utilisation : une minute et plus, selon vos besoins, à répéter avant ou après les agents stressants*
> *À utiliser : par exemple dans la voiture patrouille*
> *Effet à court terme escompté : détente des muscles du cou, des épaules et du haut du dos; prévention des maux de tête*

Debout ou assis, en auto, un peu partout, laissez votre menton tomber vers l'avant et exécutez une rotation de la tête vers la gauche, l'arrière, la droite pour revenir en avant. Répétez cinq fois, puis recommencez vers la droite.

La rotation des épaules consiste à faire des mouvements circulaires avec les épaules, cinq à six fois vers l'avant, puis cinq à six fois vers l'arrière, en laissant les bras ballotter le long du corps.

POUR FAIRE UN CHOIX JUDICIEUX

Porte d'entrée	Stratégie d'ajustement	Moment d'utilisation, par rapport à l'agent stressant		
		Avant	Pendant	Après
Sauvegarde de l'énergie	1. Établir une « distance sécuritaire » psychologique (p. 36)	X	X	X
	2. Refaire le plein d'énergie (p. 36)	X		X
Respiration	3. Observer sa respiration (p. 37)	X		X
	4. Respirer au ralenti (p. 37)	X		X
	5. Pratiquer l'hypoventilation (p. 38)	X	X	X
Concentration	6. Compter (p. 38)	X		X
	7. Fixer un objet (p. 38)	X		X
Relaxation	8. La relaxation des mains (p. 39)	X		X
	9. La relaxation rapide (p. 39)	X		X
	Relaxation progressive et Training autogène (cassette à se procurer, consulter la référence bibliographique de Sabourin (1992) (p. 219)	X		X
Rire	10. Les voyelles (p. 40)	X		X
	11. La contraction du diaphragme (p. 41)	X		X
Détente musculaire (prévention des maux de tête et de dos)	12. La grimace (p. 41)	X		X
	13. Je ne sais pas (p. 41)	X		X
	14. La rotation du cou ou des épaules (p. 42)	X		X

Chapitre 3
Les aspects psychologiques du stress_

Il me semble que le but ultime de l'homme dans la vie soit de s'exprimer le mieux possible, conformément à ses propres talents, et d'en retirer un sentiment de sécurité. Pour accomplir cela, vous devez en premier lieu connaître votre niveau de stress optimal, et ensuite utiliser votre énergie d'adaptation à un rythme et dans un sens conformes à vos aptitudes et à vos préférences innées (Selye, 1974, p. 117).

Bien qu'elles aient toutes deux une excellente condition physique et des styles de vie à peu près semblables, Nathalie et Marie ont des façons différentes de réagir. Quand elles patrouillent ensemble, Nathalie a tendance à appréhender toutes les difficultés possibles en imaginant régulièrement des scénarios qui tournent mal. De son côté, lorsqu'elle est contrariée, Marie a la réputation de s'emporter rapidement avec les membres de son équipe ou avec les citoyens. Quel est l'impact des réactions psychologiques de chacune sur leurs réponses de stress ? Comment se comporteront-elles en présence d'agents stressants ? Quelles stratégies peuvent-elles utiliser pour transformer leur mode de réaction habituel en une ressource susceptible de les protéger contre le stress ? Ce chapitre répondra à ces questions en :

- comparant les modes de réaction de deux types de personnalité en présence d'agents stressants;
- illustrant le rôle déterminant des cognitions sur le stress;
- identifiant les ressources psychologiques pouvant amortir l'effet des agents stressants;
- discutant des émotions les plus fréquentes et les plus dérangeantes pour les policiers, c'est-à-dire la peur et la colère, ainsi que des moyens de les utiliser avantageusement;
- suggérant des exercices pour arriver à gérer votre stress aux plans cognitif et émotionnel.

3.1 De la vulnérabilité à la robustesse

La **personnalité** réfère à l'ensemble des modes individuels de **cognitions**, de réactions émotives et de comportements que possède une personne. Tout en tenant compte du caractère unique de la personnalité de chaque policier, la description de deux types de personnalité permet d'expliquer les réactions de plusieurs policiers soumis aux agents stressants : il s'agit de la personnalité de type A et de la personnalité robuste.

Les personnalités de type A (vulnérables au stress)

Des chercheurs ont tenté d'établir un profil-type de la personnalité du policier. Les policiers possèdent et développent certaines caractéristiques : ils se distinguent en effet par leur sens pratique, leur sens des responsabilités et du détail, leur confiance en eux et leur capacité à s'affirmer.

Il ressort aussi de leurs études que les policiers auraient tendance à développer du cynisme, de la méfiance, de la froideur à l'égard de la souffrance de ceux qu'ils côtoient et de l'hostilité. Ces attitudes s'apparentent au modèle de comportement ou à la **personnalité de type A**. Deux études distinctes effectuées respectivement auprès de policiers australiens et américains concluent que 75 % des policiers peuvent être identifiés à la personnalité de type A (Hurrell, 1977; Davidson, 1979 : *voir* Evans et coll., 1992).

Les personnalités de type A éprouvent le besoin de tout contrôler et ont tendance à se fier à elles-mêmes plutôt qu'à collaborer avec les autres ou à demander de l'aide. Dans leurs échanges avec les autres, elles ont les muscles du visage tendus, un débit verbal rapide, un ton parfois explosif et une tendance à devancer les paroles d'un interlocuteur lorsque celui-ci cherche ses mots[1].

Les policiers sont plus exposés aux maladies coronariennes que les membres d'autres professions (Dionne-Proulx, 1997). Certes, des facteurs de risque physiques, comme les facteurs héréditaires, l'alimentation, le tabagisme et la sédentarité, expliquent l'insuffisance coronarienne. Cependant, en présence de ces facteurs, le fait de réagir d'une manière « de type A » double le risque de maladies coronariennes (Jeammet et coll., 1996). Les réactions de type A sont des réactions apprises. Les exigences particulières du métier de policier en matière de contrôle et de dangerosité, ajoutées au risque de devenir cynique au contact des aspects les plus sombres de la condition humaine et des nombreuses contraintes liées à l'application des lois, contribuent certainement à l'adoption par les policiers de stratégies comportementales de type A. Plusieurs de ces comportements sont appropriés et même nécessaires pour mener à bien leur tâche, tout en augmentant leur vulnérabilité aux insuffisances cardiaques. Comme ce modèle de comportement est en partie modifiable, il importe donc d'y ajouter d'autres stratégies, développées entre autres par les personnalités robustes, et qui s'avèrent moins lourdes au plan de la santé.

Les personnalités robustes (résistantes au stress)

La robustesse est une ressource psychologique personnelle servant à résister au stress et qui est particulièrement utile dans des situations hautement stressantes. Les trois dimensions cruciales de la robustesse qui servent à modérer l'effet des agents stressants ou à s'en protéger sont :

- l'*engagement,* une attitude active de relation avec l'environnement permettant de se sentir impliqué et de donner un sens aux événements vécus;
- un *contrôle perçu* sur les actions de la vie quotidienne, permettant de prendre des décisions et d'en assumer la responsabilité;
- l'*aptitude à relever des défis,* impliquant l'attrait pour la nouveauté, la motivation à relever les obstacles et le sens de l'effort.

---

1. Ces caractéristiques sont décrites par les auteurs suivants : Friedman et Rosenman, *voir* Kennedy et coll., 1988; Evans et coll., 1992; Jeammet et coll., 1996.

Les gens qui possèdent une **personnalité robuste** ont une bonne estime d'eux-mêmes, sont optimistes, cohérents et prennent leurs responsabilités dans les situations qui les concernent. Le fait de posséder une personnalité robuste est l'une des seules caractéristiques psychologiques scientifiquement associées à la santé physique. Si on relie l'ensemble de ces dimensions caractérisant la personnalité robuste, on pourrait dire qu'une personne qui les possède a une conception « positive, quoique réaliste, » de la vie.

La lecture du tableau 3.1 permet de visualiser les différences entre les deux types de personnalité au titre des cognitions, des émotions, des réactions physiques et des comportements. La partie suivante de ce chapitre portera sur les mécanismes reliant entre eux ces aspects de la personnalité et sur les ressources permettant de conserver les qualités dynamiques de la personnalité de type A, tout en tendant vers la robustesse.

Tableau 3.1 Les cognitions, émotions, réactions physiques et comportements des personnalités de type A et robuste : de la vulnérabilité à la résistance au stress.

	Personnalité de Type A	Personnalité robuste
Cognitions	• Besoin de contrôle et peur de le perdre • Hypervigilance • Compétitivité, ambition, goût de relever des défis • Sentiment d'urgence et impatience • Tendance à nier les signes physiques et psychologiques liés au stress	• Contrôle perçu • Se sentent concernées par les événements qui surviennent dans leur vie ou dans celle des autres • Capacité à relever des défis • Bonne estime de soi • Optimisme • Cohérence • Attributions justes des événements
Émotions	• Tendance à la frustration • Hostilité, irritabilité, colère	• Émotions positives
Aspects physiologiques	Suractivation du système nerveux sympathique et des glandes surrénales	Santé et équilibre : maintien de la zone de stabilité
Comportements	• Occupent des postes de responsabilité, délèguent peu et fixent des objectifs de performance élevés, pour elles-mêmes et pour les autres • Surinvestissent au plan professionnel au risque d'assumer difficilement les obstacles ou les échecs • Vivent des conflits de travail souvent causés par leur manque de tolérance	• Engagement dans leur milieu • Contrôle sur leurs comportements • Souplesse dans leurs relations interpersonnelles
Conséquences sur la santé	Maladies coronariennes	Protection contre les maladies reliées au stress

3.2 Les composantes de la robustesse
Les cognitions

Les deux types de personnalité précédents ont en commun la volonté et la capacité de relever des défis. Cependant, cette caractéristique *cognitive* ne s'accompagne pas des mêmes *émotions* et se manifeste différemment au plan des *comportements*, expliquant ainsi les conséquences observées sur la santé. La relation entre ces trois aspects — cognitif, émotif et comportemental — de la personnalité est illustrée dans l'exemple suivant.

Imaginons deux patrouilleurs se trouvant à un coin de rue d'un immeuble où se produit un vol par effraction. L'information fournie par le répartiteur laisse craindre un code de danger très élevé, le suspect étant vraisemblablement armé. Leur interprétation de la réalité déterminera les émotions qui orienteront leur comportement.

En imaginant qu'il soit possible de visionner la bande de l'activité cognitive et émotionnelle déterminant le comportement d'un de ces policiers, la figure 3.1 présente trois scénarios différents parmi les multiples possibilités qui se présentent à lui.

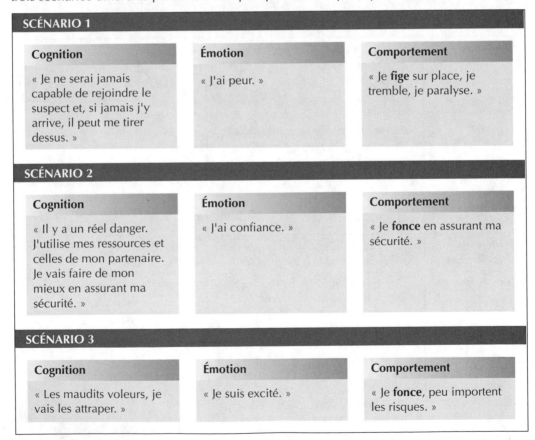

Figure 3.1   Le lien entre les cognitions, les émotions et les comportements de policiers.

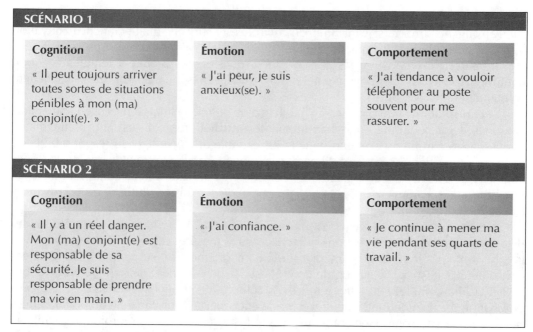

Figure 3.2 Le lien entre les cognitions, les émotions et les comportements des conjoint(e)s de policiers.

La figure 3.2 reprend le même exercice, cette fois auprès d'un(e) de leurs conjoint(e)s.

Ces scénarios illustrent l'impact déterminant des cognitions et des émotions sur le comportement. Une interprétation cognitive juste de la part des policiers et de leur conjoint(e), telle qu'illustrée dans les scénarios 2, déclenche une émotion appropriée au contexte et plus susceptible d'engendrer des comportements pertinents et efficaces. Rappelons que les émotions sont responsables du degré d'activation du système nerveux autonome. Il importe d'autant plus de parvenir à une interprétation appropriée de la réalité qu'une fois l'émotion déclenchée, ce sera *elle* qui déterminera l'intensité et l'efficacité des comportements adoptés (Bédard, 1999). Les ressources psychologiques facilitant cette interprétation sont abordées avant de traiter des émotions.

Les ressources psychologiques

Les humains ont la capacité d'utiliser leur cortex pour interpréter les événements stressants qui surviennent, de manière à les aider à entretenir des sentiments positifs comme l'espoir et la confiance, en dépit des conséquences parfois pénibles de ces événements. La contrôlabilité est cette ressource cognitive susceptible d'exercer un effet protecteur sur l'organisme en présence d'agents stressants (Thoits, 1995). Elle exerce une influence sur l'estime de soi, autre ressource psychologique protectrice.

La contrôlabilité

Face aux agents stressants, le maintien du contrôle est l'étincelle qui déclenche l'activation de l'axe sympathique (Jeammet et coll., 1996). Lors de la comparaison précédente des personnalités de type A et des personnalités robustes, les premiers tentaient de tout contrôler par peur de perdre le contrôle, alors que les personnalités robustes se sentaient en état de contrôle.

La **contrôlabilité** renvoie donc à l'habileté d'un policier à analyser les agents stressants auxquels il est confronté en se basant sur des **attributions** réalistes, afin d'être mieux préparé à les affronter. Lorsqu'un policier est capable de départager sa responsabilité de celle des autres dans les gestes qu'il pose, il se sent en état de contrôle de sa vie, sans pour autant avoir le sentiment de tout contrôler, ce qui serait une illusion. La contrôlabilité exige donc qu'une personne organise sa vie à partir d'idées réalistes plutôt que de **croyances irrationnelles** ou d'illusions.

Par exemple, lors des scénarios précédents (fig. 3.1), le policier a le contrôle sur ses décisions relatives à l'intervention à effectuer et aux mesures de sécurité à appliquer. Par contre, il n'a pas le contrôle immédiat sur le comportement du suspect. Il n'exercera pas non plus, par la suite, beaucoup de contrôle sur le déroulement de l'enquête opération-nelle qui analysera les faits reliés à une éventuelle fusillade, si ce n'est que d'en relater sa perception. Le (la) conjoint(e) peut exercer un effet apaisant sur l'anxiété du policier, mais non contrôler son comportement. Une analyse juste des zones de contrôlabilité (stratégie d'ajustement 15, p. 60,) empêche les émotions de s'emballer et maximise la possibilité de poser les bons gestes.

L'estime de soi

Les personnes qui font preuve de contrôlabilité dans leur vie sont plus susceptibles d'avoir une bonne estime d'eux-mêmes. L'**estime de soi** est en quelque sorte une conséquence de la contrôlabilité. En effet, si une personne est capable de prendre la responsabilité de ses actions, elle aura plus de chances de réussir, ce qui augmentera son image d'elle-même. Si toutefois elle échoue, elle ne se dépréciera pas, mais sera capable d'apprendre de ses échecs en départageant sa responsabilité de celle des autres afin de faire des choix lui convenant mieux dans l'avenir.

Chaque personne diffère sur le plan de l'estime qu'elle a d'elle-même. Voici les caractéristiques d'une personne possédant une très bonne estime de soi — il importe toutefois de garder à l'esprit que l'estime de soi se développe progressivement. Une personne qui s'estime a conscience de sa valeur personnelle; elle reconnaît, respecte et fait respecter ses droits de base en tant qu'être humain : les droits de vivre, d'être libre, de s'exprimer et de chercher à être heureux. Elle s'accorde le droit à l'erreur et est capable d'éprouver de la compassion pour elle-même, qu'importent les émotions ressenties, les actions réalisées et les situations de sa vie. L'estime de soi se fonde sur des attitudes comme l'honnêteté — en tout premier lieu avec soi-même —, la confiance, le fait de se fier à sa propre vision de la réalité et d'écouter ses intuitions et les intentions positives ressenties à l'égard des autres. Des attitudes voisines de l'estime de soi sont l'espoir et le courage (Girdano et coll., 1997).

L'estime de soi est une ressource psychologique favorisant l'utilisation adéquate de stratégies de résolution de problèmes en présence d'agents stressants contrôlables (Thoits, 1995; Band et Manucle, 1998). De plus, par effet d'entraînement, l'estime de soi attire le succès. Les personnes qui s'estiment sont moins sensibles aux insultes que celles qui ne s'estiment pas et elles risquent moins de développer de l'hostilité lorsqu'exposées à des propos négatifs (Girdano et coll., 1997). On peut donc affirmer qu'un policier ayant une personnalité de type A et qui arrive à augmenter son estime de soi, interviendra avec plus de *distance* auprès des citoyens récalcitrants, évitant ainsi l'activation intense associée à des émotions comme l'hostilité et colère. En conséquence, il augmentera la qualité de sa vie au quotidien et son espérance de vie en bonne santé. Étant donné que le développement de cette ressource exerce un effet protecteur en présence d'agents stressants, des stratégies d'ajustement liées à l'estime de soi (22 à 25 inclusivement) sont également présentées en fin de chapitre.

Les émotions

> *En dépit de votre image publique, vous êtes humain et avez besoin que vos émotions travaillent pour vous* (Dufford, 1986, p. 75).

La culture nord-américaine encourage peu l'expression des émotions, particulièrement dans le cadre des relations professionnelles. Socialement parlant, on s'attend à ce que celles-ci soient empreintes d'empathie, de politesse et de courtoisie, sans implication personnelle ou expression émotionnelle intense. En plus de véhiculer ces normes « rationnelles » de comportement, la culture policière ne facilite pas l'expression émotionnelle de ses membres, tant dans la pratique qu'en dehors du travail (Duchesneau, 1988; Pogrebin et Poole, 1991).

En effet, comme il en a été question dans le chapitre 1 sur les agents stressants liés au macrosystème (voir p. 11), il est plus ou moins bien vu, dans le milieu policier, de parler de la compassion ressentie à l'égard d'un citoyen en détresse ou d'avouer sa peur après une intervention. De plus, fidèles à une fausse croyance voulant que seul un policier soit en mesure d'en comprendre un autre, plusieurs policiers choisissent de taire les émotions ressenties pendant la journée à leurs conjoints ou amis proches. Dufford (1986) dénonce fermement cette **répression émotionnelle** vécue par plusieurs policiers, qu'il appelle « jouer au flic blindé » (p. 75), et préconise plutôt la prise en compte et le respect des émotions.

Comment composer alors avec ces émotions parfois intenses ressenties quotidiennement ? Avant de présenter des stratégies d'ajustement liées au contrôle émotionnel, outil permettant de contrôler les émotions et de s'en faire des alliées, il est d'abord nécessaire de définir ce qu'est une émotion et de catégoriser les différents types d'émotions, pour ensuite discuter des deux émotions les plus susceptibles de poser des défis aux policiers : la peur et la colère.

L'émotion et les types d'émotions

Les émotions sont une forme instantanée d'expérience et de réaction, perçue comme plaisante ou déplaisante. En présence d'un agent stressant, l'**émotion** détermine l'intensité et l'efficacité des actions à entreprendre pour y faire face. Elle prépare le corps à la confrontation, à l'expression ou à la non-expression, au repli ou à la fuite.

Les émotions sont rapides et fugaces. Il s'agit de messages positifs ou négatifs devant d'abord être perçus pour ensuite pouvoir choisir les issues possibles à leur expression. Elles peuvent se traduire en mots, en gestes, en mimiques faciales, en cris, en exercices physiques intenses, etc.

Les émotions expriment aussi la satisfaction ou la non-satisfaction de nos besoins (Loehr, 1993). Les émotions positives indiquent un état d'homéostasie et d'eustress alors que les émotions négatives signalent le stress. Ces dernières sont utiles au policier pour prendre conscience de son état psychologique et tenter de répondre rapidement, dans la mesure du possible, au besoin négligé. La gestion du stress, au plan émotionnel, commence donc par la reconnaissance et la satisfaction de ses besoins de base. Le tableau 3.2 associe les émotions aux besoins dont la satisfaction est une condition de base pour permettre aux policiers de mener à bien leur tâche.

Parmi les émotions négatives, il en existe deux en particulier auxquelles les policiers sont confrontés dans l'exercice de leurs fonctions et qui risquent de compromettre le développement de la robustesse : la peur et l'anxiété.

Tableau 3.2   Émotions positives et négatives déclenchées par la satisfaction ou non des besoins des policiers.

Besoins des policiers	Satisfaction du besoin ⇓ Émotions positives ⇓ Eustress	Non-satisfaction du besoin ⇓ Émotions négatives ⇓ Stress
Physiques	• Relaxation • Tranquillité • Calme • Paix • Repos	• Faim • Découragement • Soif • Manque d'énergie • Fatigue • Faiblesse
Affiliation	• Plaisir • Sentiment d'appartenance • Estime de soi • Bonheur • Joie	• Tristesse • Sentiment de rejet • Solitude
Contrôle et pouvoir	• Sécurité • Défi • Détermination • Passion • Énergie • Motivation • Confiance • Enthousiasme • Excitation	• Insécurité • Peur • Anxiété • Culpabilité • Sentiment d'être inadapté • Sentiment d'être démuni • Colère • Dépression • Confusion

Le complexe peur-anxiété

> *Montrez-moi une personne qui dit n'avoir jamais ressenti la peur et je vous montrerai un menteur ou un être très dangereux* (Dufford, 1986, p. 79).

Affronter le danger est une source d'eustress pour les policiers; y parvenir donne un sens et du prestige à leurs actes. La vie des policiers comporte donc, comme trame de fond, cette *perception constante du danger*, réel ou anticipé, de même que l'émotion qui en découle : *la peur* (Tremblay, 1997). Bien que la fuite ou l'attaque soient des réactions humaines naturelles en présence de menaces d'agression physique et que la réponse la plus spontanée soit la fuite, on demande au policier d'avoir le contrôle sur la situation. Il s'agit d'une exigence énorme envers le policier, allant carrément à l'encontre de sa nature humaine (Stotland et Berberich, 1986; Barlow, 1988 : *voir* Solomon, 1991).

Dans la vie quotidienne d'un poste de police, les jugements sont sévères à l'égard de ceux qui, par peur, fouillent dans le coffre à gants et essaient de gagner du temps lors d'interventions à haut risque. Ils sont l'objet de sarcasmes ou de rumeurs. La peur constitue un tabou dans la police (Solomon, 1991). On la tait ou on n'en parle que pour se moquer de celle des autres. Connaissant l'importance de l'expression des émotions dans la gestion du stress, qu'en est-il de la peur et que peut-on faire lorsqu'elle survient ?

La peur est un signal négatif intense et utile. Elle ne vise pas à bloquer ou à suspendre, mais à activer les systèmes d'autoprotection (Dufford, 1986; Loehr, 1993). La peur permet de mobiliser les systèmes sympathique et endocrinien afin de mettre le policier en état d'alerte et de le protéger de l'inattention face aux risques potentiels d'un incident, en l'incitant à poser tous les gestes reliés à sa sécurité. La peur peut donc être considérée comme une alliée à condition de ne pas se transformer en panique, éjectant ainsi le policier de sa zone de stabilité.

La peur pendant un incident critique

Il importe de comprendre les mécanismes de la peur lors d'un type particulier de situation intense vécue par les policiers : les incidents critiques. Ceux-ci, qui constituent une source majeure de stress lié à la tâche (voir le chap. 1, p. 7), déclenchent chez le policier des réactions spécifiques, humaines et normales. Le fait de connaître ces réactions et de pouvoir les expliquer permet de les légitimer et de mieux les vivre, dans la mesure du possible.

Les distorsions perceptives   La peur, entraînant une activation du système nerveux sympathique, déclenche des distorsions sur le plan des perceptions. Les *sons* peuvent être perçus comme étant sourds ou inexistants, à la manière d'un film dont le son est coupé, ou à l'inverse, tonitruants comme ceux d'une mitraillette ou d'une grenade. Sur le plan *visuel*, il est possible d'éprouver une sensation de **vision en tunnel**, toute l'attention se portant sur le stimulus lié au danger (l'arme) sans tenir compte de la vision périphérique. La peur amène aussi à noter des détails qui ne seraient pas perçus lors d'une situation normale. Ces distorsions peuvent s'accompagner d'une modification de la *perception du temps*, comme si le policier se retrouvait dans un film projeté au ralenti. Cette perception du temps au ralenti pourrait servir de mécanisme d'ajustement au policier en lui donnant l'impression qu'il a du temps pour penser et agir (Solomon et Horn, 1986).

Un modèle des étapes dans les réactions à la peur pendant un incident critique   Pour expliquer le processus qui permet à un policier de répondre ou non adéquatement au sentiment de vulnérabilité causé par la peur lors d'un incident critique, Solomon (1991) a élaboré un modèle présenté dans la figure 3.3 (p. 54). Il est important de se rappeler que chaque incident critique a ses particularités propres, que ce processus ne dure que quelques fractions de secondes et que chaque policier ne passe pas nécessairement par toutes les phases.

Voici ces étapes :

1. *« J'ai un problème »* : conscience du danger.

2. *« OH SHIT* [2] *! »* : conscience de la vulnérabilité.

3. *« Je dois faire quelque chose »* : identification de la menace et déplacement de l'attention du risque personnel encouru aux conditions extérieures qui causent la menace.

4. **Sélection d'une tactique de survie.**

5. *« Ça y est ! »* : visualisation d'un plan de survie.

6. **« Je le fais et je m'en sors »** : réponse.

La **première étape** est l'*alarme (J'ai un problème)*. Elle est immédiatement suivie de la conscience de sa propre vulnérabilité (*OH SHIT !*). Cette **deuxième étape** est « critique » : elle correspond à ce court laps de temps où une personne est en dessous de son seuil de résistance, dans la première phase du SGA (voir p. 26*)*. C'est en effet à ce moment que le policier, s'il focalise uniquement sur sa vulnérabilité, peut s'enliser dans l'émotion négative qu'est l'impuissance. Cette émotion peut alors prendre le dessus et entraîner des gestes fatals. Par contre, considérée sous un angle positif, cette vulnérabilité précède les quatre étapes de résolution menant à une reprise progressive de contrôle.

Lors de la **troisième étape** le danger est reconnu *(Je dois faire quelque chose)* : le premier choc passé, plus question de nier ce qui arrive : une action s'impose. L'attention est alors portée sur l'extérieur afin de sortir de l'impasse émotionnelle et de choisir l'action à entreprendre. Lors de cette phase, certains policiers disent avoir éprouvé un sentiment de détachement, comme si la situation était irréelle ou qu'ils en étaient dissociés tout en y prenant part. Il s'agit là d'un mécanisme de défense normal dans ce type de situation. Pour plusieurs policiers, ce sont des pensées liées à leur soif de vivre qui les ont motivés à penser et agir stratégiquement. À cette étape, la colère peut aussi aider ou nuire à la survie, selon son degré d'intensité.

La **quatrième étape** (*survie*) découle de la troisième; à ce stade, le danger est plutôt analysé en regard des ressources disponibles et de la capacité à affronter la situation. Lorsque le policier concentre son attention sur les moyens dont il dispose pour réagir, il améliore ses chances de réussir l'opération. Son attention est alors dirigée vers l'extérieur

---

2. L'expression anglaise « OH SHIT » nous semble la plus appropriée, même dans la culture québécoise, pour illustrer la réaction de vulnérabilité à un événement inattendu.

plutôt que vers ses réactions internes, entraînant une *vision en tunnel* sur les éléments essentiels de la scène. N'oubliez pas que ces processus ne prennent qu'une fraction de seconde.

La **cinquième étape** (*Ça y est !*) est le moment fort du processus : l'action à faire s'impose, accompagnée d'une sensation de contrôle, de calme et de lucidité. La peur est ici transformée en force. Le policier mobilise ses ressources de survie. La **sixième étape** (*Je le fais et je m'en sors*) est celle de l'action proprement dite. On peut encore éprouver de la peur (tremblements incontrôlables, sueurs froides), mais les actions et les tactiques sont sciemment mises en œuvre. Bien sûr, certains obstacles liés au policier ou à l'incident peuvent survenir à chacune de ces étapes. Ces obstacles ramènent dans la zone de non-résolution, telle qu'illustrée par les lignes grises dans la figure 3.3.

Ce modèle explicatif s'appuie sur le rôle combiné des *compétences* du policier et de la *perception* qu'il en a pour expliquer la réussite d'une intervention en cas d'incident critique. Non seulement doit-il être compétent, mais également se percevoir comme tel (Band et Manuele, 1998). L'exercice régulier et la maîtrise des stratégies de survie et d'urgence garantissent une utilisation plus efficace le moment venu. C'est pourquoi il est important de pratiquer, en période calme, divers scénarios (et non un seul) en relation avec plusieurs types d'interventions, surtout celles où vous développez des habitudes de moindre vigilance, jusqu'à ce que ces scénarios fonctionnent comme un automatisme ou une seconde nature. Les scénarios doivent tenir compte des six étapes décrites précédemment et s'élaborer à partir d'un cadre mental axé sur vos ressources de survie. Il est aussi recommandé de vous constituer une « librairie mentale » de vos expériences réussies auxquelles vous pourrez au besoin vous référer (Solomon, 1991).

L'anxiété

Il est humain et normal de ressentir de l'anxiété en présence de cadavres, de corps mutilés ou de personnes accidentées ou violées. Il arrive toutefois que la peur soit démesurée, irréaliste ou constante, entravant l'action ou suscitant des réactions inutiles ou exagérées, parfois même en l'absence des stimuli déclenchant normalement une réponse de peur (Lippé, 1995; Dufford, 1986). Certaines personnes sont plus sujettes que d'autres à réagir avec anxiété aux agents stressants.

L'anxiété est à la fois une manifestation et une cause de stress. Elle est presque un synonyme de la peur. Elle se manifeste chez une personne lorsque son cortex perçoit un événement comme étant menaçant. Une telle perception provoque un sentiment d'insécurité qui déclenche une activation physiologique. Il s'agit là d'un mécanisme normal qui se désactive lorsque l'agent stressant disparaît. Cependant, les personnes anxieuses sont hypersensibles aux signes cognitifs (tendance à dramatiser), viscéraux (muscles lisses en activation sympathique) et somatiques (tensions dans les muscles striés) de cette réaction, au point de développer un mécanisme de rétroaction qui s'active de lui-même une fois l'agent stressant disparu. Ainsi, ces personnes auront tendance, au plan cognitif, à continuer d'imaginer les catastrophes qui auraient pu se produire ou qui pourraient encore arriver à l'avenir. Ces scénarios dramatiques maintiendront l'activation due à la peur. Les personnes anxieuses surveillent leurs réactions physiques et les amplifient du seul fait de

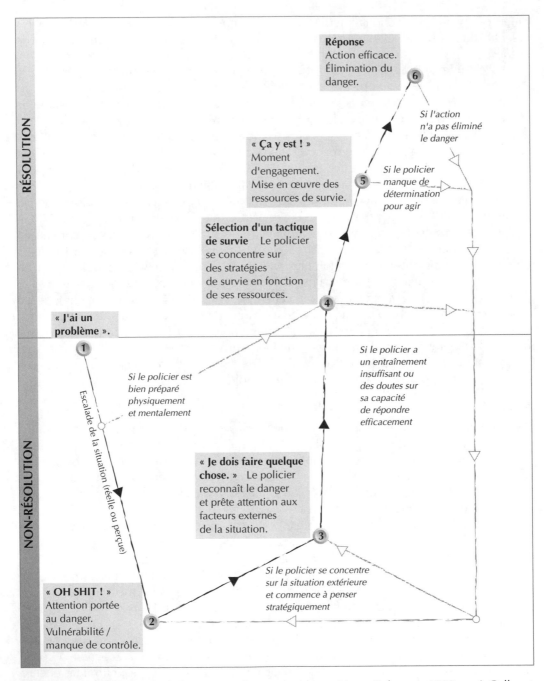

Figure 3.3   La dynamique de la peur pendant un incident critique (Solomon, 1990 : *voir* Geller et Scott, 1992, figure 72).

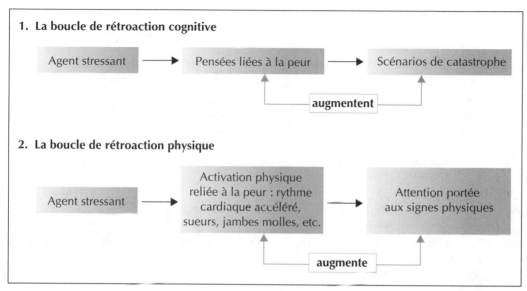

Figure 3.4 Boucles de rétroaction cognitive et physique de l'anxiété (adaptation de Girdano et coll., 1997).

s'y attarder; elles deviennent donc captives du cercle vicieux de l'anxiété (Girdano et coll., 1997). La figure 3.4 illustre cette boucle de rétroaction physique et cognitive de l'anxiété.

Le complexe frustration–colère–hostilité

La colère est un état émotionnel d'intensité variable pouvant aller de la simple irritation jusqu'à la rage et la fureur. On peut l'interpréter comme le *besoin de changement* ressenti par une personne vivant une situation frustrante hors de son contrôle ou perçue comme telle. En effet, la colère est souvent la conséquence de la frustration, faisant ainsi obstacle au but fixé.

La colère peut se manifester par des comportements agressifs; on distingue deux types de comportements agressifs : 1) l'agression instrumentale, utilisée ponctuellement pour écarter un obstacle nuisant à l'atteinte d'un but; et 2) les comportements agressifs motivés par l'hostilité.

Alors que la colère, comme toute émotion, est fugace et temporaire, l'hostilité consiste plutôt en des attitudes de ressentiment et de colère chroniques. La colère chronique est causée à la fois par certaines caractéristiques liées à la personnalité de type A et par l'exposition persistante à des conflits interpersonnels et à des scènes de violence. Particulièrement confrontés aux aspects sordides de la société, les policiers risquent donc de développer des comportements agressifs motivés par l'hostilité (Abernathy et Cox, 1994).

Les policiers sont tenus professionnellement de garder leur sang-froid dans des situations parfois très frustrantes, car plus ils restent calmes, plus ils s'assurent la coopération des citoyens et diminuent d'autant les risques d'être blessés. Pour ce faire, ils doivent impérativement trouver des formes d'« expression rationnelle » de la colère (Dufford, 1986). Une colère dite « rationnelle » est celle que l'on ressent et exprime sans causer de mal ou de tort aux personnes ou aux biens.

On peut comparer l'énergie née de la colère à celle d'un système de chauffage résidentiel, où l'on ajuste la température ambiante en réglant le thermostat. Bien qu'un policier soit un être humain, il peut lui aussi contrôler le « thermostat » de sa colère. En effet, l'expression rationnelle de la colère du policier repose sur ses choix délibérés aux divers moments de contact avec l'élément frustrant : *avant* même d'être exposé à une éventuelle frustration, il doit se maintenir à un niveau modéré d'activation de manière à augmenter les chances de rester dans sa zone de stabilité, telle que décrite à la page 23. Concrètement, un policier reposé est moins susceptible de réagir aux propos méprisants d'un citoyen que s'il est fatigué et n'a pas mangé. *Pendant* qu'il est en contact avec l'élément frustrant, le policier peut choisir délibérément de se mettre en colère ou non, contrôler la durée de cette colère et décider de réagir ou non à la source de frustration. *Après* le contact, il peut évacuer la colère, si celle-ci persiste. Des stratégies d'ajustement liées au contrôle émotionnel (32 à 35 incl., p. 75 à 78) sont suggérées à la partie *Démarche de gestion de stress* de ce chapitre.

Résumé

Tout en étant sélectionnés sur la base de leurs ressources psychologiques, plusieurs policiers composent avec des vulnérabilités personnelles développées en partie en réaction aux exigences propres à leur métier. Les personnes de type A et les personnalités robustes ont des modes différents de réactions cognitives et émotionnelles au stress :

• pressées par le temps et enclines à l'hostilité et à la compétitivité, les personnalités de type A sont plus vulnérables aux maladies cardiaques;

• les personnalités robustes ont le sentiment de contrôler leur vie, sont capables de s'engager et de relever les défis.

La robustesse repose sur le développement de la capacité à utiliser consciemment les cognitions, les ressources psychologiques et les émotions pour diminuer ou, du moins, ne pas augmenter inutilement son degré de stress.

• Les cognitions déterminent l'ampleur de la réaction émotionnelle qui, une fois déclenchée, orientera l'intensité et la direction du comportement.

• La contrôlabilité et l'estime de soi sont les deux meilleures armes psychologiques contre le stress.

• Les émotions que le policier doit arriver à contrôler le mieux possible en cours d'intervention sont la peur et la colère :

– la peur liée à un incident critique est associée à des distorsions perceptives; les six étapes théoriques de ce processus surviennent en quelques secondes;

– l'anxiété est une peur qui se nourrit d'elle-même;

– la colère, une émotion aussi légitime que la peur, découle d'une frustration; le policier peut apprendre à l'exprimer rationnellement plutôt que de manière hostile.

Étude de cas

Depuis deux ans, Alexandre patrouille dans une petite municipalité avec Pierre, un policier possédant 15 ans d'expérience. Dans certaines circonstances, il éprouve des difficultés à coordonner ses interventions avec celles de Pierre : en effet, ce dernier se met vite en colère en présence de citoyens qui ne se comportent pas comme il le souhaiterait, ce qui augmente inutilement le risque d'escalade de la violence verbale et même physique. Avant les réunions, Pierre n'a pas son pareil pour se moquer des agissements des citoyens qu'il côtoie, ce qui fait rire l'équipe mais... agace et devient parfois lourd. Pierre est en bonne condition physique et prend souvent le temps, entre les appels, de répéter des scénarios avec Alexandre dans l'éventualité d'incidents dangereux. Il « mange de la police ».

Alexandre, récemment devenu papa, éprouve de la difficulté à concilier les nouvelles exigences de sa vie familiale et l'alternance des quarts de travail. Il ressent la fatigue due au manque de sommeil. Il s'inquiète actuellement de ne se sentir confortable ni au travail ni dans sa vie familiale. Plus il y pense, moins il arrive à se détendre et à reprendre le dessus.

Un jour, ils reçoivent un appel de parents angoissés leur demandant d'intervenir auprès d'un homme costaud qu'ils connaissent bien. Cet homme habite seul, il souffre d'une maladie mentale et son psychiatre aurait récemment changé sa médication. Il séquestrerait leur enfant de 10 ans, qui joue souvent avec le fils de Pierre. À leur arrivée sur les lieux, plusieurs personnes du village sont réunies devant la maison. Les parents, qui craignent pour la vie de l'enfant, sont visiblement affolés et se précipitent sur eux en leur demandant de faire quelque chose.

L'homme refuse d'ouvrir la porte et leur crie d'une voix forte qu'il n'ouvrira qu'à des « instances supérieures ». Le petit est ligoté sur une chaise de la cuisine. Ils ne peuvent compter sur une assistance rapide car ils sont le seul duo en exercice ce soir-là.

1. Identifiez les agents stressants propres aux personnes qui vivent cette situation.

Pierre et Alexandre

AS : _____

AS : _____

AS : _____

Alexandre

AS : _____

AS : _____

L'homme costaud

AS : _____

L'enfant

AS : _____

2. Identifiez des réponses de stress manifestées par Alexandre et Pierre.

Alexandre

R : _____

R : _____

Pierre

R : _____

R : _____

3. a) Quel type de personnalité Pierre possède-t-il ? _____

   b) Sur quels comportements observables basez-vous votre réponse ?

   _____

   c) En vous basant sur la description de Pierre, identifiez dans le premier scénario ses cognitions, son émotion dominante et ses comportements en regard de cet appel. Dans le deuxième scénario, suggérez-lui une façon d'abaisser son niveau de stress en modifiant ses cognitions et évaluez l'impact de ses nouvelles cognitions sur son émotion et son comportement.

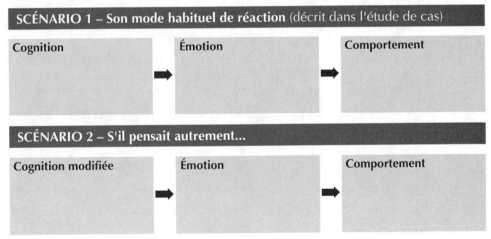

4. a) Quel type d'émotion Alexandre éprouve-t-il ? Sur quels comportements observables et cognitions basez-vous votre réponse ?

   _____

   _____

   b) En quoi cette émotion risque-t-elle d'influencer sa capacité à intervenir dans le cas présent ?

   _____

c) Dans le premier scénario, identifiez ses cognitions, son émotion dominante et ses comportements en regard de cet appel. Dans le deuxième scénario, suggérez-lui une façon de diminuer son degré de stress en remplaçant ses cognitions et évaluez l'impact de ses nouvelles cognitions sur son émotion et son comportement.

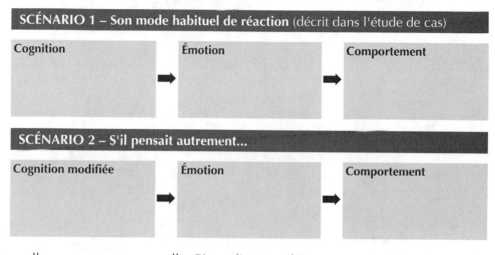

5. De quelles ressources personnelles Pierre dispose-t-il ?

   RP : _____

   RP : _____

6. *Avant* d'arriver sur les lieux, Pierre élabore avec Alexandre des scénarios d'intervention prévoyant les pires éventualités. Imaginez avec eux ces scénarios en six étapes, tout en vous assurant qu'ils couvrent les étapes liées à la résolution.

SCÉNARIO

1. **« J'ai un problème »**
   Énumérez toutes les éventualités de la situation qu'ils peuvent anticiper à partir de l'appel.

2. **« OH SHIT ! »**
   Trouvez ici une image, un mot ou une ressource qui les aiderait à changer leur perception de vulnérabilité.

3. **« Je dois faire quelque chose »**
   Nommez une motivation leur permettant de mener à bien cette intervention.

4. **Sélection d'une tactique de survie**
   Énumérez toutes les tactiques découlant des hypothèses envisagées à l'étape ci-haut.

5. **« Ça y est ! »**
   Décrivez dans quel état psychologique ils prévoient être à ce moment précis.

6. **« Je le fais et je m'en sors »**
   Indiquez les gestes posés, en vous basant sur les tactiques envisagées à l'étape 4. Quel sera leur état physique et psychologique ?

Démarche de gestion de stress : stratégies psychologiques d'ajustement

Cette démarche fournit des stratégies d'ajustement liées aux six aspects suivants : la *contrôlabilité*, l'*estime de soi* et les *émotions* (la *peur*, l'*anxiété* et la *colère*). Le tableau suivant guidera vos choix de stratégies.

Votre situation ou votre profil de stress	Stratégies suggérées
Vous êtes policier(e)	15-16-17-18-19-20-21-26-27-29-30-32-33-34-35
Vous êtes le (la) conjoint(e) d'un policier	Toutes les stratégies à l'exception de la 29, de la 30, de la 34 et de la 35
À partir de votre profil de stress (voir Annexe p. 200)	
Haute vulnérabilité à HC, CTA, BC, S, AST, SP	Stratégies d'ajustement visant la contrôlabilité (15 à 21 inclusivement)
Haute vulnérabilité à PS	Stratégies 22 à 25 inclusivement
Haute vulnérabilité à RA	Stratégies 26 à 31 inclusivement
Haute vulnérabilité à CTA et à F	Stratégies 32 à 35 inclusivement

Stratégies visant la contrôlabilité

STRATÉGIE D'AJUSTEMENT 15 : Déterminer votre zone de contrôlabilité (adapté de Pépin, 1999)
Type : connaissance de soi
Temps d'apprentissage : le faire une fois
Temps d'utilisation : 30 secondes à 2 minutes
À utiliser : chaque fois que vous voulez délimiter votre part de responsabilité lors d'un événement
Quand : avant ou après un événement
Effet escompté : voir plus clair dans une situation pour prendre de meilleures décisions et ne pas tenter de contrôler l'incontrôlable

1. Choisissez un événement qui vous est arrivé dernièrement et qui vous tracasse encore ou une action que vous devez entreprendre : _____ .

2. Remplissez le tableau ci-après en vous posant les questions suivantes pour chacun des blocs a), b), c) et d) :
   a) *Zone de contrôlabilité* : dans cette situation, qu'est-ce qui vient de moi (interne) et est sous mon contrôle (contrôlable) ?
   b) *Zone potentielle d'acharnement* : dans cette situation, qu'est-ce qui ne vient pas de moi (externe) mais que je peux contrôler ?
   c) *Zone de renoncement* : dans cette situation, qu'est-ce qui vient de moi et n'est pas sous mon contrôle (incontrôlable) ?

d) *Zone de « lâcher prise »* : dans cette situation, qu'est-ce qui ne vient pas de moi et qui n'est pas sous mon contrôle ?

Contrôlabilité	Lieu de contrôle	
	Interne	Externe
Contrôlable	a) Zone de contrôlabilité	b) Zone potentielle d'acharnement
Incontrôlable	c) Zone de renoncement	d) Zone de « lâcher prise »

Pour atteindre les mêmes objectifs, une approche spiritualiste invoquerait la prière de la sérénité, utilisée entre autres par les groupes anonymes d'entraide, qui va comme suit :

> « Mon Dieu, donne-moi la sérénité d'accepter les choses que je ne peux changer, le courage d'agir sur les choses que je peux changer et la sagesse de reconnaître la différence. »

Reprenez la même situation que tout à l'heure et appliquez-lui ces paroles.

Ce que je ne peux changer : _____

_____

_____

Ce que je peux changer : _____

_____

_____

Si, à la suite de cet exercice, vous vous sentez plus dégagé(e) et cet événement vous semble moins lourd, c'est que vous venez de gagner en contrôlabilité. Vous êtes peut-être plus apte à écarter les dimensions d'une situation sur lesquelles vous n'avez pas de pouvoir et à assumer la part de responsabilité qui vous revient. Répétez cet exercice au besoin.

STRATÉGIE D'AJUSTEMENT 16 : Un processus de résolution de problèmes à votre propre usage

Type : connaissance de soi et action

Temps d'utilisation : peu ou plus de temps, selon les enjeux de la situation

À utiliser : chaque fois que vous avez un problème personnel ou relationnel à résoudre

Effet escompté : exercer un meilleur contrôle sur votre vie et prendre des décisions plus rationnelles

Si vous avez pratiqué la stratégie d'ajustement 15, peut-être vous intéresse-t-il de voir comment vous pourriez passer à l'action. Appliquez le processus de résolution de problèmes à votre situation :

1. *Définissez* le problème.
2. *Analysez* les forces qui causent ce problème, celles qui pourraient aider à le résoudre, vos ressources, et les gains et pertes en cas de résolution ou de non-résolution. S'il s'avère toujours important de changer cette situation, passez en revue les solutions possibles.
3. *Choisissez* la plus réaliste et appliquez-la.
4. *Évaluez* la solution que vous avez mise en application.

La stratégie d'ajustement 15 vous servira à l'étape 2 de l'analyse. N'oubliez pas, à cette étape, de considérer plusieurs possibilités : plan A, plan B. L'étape 4 de l'évaluation est très importante pour la connaissance de soi, en identifiant les solutions qui sont ou non efficaces pour vous. Si, dans le cadre de vos fonctions, vous êtes déjà familier avec un processus de résolution de problèmes, le SARA par exemple, prenez l'habitude de vous l'appliquer, en y apportant les ajustements requis par votre situation.

STRATÉGIE D'AJUSTEMENT 17 : L'arrêt de pensée (IA)
Type : connaissance de soi et action
Temps d'apprentissage : à moyen et à long terme
Temps d'utilisation : quelques fractions de secondes
À utiliser : chaque fois que êtes envahi(e) par une pensée indésirable
Quand : lorsque cette pensée apparaît
Effet escompté : diminuer l'anxiété et/ou la colère

S'il vous arrive d'avoir des pensées obsédantes ou indésirables, qu'elles soient inutiles ou nuisibles, commandez-leur d'arrêter, tout simplement. Voici comment :

- Identification **(I)** : Vous constatez l'émergence d'une pensée qui vous effraie ou vous discrédite.
- Arrêt **(A)** : Ordonnez-lui mentalement : *arrête* ! ou *stop* ! Si cet ordre mental ne suffit pas, *dites-le à voix haute et forte*. Pratiquez-vous à quelques reprises pour augmenter l'efficacité de cette stratégie et félicitez-vous lorsqu'elle fonctionne. Dans la plupart des cas, il importe, une fois la pensée bloquée, de la remplacer par une autre **(IAR)**. Les exercices suivants vous suggèrent quelques façons de le faire.

STRATÉGIE D'AJUSTEMENT 18 : Le remplacement de pensée : restructuration cognitive (R)
Type : connaissance de soi et action
Temps d'apprentissage : à moyen et à long terme
Temps d'utilisation : quelques fractions de secondes
À utiliser : chaque fois que vous constatez l'émergence d'une pensée irrationnelle
Quand : lorsque cette pensée apparaît
Effet escompté : avoir une vision réaliste de la vie et davantage de pouvoir sur les événements qui surviennent

---

Il importe dans un premier temps de reconnaître les pensées destructrices pour ensuite les arrêter et les remplacer. Vous trouverez dans le tableau suivant une liste de ces cognitions irrationnelles et des exemples de pensées de remplacement. Suite à sa lecture, vous aurez probablement identifié la (les) pensée(s) qui vous habite(nt) le plus et serez donc invité(e) à leur trouver une pensée de remplacement.

Tableau 3.3   Les croyances irrationnelles et les pensées ou actions de remplacement.

L'illusion ou la croyance irrationnelle	Pensées ou actions de remplacement
1. Le pouvoir de l'inquiétude face à l'avenir « M'inquiéter m'aide à prévenir les erreurs, à anticiper l'avenir et me donne un contrôle additionnel sur le cours des événements. Face à l'inconnu, l'incertain ou ce qui est potentiellement dangereux, je dois terriblement m'inquiéter : la catastrophe guette ! »	« Ai-je le contrôle sur l'avenir ? » « Je n'ai pas de pouvoir sur l'avenir. » « J'accepte le fait que la vie n'est pas facile et qu'elle ne le sera jamais. » « Quelle est la pire chose qui pourrait m'arriver si mes inquiétudes devenaient réalité ? » « Qu'est-ce que je peux faire à ce sujet dès maintenant ? »
2. Le pouvoir de l'approbation des autres « Je dois être aimé(e) et approuvé(e) des autres dans tout ce que je fais pour avoir de la valeur. »	« J'ai droit à mes opinions. » « Ma vie est-elle en danger si je ne plais pas à... ? » « Mon bonheur est-il possible sans que je plaise à... ? » « J'ai fait du mieux que j'ai pu. » « Il y a des personnes qui me tapent sur les nerfs à moi aussi. »
3. L'illusion de la perfection « Je dois être infailliblement compétent(e), intelligent(e) et performant(e), parfait(e) dans tout ce que j'entreprends. »	« Je suis humain(e). » « J'ai droit à l'erreur. » « J'ai des forces dans d'autres domaines. » « La perfection n'existe pas; je suis perfectible. » « Est-ce si grave ? »
4. L'illusion du contrôle sur les autres « Les autres doivent être parfaits; ils vont changer si j'exerce des pressions sur eux pour qu'ils le fassent. » « Les autres devraient se comporter comme je le veux. » « Si je ne contrôle pas les autres, ils vont me contrôler. » « Moi je sais comment tu dois te comporter. » « Plus rien ne fonctionnera si je cesse de contrôler. »	« Je n'ai aucun contrôle sur le comportement des autres; je ne peux changer personne. » « Je me prends pour qui ? » « Je ne suis pas responsable du comportement des autres. » « Vivre et laisser vivre. » « Si je me mêlais de mes affaires ! » « À quoi je m'occuperais si je ne prenais pas tout mon temps à essayer de le/la changer ? »
5. L'illusion du contrôle sur soi : Rambo, le superpolicier « Je suis invulnérable. » « J'ai ou je devrais toujours avoir un parfait contrôle sur moi-même. » « Moi je l'ai, l'affaire ! »	« J'ai mes limites. Je ne suis pas toujours « au-dessus de mes affaires ». Je peux être vulnérable. Je peux me tromper. Il peut m'arriver de perdre la face sans pour autant avoir tout perdu. » « Je ne suis pas un robot; j'éprouve des émotions. » « J'assure en tout temps ma sécurité. »
6. La déresponsabilisation « Si j'ai des problèmes, c'est à cause des autres, de causes externes et du destin.	Délimiter sa zone de contrôlabilité pour s'attribuer sa juste part de responsabilité dans ce qui arrive.
7. L'illusion de la justice ou du justicier « La justice devrait exister partout et l'injustice est intolérable. » « Je **suis** la justice. » « Je ne peux tolérer que la justice ne soit pas respectée ou appliquée. »	« La vie sera toujours injuste. » « Je fais ce qui est dans les limites de mon pouvoir pour que la justice soit respectée. »

Source : d'après Beck (1979 : voir Girdano et coll., 1997), Ellison et Genz (1983) et Dufford (1986).

Retrouvez-vous, dans votre façon quotidienne de penser, des similitudes avec les pensées ou les illusions présentées ici ? Quelle(s) pensée(s) entretenez-vous ? Dans quelles circonstances ? Par quelle(s) autre(s) pensée(s) pourriez-vous la (les) remplacer ? Ce remplacement sera efficace si vous utilisez vos propres mots.

Pensée 1 : _____

_____

Circonstances : _____

_____

Pensée de remplacement : _____

_____

Pensée 2 : _____

_____

Circonstances : _____

_____

Pensée de remplacement : _____

_____

Maintenant, il vous reste à vous entraîner au remplacement de pensée **(R)** chaque fois qu'une pensée indésirable se présente. La maîtrise de cette stratégie d'ajustement s'acquiert avec la pratique.

> **STRATÉGIE D'AJUSTEMENT 19 :** L'image-ressource (R)
>
> *Type : connaissance de soi et action*
>
> *Temps d'apprentissage : à moyen et à long terme*
>
> *Temps d'utilisation : quelques fractions de secondes*
>
> *À utiliser : chaque fois que vous avez besoin d'une image simple pour vous concentrer sur vos ressources*
>
> *Quand : avant une intervention que vous prévoyez difficile, pendant toute intervention et après une intervention difficile, pour décompresser.*
>
> *Effet escompté : décompression ou sensation de force et de calme pour agir plus efficacement*

Une image-ressource est un état ou une image de vous-même ou d'un lieu qui vous permet de vous sentir bien. Avoir rapidement accès à cet état dans la réalité ou en pensée aide à développer ou à maintenir l'estime de soi; on peut ensuite y référer pour recréer rapidement cet état positif dans la vie quotidienne. Vous pouvez créer diverses images, utiles dans différentes situations : une image lorsque vous devez entrer rapidement en contact avec votre force intérieure, une autre invitant au calme, une image représentant l'énergie et la puissance ou une image de détachement.

Voici deux moyens de faire apparaître cette image ressource, adaptés de Girdano et coll. (1997) :

1. Image-ressource associée à la décompression.

Introspection : Choisissez un moment de votre vie où vous vous êtes senti(e) confiant(e), joyeux(se), en paix avec vous-même. Il peut y avoir eu plusieurs de ces moments dans votre vie mais choisissez-en un seul, dans un temps et un lieu spécifiques.

Quand vous avez trouvé ce moment, créez en pensée une image réelle de cet état, dans les moindres détails : les odeurs, les couleurs, les sons, les vêtements que vous portez, les textures, ce que vous ressentez, ce que vous vous dites, etc.

Action : Vous pouvez maintenant commander le même sentiment que celui que vous avez ressenti à ce moment parce que vous *êtes* dans ce moment ! Prenez le temps de demeurer dans cet état. Vous pourriez sélectionner un mot ou une image qui qualifierait pour vous cet état et vous aiderait à vous en rappeler par la suite. Évitez d'utiliser des qualificatifs comme fort ou confiant. Utilisez plutôt des images évocatrices comme mon oasis, mon hamac, mon sage intérieur, mon lézard, enfin, libre à vous ! Amenez au besoin cette image à votre conscience en une fraction de seconde.

Image identifiée : _____

_____

_____

_____

2. Image-ressource associée à la force, à l'énergie.

Introspection : Imaginez un objet qui représente la force, un personnage de bande dessinée ou de film qui vous a particulièrement impressionné(e) à cause d'une qualité dont vous avez besoin pour vous sentir en pleine possession de vos moyens ou une chanson qui vous donne le goût de vivre et de foncer.

Action : Devenez en imagination ce personnage, cet objet ou cette chanson (mots, sons, sentiment ressenti en l'écoutant). Ressentez les bienfaits physiques et psychologiques que cette image vous procure. Invoquez ensuite cette image au besoin, particulièrement pendant une intervention, pour bloquer les effets de la sensation de vulnérabilité éprouvée lors de la deuxième étape de réaction de peur pendant un incident critique, d'après Solomon (1991).

Comme le remplacement de pensées, cette stratégie n'est efficace que lorsqu'elle devient automatique, après avoir été répétée souvent. Conservez ces images dans votre « librairie mentale » pour les utiliser au besoin.

Image identifiée : _____

_____

_____

_____

> **STRATÉGIE D'AJUSTEMENT 20 :** Les combinaisons arrêt/remplacement de pensée et arrêt/image-ressource (IAR)
> *Type : action*
> *Temps d'apprentissage : à moyen et à long terme*
> *Temps d'utilisation : quelques fractions de secondes*
> *À utiliser : chaque fois que vous avez besoin de développer de la contrôlabilité sur les situations*
> *Quand : avant une intervention que vous prévoyez difficile, pendant toute intervention et après une intervention difficile*
> *Effet escompté : mobilisation à l'action ou détente après une action*

Il ne s'agit ici que de combiner ensemble deux stratégies. Dans les deux combinaisons présentes, l'identification **(I)** et l'arrêt de pensée **(A)** s'imposent d'abord. Selon la situation, vous pouvez aller chercher rapidement une autre pensée ou image-ressource **(R)** utile dans la situation (Dufford, 1986).

N.B. :   Le **IAR** fonctionnera dans la mesure où vous l'utiliserez pendant une période assez longue qu'il finira par se mettre en action automatiquement.

> **STRATÉGIE D'AJUSTEMENT 21 :** Du temps à soi
> *Type : connaissance de soi et action*
> *Temps d'apprentissage : à moyen et à long terme*
> *Temps d'utilisation : tout le temps*
> *À utiliser : si vous avez l'impression de ne pas avoir de temps*
> *Quand : au besoin*
> *Effet escompté : percevoir que vous avez du temps*

La gestion du temps nécessite de la planification et de l'organisation, pour permettre ensuite de passer à l'action : on pourrait dire qu'elle constitue une stratégie de résolution de problèmes appliquée au temps. Pour les personnes surchargées ou qui se perçoivent comme telles, la première retombée de la gestion du temps est le plaisir d'avoir du « temps à soi » et le sentiment de contrôle qui en découle. Il importe donc de commencer par accorder la priorité à ce « temps à soi ». Les suggestions suivantes sont tirées pour l'essentiel de Dufford (1986) et de Girdano et coll. (1997). Voici les étapes de la gestion du temps.

Étape 1. Votre contrat de « temps à soi »

« J'ai besoin de temps pour moi. Je m'accorde _____ heures par semaine. » Voici un exemple d'activités pour soi. Vous pouvez vous en inspirer et le modifier selon vos besoins.

(Nombre d'heures)

_____ par jour pour l'exercice physique.

_____ pendant une journée pour faire mon activité préférée.

_____ tous les trois jours pour être seul(e).

_____ tous les deux jours pour étudier ou lire.

_____ tous les quatre jours pour du temps passé en famille ou avec des amis.

Étape 2. Établissez maintenant vos buts à long terme et développez un plan d'action. Par exemple, pour prendre la décision de travailler ou d'intensifier le rythme de ses études, un étudiant peut définir ses priorités après avoir établi les coûts et bénéfices de chaque alternative.

Étape 3. Fixez-vous des buts intermédiaires sur une période de trois à six mois et développez un plan d'action.

Étape 4. Prenez l'habitude d'établir des priorités hebdomadaires et un plan d'action pour chaque semaine. Une fois que vous avez complété votre plan hebdomadaire, utilisez les mêmes étapes pour établir vos buts intermédiaires et à long terme.

Utilisez les étapes suivantes pour planifier votre semaine :

1. Faites une liste des choses à faire en leur accordant l'une des trois valeurs suivantes :
   a) Les tâches prioritaires à terminer d'ici la fin de semaine (**A**).
   b) Les tâches moyennement prioritaires sans délais urgents (**B**).
   c) Les tâches qui peuvent réellement attendre (**C**).

2. Estimez de façon réaliste et notez le temps requis pour compléter chaque tâche. Rallongez ces temps de 10 à 15 %; cela vous donnera une marge de manœuvre en cas d'imprévus.

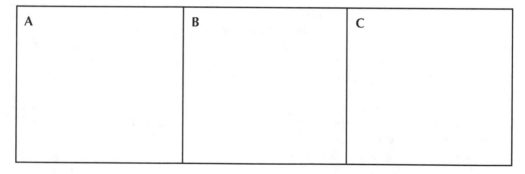

A	B	C

3. Transférez les choses à faire dans un calendrier hebdomadaire en tenant compte des points suivants :
   a) Appliquez, du mieux que vous le pouvez, le principe des trois 8 (8 heures de sommeil, 8 heures de travail, 8 heures de repos).
   b) Si vous vous sentez surchargé(e), placez les heures de détente en premier lieu.
   c) Casez les tâches **A** dans les moments où vous êtes au meilleur de votre forme.
   d) S'il vous reste du temps disponible, ajoutez-y les tâches **B**.
   e) Faites la liste des tâches **C** sur votre calendrier et quand les **A** et les **B** sont terminées, effectuez une ou deux tâches **C**.

Étape 5. Procédez et corrigez au besoin.

Stratégies pour augmenter l'estime de soi

STRATÉGIE D'AJUSTEMENT 22 : Vos ressources

Type : connaissance de soi

Temps d'apprentissage : le faire une fois et répéter au besoin

À utiliser : pour constater vos forces et les utiliser par la suite

Quand : au moment où vous doutez de vous-même et des autres, pour résoudre un problème, prendre une décision

Effets escomptés : développer une vision réaliste et optimiste de vos ressources

Rédigez la liste de toutes vos ressources personnelles, internes et externes. Vous disposez en effet de trois types de ressources : matérielles, personnelles (qualités) et sociales.

Ressources matérielles	Ressources personnelles	Ressources sociales

Une fois vos ressources identifiées, transcrivez-les sur des fiches séparées et, chaque matin, sélectionnez-en une nouvelle dont vous répétez le nom à voix haute et que vous amenez avec vous pour la journée, en ressentant bien le confort, la fierté ou toute autre émotion positive que vous associez à cette ressource.

STRATÉGIE D'AJUSTEMENT 23 : Les affirmations exprimant la force et la réussite (traduction libre de Girdano et coll., 1997, p. 146-147)

Type : connaissance de soi et action

Temps d'apprentissage : à moyen et à long terme

Temps d'utilisation : une fraction de seconde, une ou deux fois par jour

À utiliser : pour garder le contact avec votre force

Quand : au besoin, avant, pendant ou après une action, réussie ou non

Effets escomptés : une meilleure estime de vous-même

Les affirmations sont des propositions sur un sentiment positif formulées à la première personne et au présent. Ces affirmations doivent porter sur les qualités que vous désirez posséder plutôt que sur votre capacité à y parvenir; (« J'apprécie d'avoir confiance en moi » plutôt que « Je peux devenir confiant en moi »). Elles doivent être spécifiques (« J'arrive rapidement et facilement à atteindre mon poids de 65 kilogrammes » est préférable à « Je perds du poids »). Le fait d'utiliser des mots comme *facilement, amoureusement, avec plaisir* et *rapidement* aide à dynamiser le changement souhaité.

Introspection

- Gardez à l'esprit ce que vous voulez obtenir;
- Imaginez-vous en voie d'y arriver;
- Ressentez la satisfaction d'avoir atteint votre but;
- Choisissez une affirmation qui exprime votre réalisation personnelle : « Je peux facilement... », « Je suis content(e) de... », « Je deviens de plus en plus... ».

Action

- Rédigez des affirmations pour tous les aspects de votre vie — social, émotionnel, spirituel, occupationnel, intellectuel, etc.;
- Répétez-vous ces affirmations au moins une fois par jour, mais idéalement plusieurs fois, particulièrement au lever et au coucher.

> **STRATÉGIE D'AJUSTEMENT 24 :** Apprendre à faire et à recevoir des compliments (adapté de Girdano et coll., 1997)
>
> *Type : action*
>
> *Temps d'apprentissage : à moyen et à long terme*
>
> *Temps d'utilisation : le temps d'un bref contact avec une autre personne*
>
> *À utiliser : dans vos relations avec vos collègues, vos amis et les citoyens*
>
> *Quand : au moins deux fois par jour*
>
> *Effets escomptés : augmenter à la fois votre estime de soi et la qualité de vos relations interpersonnelles*
>
> *Mise en garde : Cet exercice va à l'encontre d'une nouvelle norme sociale informelle voulant que l'on qualifie de « téteux » tout propos positif tenu à l'égard d'une autre personne. Vous risquez donc d'avoir l'air d'un lèche-botte si vous allez à l'encontre de cette norme... Pourtant, faire un compliment sincère vaut largement la peine : ce geste augmente à la fois votre estime de soi et la qualité de vos relations interpersonnelles.*

Entraînez-vous à faire des compliments aux autres et étudiez la manière dont ils les reçoivent. S'en excusent-ils ? Les acceptent-ils ? Observez-vous un changement dans votre relation avec ces personnes ? Commencez avec vos proches et développez cette habitude dans toute situation de la vie quotidienne.

Essayez d'accepter les compliments des autres en souriant et en disant merci. Ne faites pas de commentaires pour minimiser l'impact du compliment sur vous. Le seul commentaire permis est de reconnaître son bien-fondé.

> **STRATÉGIE D'AJUSTEMENT 25 :** Pratiquer l'affirmation de soi (adapté de Girdano et coll., 1997)
>
> *Type : action*
>
> *Temps d'apprentissage : à moyen et à long terme*
>
> *Temps d'utilisation : pendant que vous communiquez avec les autres*
>
> *À utiliser : lors de l'ensemble de vos échanges*
>
> *Quand : au besoin*
>
> *Effets escomptés : affirmer votre personnalité dans vos relations interpersonnelles, protéger votre intégrité et gagner le respect de vos collègues*

Voici des exercices permettant de développer votre estime de soi au moyen de comportements d'affirmation de soi. Rappelons d'abord les droits dont chaque personne dispose :

- refuser sans culpabilité;
- changer d'avis;
- prendre son temps pour répondre à une question ou pour agir;
- poser des questions;
- exiger le respect;
- faire moins que vous ne le pourriez;
- demander ce que vous voulez;
- vivre et exprimer des sentiments;
- vous sentir en accord avec vous-même, qu'importe la situation.

L'échelle d'affirmation qui suit établit une hiérarchie des comportements d'affirmation, du plus facile au plus difficile. Commencez à un échelon où vous n'éprouvez pas d'anxiété et pratiquez ce comportement pendant une semaine avant de passer à un autre la semaine suivante. Si vous éprouvez de l'anxiété, revenez au comportement de la semaine précédente. Apprendre à s'affirmer n'est pas une course contre la montre ni contre soi-même.

Exercices favorisant l'expression de comportements d'affirmation, du plus facile au plus difficile

Échelle des comportements d'affirmation	Exercices
1. Adresser la parole aux autres	Initiez au moins deux échanges ou conversations par jour avec des personnes autres que vos amis proches.
2. Faire des compliments	Les compliments sont des renforçateurs positifs générateurs de soutien social, donc des agents antistress. Adressez deux compliments par jour à des personnes proches et à des personnes avec qui vous avez des contacts plus formels.
3. Utiliser le pronom « je »	Dites « je » pour exprimer une opinion ou un besoin, au moins deux fois par jour : *je pense que, j'ai besoin, je veux, j'aime, j'apprécie.*
4. Poser des questions	Demandez à vos professeurs et/ou à vos patrons de l'information ou de l'aide; par exemple « comment ? », « pourriez-vous m'aider à comprendre ? » Attention toutefois aux « pourquoi » dans les relations intimes, ce qui peut mettre le partenaire sur la défensive et l'obliger à se justifier. À pratiquer trois fois par semaine.
5. Exprimer spontanément ses sentiments	Deux fois par jour, exprimez une émotion à l'un de vos proches. Plus vous prendrez des risques et vous entraînerez, plus ce sera facile.
6. Être en désaccord	Croyez d'abord en ce que vous défendez. Exprimez-vous clairement. Adressez-vous à une personne que vous considérez plus forte que vous, sans agressivité ni manipulation.
7. Regarder dans les yeux	Commencez par soutenir le regard d'une personne pendant 2 ou 3 secondes à la fois et allongez progressivement la durée. Ne regardez pas fixement car cela peut être interprété comme un affront.

Stratégies liées au contrôle émotionnel

Le contrôle émotionnel est l'exercice de l'*autorité* du *cortex* sur les *émotions*. Il repose sur la reconnaissance de l'émotion et la décision de la contrôler si son expression n'est pas appropriée au contexte. Ce contrôle suppose que l'expression en est *différée* et *non réprimée*. Les exercices suivants portent d'abord sur la reconnaissance de l'émotion, puis sur le contrôle de la peur et de la colère.

STRATÉGIE D'AJUSTEMENT 26 : Identifier votre dominante émotionnelle (traduction libre de Girdano et coll., 1997, p. 56-57)

Type : connaissance de soi

Temps d'apprentissage : test à compléter une fois

À utiliser : pour mieux connaître votre modèle habituel de réaction émotionnelle

---

1. Pensez à un événement récent qui vous a fait éprouver des émotions négatives; il s'agissait probablement d'un événement stressant. Fermez les yeux et repassez-vous le film de cette situation. Revoyez en esprit les lieux et les personnes avec qui vous étiez; ayez une vision claire de ce qui s'est passé. Souvenez-vous ce qui s'est dit, par quel intervenant, ainsi que ce que vous vous êtes dit à vous-même. Prenez le temps de ressentir ce que vous avez éprouvé sur le coup et immédiatement après. Rappelez-vous ce que vous vous êtes dit après cet événement.

2. Maintenant, identifiez tous les sentiments que vous avez ressentis pendant et après la situation, et tracez un crochet à gauche de chacune des émotions correspondant à votre expérience émotionnelle : « Dans cette situation, je me rappelle m'être senti(e)... »

___ anxieux(se) _____	___ hostile _____
___ seul(e) _____	___ embarrassé(e) _____
___ soumis(e) _____	___ dérouté(e) _____
___ confus(e) _____	___ inquiet(e) _____
___ inadéquat(e) _____	___ ennuyé(e) _____
___ irrité(e) _____	___ jaloux(se) _____
___ misérable _____	___ honteux(se) _____
___ critique _____	___ aigri(e) _____
___ découragé(e) _____	___ insignifiant(e) _____
___ déstabilisé(e) _____	___ rejeté(e) _____
___ déprimé(e) _____	___ stupide _____
___ enragé(e) _____	___ inférieur(e) _____
___ impuissant(e) _____	___ faible _____
___ coupable _____	___ frustré(e) _____
___ furieux(se) _____	

3. Les émotions négatives majeures sont la *peur* et la *colère*. Sur la ligne de droite, indiquez laquelle de ces deux émotions décrit le mieux chacun des sentiments que vous avez cochés. Par exemple :

> ✔ irrité(e)   colère   ✔ jaloux(se)   peur

4. Additionnez les réponses dans la liste des émotions et identifiez celle que vous éprouvez le plus souvent.

5. Écrivez quelques-unes des phrases que vous vous disiez *pendant* la situation.

_____

_____

6. Écrivez quelques-unes des phrases que vous vous disiez *après* la situation.

_____

_____

Maintenant que vous avez identifié votre dominante émotionnelle, voici des stratégies d'ajustement susceptibles de vous aider à mieux les contrôler.

STRATÉGIE D'AJUSTEMENT 27 : Gérer rationnellement une émotion négative (Loehr, 1993)
Type : connaissance de soi
Temps d'apprentissage : à moyen et à long terme
Temps d'utilisation : 5 à 10 minutes, en présence de l'émotion
À utiliser : dès que vous avez un moment de calme après avoir identifié une émotion négative
Quand : au besoin
Effet escompté : le contrôle de vos émotions

Ces instructions ont pour but d'augmenter la capacité à reconnaître une émotion afin de la convertir en agent catalyseur d'une action efficace.

1. Se calmer et identifier l'émotion : écoutez vos messages.

2. S'interroger sur le besoin de décompression qui est exprimé : qu'est-ce qui me met en colère ou me fatigue, etc. ?

3. Déterminer sa zone de contrôlabilité (stratégie 15, p. 60) pour voir ce qu'on peut réellement comprendre et changer à la situation.

4. Évaluer si c'est le bon moment et le bon endroit pour éprouver une telle émotion; si ce n'est pas le cas, la mettre au défi : est-elle la conséquence d'une croyance irrationnelle du type « tout le monde devrait m'aimer » ou « je devrais toujours gagner » ? Dans l'affirmative, restructurer ou remplacer cette pensée ou cette croyance.

5. Vérifier si le malaise ou la souffrance ressentis sont la conséquence d'une période difficile et transformer alors l'émotion en *défi* maladie, en *défi* crise financière, etc.; puis **agir**, en prenant toujours en compte votre zone de contrôlabilité.

6. Se demander si les sentiments négatifs sont le signal d'un besoin non satisfait; si oui, **agir pour combler votre besoin**.

Stratégies visant à contrer la peur et l'anxiété

STRATÉGIE D'AJUSTEMENT 28 : Explorer votre relation avec la peur (traduction libre de Girdano et coll., 1997, p. 157-158)

Type : connaissance de soi
À utiliser : pour mieux identifier les origines de vos peurs
Quand : faire l'exercice une fois et utiliser au besoin la pensée de remplacement
Effet escompté : mettre fin à l'interférence actuelle de vos peurs irréalistes anciennes

Introspection

Décrivez votre relation avec la peur. Comment réagissiez-vous, enfant, quand vous aviez peur ? Comment vos parents réagissaient-ils quand ils avaient peur ? Avez-vous vécu un événement où vous pensez avoir découvert la peur ?

Selon Viscott (1992 : *voir* Girdano et coll., 1997), les interrogations fondamentales exprimées par les peurs de la majorité des gens sont :

– Suis-je bon(ne) ou mauvais(e) ?
– Suis-je ou non aimable ?
– Suis-je fort(e) ou faible ?
– Suis-je brillant(e) ou stupide ?
– Suis-je correct(e) ou « à côté de la coche » ?
– Est-ce que j'ai de la valeur ou non ?

Quand la peur ou l'anxiété s'installent, même chez un adulte, ce sont ces interrogations fondamentales qui resurgissent. Remémorez-vous une situation d'anxiété dans votre enfance et identifiez l'interrogation à la base de cette anxiété : _____

_____

_____

Elle peut avoir été une réaction normale d'enfant mais est-elle encore réaliste, maintenant que vous êtes adulte et avez plus d'expérience et de connaissances ? Pouvez-vous remplacer cette interrogation fondamentale par une pensée plus réaliste ou une image-ressource ? _____

_____

STRATÉGIE D'AJUSTEMENT 29 : Se parler à soi-même (adapté d'Anderson et coll., 1995)

Type : action
Apprentissage : à moyen et à long terme
Temps d'utilisation : quelques fractions de secondes
À utiliser : seul(e) ou avec votre partenaire
Quand : avant, pendant et après un événement stressant
Effet escompté : diminution de la peur et de l'anxiété

Voici des exemples de phrases à employer tout au long d'un événement stressant. Adoptez celles qui vous conviennent et utilisez-les au besoin. Plus votre niveau de stress est élevé, plus vous devez vous les répéter souvent, haut et fort.

Avant l'événement stressant	Pendant l'événement stressant	Après l'événement stressant
« J'ai déjà effectué une intervention semblable auparavant, je peux le faire encore » « J'ai le temps de planifier un scénario » « Ça risque d'être difficile, mais je crois en moi » « Je vais maintenir ma concentration sur ce que je dois faire » « Ce sera une bonne occasion d'exercer mon contrôle émotionnel » « Je sais exactement quelle procédure appliquer »	« Ça sera bientôt terminé » « Je peux encore tenir un petit peu plus » « Une chose à la fois » « Je n'ai pas à en faire une affaire personnelle » « Demain, je verrai cet événement avec du recul » « Je respire par le nez » « J'ai survécu à pire encore »	« Je l'ai fait : j'ai passé à travers » « Je suis chanceux, la situation aurait pu être pire » « J'ai passé à travers sans m'énerver » « Je vais me sentir mieux si je cesse de m'inquiéter » « J'ai de bonnes idées pour la prochaine fois » « Je m'améliore de plus en plus »

STRATÉGIE D'AJUSTEMENT 30 : La répétition de scénarios associés aux incidents critiques (garnir votre « librairie mentale »)

Type : connaissance de soi et action

Temps d'apprentissage : à moyen et à long terme

Temps d'utilisation : 5 minutes

À utiliser : seul(e) ou avec votre partenaire, entre deux appels

Quand : souvent, à la même fréquence que le conditionnement physique, pour être prêt(e) à réagir à tout moment

Effet escompté : conditionnement psychologique préparatoire à l'action et efficacité pendant un incident critique

Ces répétitions tiennent lieu de conditionnement préalable à l'action et ont pour objectif la mobilisation rapide et efficace de vos ressources en cas d'incident critique. Souvenez-vous d'abord des six étapes du modèle de Solomon (1991) :

1. **« J'ai un problème »** : conscience du danger.
2. **« OH SHIT ! »** : conscience de la vulnérabilité.
3. **« Je dois faire quelque chose »** : identification de la menace et déplacement de l'attention du risque personnel encouru aux conditions qui génèrent la menace.
4. **Sélection d'une tactique de survie.**
5. **« Ça y est ! »** : engagement mental dans un plan de survie.
6. **« Je le fais et je m'en sors »** : réponse.

Choisissez ensuite une situation fictive; passez mentalement en revue toutes les étapes ou discutez-en avec votre collègue. À l'étape 4, révisez les techniques apprises en cours de formation. Explorez plusieurs scénarios et solutions possibles. Convenez finalement des stratégies à utiliser en pareille circonstance.

STRATÉGIE D'AJUSTEMENT 31 : Le remplacement de l'anxiété (IAR)
Type : connaissance de soi et action
Temps d'apprentissage : à moyen et à long terme
Temps d'utilisation : 60 secondes
À utiliser : en présence de pensées génératrices d'anxiété
Quand : au besoin
Effet escompté : diminuer, sinon enrayer, l'anxiété

Si une pensée génératrice d'anxiété devient envahissante, identifiez-la et remplacez-la par une image-ressource liée au calme; cette image devrait toujours être la même, relaxante et plaisante. Vous y occupez votre esprit pendant 60 secondes pour revenir ensuite à vos préoccupations quotidiennes. Si vous ne pouvez concevoir une telle image, comptez jusqu'à 5 en imaginant que les chiffres sont énormes et brillants (Girdano et coll., 1997). Vous pouvez aussi utiliser les stratégies d'ajustement 6 et 7 de la page 38. Le temps que vous y consacrerez modifiera le cycle de l'anxiété. Refaites cet exercice tant et aussi longtemps que vous n'y arriverez pas.

Stratégies visant à maîtriser la colère

STRATÉGIE D'AJUSTEMENT 32 : Des moments et des trucs pour exprimer votre frustration et/ou votre colère
Type : action
Temps d'apprentissage : à moyen et à long terme
Temps d'utilisation : le temps de choisir le geste approprié et de l'exécuter
À utiliser : pendant ou à la suite d'une situation frustrante
Quand : au besoin
Effet escompté : le contrôle de votre colère

La colère engendre du stress. Pour maintenir votre zone de stabilité, il est préférable de trouver des moyens acceptables de l'exprimer. Non exprimée, la colère peut se transformer en malaises physiques et en cynisme ou en hostilité. Alors, quand et comment l'exprimer ?

Le moment approprié
L'instant immédiat de la frustration est rarement le meilleur moment pour agir, surtout si votre activation émotionnelle est intense. Réagir trop tard n'est pas bon non plus car vous aurez laissé circuler inutilement les hormones de stress dans votre organisme. Il importe donc de choisir un temps et un lieu appropriés peu après l'incident.

Des trucs

1. *Pendant un incident, face à un citoyen agressif, adoptez une distance sécuritaire physiquement et psychologiquement.* Les stratégies d'ajustement 1 (p. 36) et 19 (p. 64) peuvent aider à vous protéger psychologiquement de l'agression et à diminuer l'intensité de votre frustration ou de votre colère. Dans ce cas précis, *attention aux mots : limitez-les* et vous préserverez votre énergie sans donner prise à votre interlocuteur. *Peu de mots mais les mots justes, ceux qui décrivent la situation et ramènent l'autre face à sa responsabilité.*

2. *Après un incident, exprimez votre colère par des mots, mais pas n'importe lesquels. Cherchez les mots associés au sentiment éprouvé.* Ces mots libèrent de la colère; ils préviennent la violence. Parlez-en à un collègue. Condensez l'expression de votre colère dans un court laps de temps — deux minutes —, puis passez à autre chose. Pour trouver les mots lors de conflits, il importe souvent, avant de parler, de prendre du recul et une certaine distance face à la situation. Dans ce cas, il peut donc être sage d'attendre un ou deux jours, le temps de laisser refluer les émotions fortes et de donner un sens à votre réaction.

3. Si votre frustration ou votre colère est causée par une situation sur laquelle vous avez peu ou pas de pouvoir et que vous n'avez pas pu l'exprimer, vous devez lâcher prise (zone de « lâcher prise », stratégie d'ajustement 15); dans ce cas, les moyens physiques sont les plus appropriés. Si vous choisissez le squash, le tennis ou un punching-bag, rien ne vous empêche de dédicacer vos coups ! Vous ne ferez de mal à personne. Et comme la colère est incompatible avec les endorphines ou la dopamine, neurotransmetteurs libérés par l'exercice dans votre système nerveux, une fois détendu(e), vous ne la ressentirez plus et aurez éliminé en même temps les hormones de stress qu'elle avait laissées dans votre sang.

STRATÉGIE D'AJUSTEMENT 33 : Apprendre à gérer votre colère (Girdano et coll., 1997, page 154)

Type : connaissance de soi et action

Temps d'apprentissage : à moyen et à long terme

Temps d'utilisation : le temps de répondre aux questions la première fois (15 minutes), le temps de revivre les incidents (environ 15 minutes une fois par jour pendant une semaine) et quelques fractions de secondes pendant les incidents

À utiliser : pendant et après une situation frustrante

Quand : au besoin

Effets escomptés : le contrôle de votre colère

Introspection

1. Notez pendant une semaine les situations ayant déclenché votre colère. Pour chaque incident générateur de colère, détaillez sur une fiche :
   - l'événement déclencheur qui vous a mis en colère;
   - vos réactions;
   - vos émotions avant, pendant et après l'incident;

- ce que vous attendiez des autres dans cette situation;
- pourquoi vous pensez que les autres se sont comportés comme ils l'ont fait;
- ce que vous vous êtes dit avant, pendant et après l'incident;
- combien de temps vous avez ruminé l'incident dans votre tête.

2. Écrivez une liste de pensées de remplacement. Sous les titres « Avant l'incident », « Quand j'ai senti monter la colère », « Pendant l'altercation », « Après l'altercation », écrivez quatre ou cinq phrases pouvant vous aider à vous calmer. Par exemple :

- Avant l'incident : « Je n'ai pas besoin de me fâcher pour cela. »
- Quand je sens monter la colère : « Relaxe maintenant et concentre-toi. »
- Pendant l'altercation : « Quel est mon but maintenant ? On n'attire pas les mouches avec du vinaigre. »
- Après l'altercation : « J'ai fait de mon mieux. Ça aurait pu être pire. J'ai bien travaillé. »

3. Choisissez l'incident qui vous a le moins mis en colère et revoyez-le mentalement.

4. Utilisez une technique de relaxation qui vous plaît et, pendant que vous relaxez, repensez à cet événement et introduisez les pensées de remplacement aux quatre moments.

5. Une fois que vous serez arrivé à revivre cet événement sans éprouver de colère, passez à une situation où vous avez ressenti un peu plus de colère et refaites le même exercice, en terminant par les situations les plus génératrices de colère de la semaine.

Action

6. Lorsque vous êtes capable d'évoquer sans colère des incidents anciens, appliquez cette technique à des situations réelles de colère.

STRATÉGIE D'AJUSTEMENT 34 : Ne pas se défendre (Dufford, 1986)

Type : action

Temps d'apprentissage : à moyen et à long terme

Temps d'utilisation : le temps d'un échange à teneur agressive

À utiliser : en cas de paroles agressives et blessantes de la part de citoyens, pour ne pas hausser inutilement votre niveau d'activation

Quand : au besoin

Effet escompté : le contrôle de votre colère

Un citoyen, un collègue ou un superviseur vous lance sur un ton agressif des propos qui vous déplaisent. Si vous évaluez qu'il serait inapproprié de répliquer parce que vous risquez de perdre le contrôle, vous pouvez à ce moment choisir de ne pas vous défendre ni d'argumenter afin de vous protéger.

1. *Demeurez silencieux(se).*

2. *Répétez les mots qu'il vient d'employer (stratégie du disque brisé).*

   Pour vous entraîner à cette stratégie, demandez à l'un de vos collègues de vous contredire sur un sujet ou une affirmation qui vous tient à cœur.

3. *N'oubliez pas, une fois l'incident passé, d'exprimer votre colère* en choisissant un moyen approprié (en parler, utiliser une courte stratégie physique, faire du sport, etc.).

STRATÉGIE D'AJUSTEMENT 35 : Temps mort (Dufford, 1986)

Si vous êtes en colère, comptez jusqu'à dix avant de parler; si vous êtes très en colère, comptez jusqu'à cent (Thomas Jefferson).

Type : action

Temps d'apprentissage : à moyen et à long terme

Temps d'utilisation : le temps d'un échange à teneur agressive

À utiliser : en cas de paroles agressives et blessantes de la part de citoyens, pour ne pas hausser inutilement votre niveau d'activation

Quand : au besoin

Effet escompté : le contrôle de votre colère

Cette stratégie doit, pour atteindre plus d'efficacité en cours d'intervention, seconder vos habiletés de communication et de résolution de problèmes. Utilisez-la pour rester calme au moment précis d'une altercation violente.

Utilisez d'abord l'arrêt de pensée **(A)**, puis imprégnez votre esprit d'une seule pensée **(R)** du genre de celle-ci : « Temps mort ». Ce message vous rappellera de demeurer calme. En même temps, associez-y une impression de calme et de détente physique. Pliez légèrement les genoux, pour vous sentir pleinement en équilibre. Votre visage, à ce moment, ne devrait pas exprimer d'émotion : pas de sourire, pas de tension apparente, les yeux grands ouverts, les mâchoires relâchées.

Par un effet de rétroaction, la détente physique empêchera votre organisme de s'activer inutilement et vous permettra de vous consacrer à l'essentiel de votre intervention. Pour vous entraîner à cette stratégie, demandez à l'un de vos collègues de vous contredire sur un sujet ou une affirmation qui vous tient à cœur.

Une fois l'incident passé, n'oubliez pas d'évacuer les résidus de colère inexprimée, soit simplement en en parlant quelques minutes ou encore en utilisant une stratégie d'ajustement physique comme respirer, grimacer, etc.

POUR FAIRE UN CHOIX JUDICIEUX

Porte d'entrée	Stratégie d'ajustement	Moment d'utilisation, par rapport à l'agent stressant		
		Avant	Pendant	Après
Contrôlabilité	15. Déterminer votre zone de contrôlabilité (p. 60)	X		X
	16. Un processus de résolution de problèmes à votre propre usage (p. 61)	X		X
	17. L'arrêt de pensée (**IA**) (p. 62)	X	X	X
	18. Le remplacement de pensée (**R**) (p. 62)	X	X	X
	19. L'image-ressource (**R**) (p. 64)	X	X	X
	20. Les combinaisons arrêt/remplacement de pensée et arrêt/image-ressource (**IAR**) (p. 66)	X	X	X
	21. Du temps à soi (p. 66)	X		
Estime de soi	22. Vos ressources (p. 68)	X	X	X
	23. Les affirmations exprimant la force et la réussite (p. 68)	X	X	X
	24. Apprendre à faire et à recevoir des compliments (p. 69)			X
	25. Pratiquer l'affirmation de soi (p. 69)	X	X	X
Émotions	26. Identifier votre dominante émotionnelle (p. 71)	X		
	27. Gérer rationnellement une émotion négative (p. 72)	X	X	X
Peur-anxiété	28. Explorer votre relation avec la peur (p. 73)	X		
	29. Se parler à soi-même (p. 73)	X	X	X
	30. La répétition de scénarios associés à un incident critique (p. 74)	X		
	31. Le remplacement de l'anxiété (**IAR**) (p. 75)	X	X	X
Colère	32. Des moments et des trucs pour exprimer votre frustration et/ou votre colère (p. 75)		X	X
	33. Apprendre à gérer votre colère (p. 76)		X	X
	34. Ne pas se défendre (p. 77)		X	X
	35. Temps mort (p. 78)		X	X

Chapitre 4
Les aspects sociaux du stress_____

> *Le meilleur moyen d'éviter le stress nuisible, c'est de choisir un environnement qui soit en accord avec vos affinités profondes (conjoint(e), patron, ami(e)s) et une occupation que vous pourrez aimer et respecter. C'est la seule manière d'éliminer la tâche si décevante qu'est la réadaptation continuelle, source majeure de détresse (Selye, 1974, p. 92).*

Michel et Jean sont tous deux patrouilleurs dans une grande municipalité depuis environ quatre ans. À brûle-pourpoint, on leur demande ce qu'ils considèrent le plus stressant dans leur travail.

Jean, le nouveau partenaire de Michel, vient d'être muté à cause d'un conflit qui détériorait le climat de travail dans son ancienne équipe : « Le stress, ce n'est pas dans la rue qu'on le rencontre. Non ! Le stress, pour un policier, c'est plutôt l'ensemble des problèmes de communication qu'il peut éprouver au sein de son équipe de travail, les conflits ou le manque de soutien de la part de l'administration. »

Michel, conjoint de Marie, père de deux enfants de six et trois ans : « Ce n'est pas compliqué ! Le stress policier, c'est à la maison que ça se trouve : si ça va bien à la maison, ça va bien au travail ! »

Les réponses spontanées de Jean et de Michel portent sur les agents stressants sociaux liés aux systèmes dans lesquels évoluent les policiers : leur milieu de travail et leur famille. Ce chapitre abordera les aspects sociaux du stress policier en :

- identifiant les spécificités de la culture policière pouvant occasionner du stress chez ses membres;
- décrivant les liens intersystémiques générateurs de stress pour le policier et sa famille;
- présentant deux ressources sociales permettant d'amoindrir les effets du stress ainsi que leur provenance;
- suggérant des stratégies d'ajustement visant le renforcement des ressources sociales.

4.1 La culture policière : une source possible de stress

Par la nature même de sa mission sociale, par son organisation du travail et par la forte cohésion qui prévaut dans ses rangs, le milieu policier est relativement fermé et porteur d'une culture distincte. Être policier implique une adaptation à cette culture qui repose d'abord sur la connaissance de ses particularités.

Les caractéristiques de la culture policière

Composé majoritairement d'hommes, le milieu policier véhicule les valeurs masculines traditionnelles de la culture dominante d'une société. Au Québec par exemple, les valeurs dominantes sont celles des hommes québécois francophones. L'*action* et la *force physique* y sont valorisées pour assurer la survie de ses membres en présence des dangers inhérents au métier (Brown et coll., 1996; Brown, 1998). Il est donc courant de parler de violence, d'utiliser un *langage sexiste ou raciste* et de faire valoir ses exploits sexuels. La *rudesse* et la *violence* sont considérées comme des moyens acceptables de résoudre des conflits. La *compétition* établit l'ordre de domination formelle et informelle entre les policiers (Haarr et Morash, 1999). Comme nous l'avons vu dans le chapitre 3, l'expression des émotions associées à la vulnérabilité, comme la peur et la tristesse, est peu encouragée. L'*humour*, souvent toxique, à propos des événements tragiques ou d'autres collègues, permet d'évacuer, sans perdre la face, le trop-plein émotionnel résultant des situations troublantes vécues pendant les quarts de travail (Pogrebin et Poole, 1991).

Les policiers qui appartiennent à la culture dominante ont plus de chances de bien s'y intégrer et d'en tirer un soutien protecteur en présence d'agents stressants. Pour profiter de ce soutien, ils doivent partager les valeurs qui y sont véhiculées et en maîtriser les codes de communication et de comportements (Fielding, 1974 : *voir* Brown, 1998). Or, depuis environ une trentaine d'années, des forces socio-démographiques, féministes et égalitaristes ont contribué à l'intégration des femmes et des personnes appartenant aux minorités ethniques, de même qu'à l'affirmation identitaire des gais et lesbiennes, à l'intérieur du corps policier. Leur seule différence avec la culture policière dominante peut constituer pour ces groupes une source de stress additionnelle aux agents stressants communs à l'ensemble des policiers.

Le stress de l'appartenance à une minorité au sein de la culture policière

Les femmes

Les femmes sont dans la police pour y rester, malgré les résistances opposées à leur présence dans l'organisation policière, encore considérée par plusieurs comme une menace à l'homogénéité du milieu de travail le plus traditionnellement masculin de notre société[1]. Bien que de plus en plus nombreuses, elles demeurent confrontées au défi de prendre leur place dans ce monde d'hommes.

L'impact des stéréotypes sexistes sur le stress des policières Une partie du stress des policières est imputable aux problèmes de relations de travail engendrés par leur appartenance à un sous-groupe minoritaire (Haarr et Morash, 1999). Elles subissent quotidienne-

---

1. Le lecteur intéressé par des données sur les proportions de femmes dans les divers corps policiers et sur leur positionnement dans ces organisations peut consulter les références suivantes : Bartol et coll., 1992; Brown et coll., 1995; Lebœuf, 1997; Brown, 1998; National Center for Women and Policing, page consultée le 12 novembre 1999; Berger, 1999; Brown, 1999; Price, 1999.

Tableau 4.1 Les stéréotypes à l'égard des femmes et leur impact sur les rapports de travail entre policiers et policières.

Les stéréotypes à l'égard des femmes véhiculés dans le milieu policier	Les rapports de travail entre les hommes et les femmes
La taille et la robustesse sont associées à la force physique, garante de la compétence dans la police. Si une femme est petite, elle n'est pas assez forte physiquement pour être dans la police. Les femmes ne sont pas capables d'intervenir dans des situations dangereuses. Les femmes sont émotives.	Les hommes font moins confiance à une partenaire féminine qu'à un collègue masculin pour assurer leur sécurité en cas d'incident nécessitant une intervention physique. Attitudes protectrices. Rejet. Le blâme envers une policière ayant commis une erreur retombe sur l'ensemble des policières.
Les femmes ne sont pas capables d'exercer du leadership auprès de groupes d'hommes.	Les promotions sont plus difficiles à obtenir pour les femmes. Les femmes sont soupçonnées de viser les promotions pour se soustraire aux exigences de la tâche de patrouilleur.
Le rôle des femmes se limite à être « mères » ou « putains ».	Allusions sexistes : • mères : « les p'tites filles », « pas encore la cassette communautaire »... • putains : « beau cul », « grosses boules »... Harcèlement sexuel.

Source : D'après Pogrebin, 1986; Greene, 1987; Lunneborg, 1989; Bartol et coll., 1992; Anderson et coll., 1995; Brown et coll., 1995; Lebœuf, 1997; Brown, 1998; Brown et Grover, 1998, National Center for Women and Policing, page consultée le 12 novembre 1999; Brown, page consultée le 6 octobre 1999.

ment, de la part des collègues masculins, des propos teintés de **stéréotypes** sexistes et des comportements, souvent inconscients, qui constituent cependant une source de stress spécifique aux policières. Le tableau 4.1 expose ces stéréotypes et leur impact sur les rapports de travail au quotidien.

Chaque policière vit à sa façon les conséquences du stress découlant de la confrontation à ces stéréotypes et de l'ambiguïté des rapports de travail qu'ils peuvent engendrer. Voici quelques conséquences possibles de ce stress :

• Devoir choisir d'être une femme *policier* ou une *femme* policier : *déféminisation* possible.
• Tendance à vouloir constamment faire ses preuves et difficultés à maintenir son estime de soi.
• Compétition entre les policières d'un même milieu de travail.
• Tendance à se soumettre aux stéréotypes sexistes.
• Méfiance.
• Signes de stress causé par le harcèlement sexuel : nervosité, peur, colère, insomnie et, dans des cas extrêmes, stress post-traumatique (Brown et coll., 1995).

À ces difficultés issues de leur statut minoritaire s'ajoute celle de concilier les demandes du mésosystème. Le métier de policière crée forcément des interférences avec la vie familiale et la vie de couple. Les adaptations exigées sont parfois supérieures aux ressources dont les femmes disposent, ce qui expliquerait le nombre de divorces plus élevé chez les policières que chez leurs collègues masculins (Pogrebin, 1986; Lebœuf, 1997; Kirschman, 1997).

La contribution des femmes dans la police   À long terme, le contact direct sur les lieux de travail avec des femmes compétentes et en bonne condition physique contribue à combattre progressivement les stéréotypes sexistes des policiers. Les policières y parviennent d'ailleurs si bien qu'il est maintenant possible d'affirmer, sur la base d'études américaines analysant leur engagement professionnel, leur compétence et leur performance, qu'elles sont parfaitement capables de s'acquitter de leurs tâches, tout en s'y prenant différemment (Pogrebin, 1986; Lunneborg, 1989; Lebœuf, 1997).

Un consensus semble s'imposer lentement dans le milieu policier sur l'importance de leur contribution, particulièrement en ce qui a trait au changement souhaité de l'image de violence associée par la population aux activités policières. Les habiletés de communication découlant de leur rôle féminin traditionnel concourraient à diminuer l'incidence d'interventions violentes grâce à l'utilisation de stratégies verbales et psychologiques de désamorçage (Anderson et coll., 1995; Lebœuf, 1997; Kirschman, 1997).

Être gai ou lesbienne dans la police

La police et la communauté gaie sont deux cultures fermées dont les valeurs et les normes sont antagonistes au départ. La culture policière repose sur des valeurs conservatrices liées à la famille et à la protection de la moralité traditionnelle. La culture gaie est donc perçue par les policiers comme une menace à ces valeurs. Les affrontements entre ces deux communautés en témoignent, un peu partout en Amérique du Nord et aussi au Québec (Burke, 1992).

Concilier son appartenance à ces deux communautés à la fois constitue donc un défi de taille pour un(e) policier(e) d'orientation non hétérosexuelle, défi s'ajoutant au stress éprouvé dans l'exercice courant de ses fonctions (Blau, 1994; Burke, 1995). Pour éviter le rejet, doit-il(elle) mener une double vie en cachant un aspect aussi important de sa vie à son équipe de travail ? Lui est-il possible de développer une identité intégrant les modes de vie antagonistes de ses deux cultures d'appartenance et d'en venir à afficher ouvertement sa différence ?

Burke (1995) se base sur le fait que l'identité se construit d'une façon dynamique pour expliquer le processus par lequel des policiers arrivent à concilier leur orientation non hétérosexuelle et leur appartenance à la culture policière. Selon la théorie de cet auteur, la conciliation entre ces deux identités antagonistes est la dernière étape de l'alternance de priorité entre l'une et l'autre identité. Le tableau 4.2 décrit les étapes que traverse le (la) policier(e) pour y arriver; ces étapes permettent aussi de comprendre le processus de **déféminisation** éventuellement vécu par les policières au cours de leur intégration dans le milieu policier.

Les personnes qui doivent traverser ces étapes vers l'intégration de deux identités *a priori* contradictoires aux plans des valeurs et du mode de vie risquent de rencontrer des

Tableau 4.2 Étapes de la conciliation entre l'identité liée au rôle policier et l'identité non hétérosexuelle.

Les étapes	L'observation de la conciliation entre les deux identités
1. La priorité accordée au rôle de policier	• il (elle) se concentre d'abord sur sa nouvelle identité de policier; • il (elle) apprend ce rôle et développe ses compétences professionnelles; • sa vie sociale gravite autour de la police.
2. La transition	• une fois établie sa confiance en ses compétences de policier, il (elle) vit une période d'instabilité et de conflit entre ses deux identités; • il (elle) devient plus vulnérable aux propos désobligeants contre les gais ou les lesbiennes; • il (elle) a tendance à passer plus de temps en milieu gai.
3. La priorité reportée à l'identité gaie	• le (la) policier(ère) s'implique davantage dans le milieu gai que dans le milieu policier; • il (elle) se présente comme gai ou lesbienne plutôt que comme policier.
4. L'intégration	• les deux identités sont affirmées; • il (elle) ne dissimule plus son orientation sexuelle; • il (elle) éprouve moins de stress et risque moins de souffrir d'épuisement professionnel que lors des étapes précédentes.

obstacles sur leur parcours. C'est pourquoi le SPCUM leur offre du soutien par l'intermédiaire du programme d'entraide « policiers-ressources ».

Le policier appartenant à une minorité visible

Le tout premier facteur de stress d'un policier appartenant à une minorité visible est l'éventuelle réaction négative de sa famille immédiate à son entrée dans une organisation policière, à cause de l'inquiétude pour sa sécurité ou encore de la perception négative de la police par sa communauté d'origine (Anderson et coll., 1995). Les membres des minorités visibles sont peu représentés dans les corps policiers, proportionnellement à leur nombre dans la population. On peut émettre l'hypothèse que leur intégration dans la culture policière représente pour eux une source spécifique de stress. En 1988, Duchesneau mentionnait que le fait d'appartenir à une minorité culturelle visible au Québec pouvait entraîner rejet et scepticisme de la part des collègues et de la population. On dispose cependant de peu de recherches à ce sujet.

En 1999, Haarr et Morash ont observé des différences d'interaction entre policiers blancs et noirs pendant la patrouille et au poste. Les Noirs et les Blancs se tiennent respectivement entre eux, privilégiant les échanges intraculturels plutôt que mixtes. Les policiers noirs sont plus conscients de la distance sociale qu'établissent les Blancs à leur égard; celle-ci se traduit, entre autres, par moins d'encouragements et de support de la part des collègues blancs et par l'impression des policiers noirs de ne pas être soutenus par l'administration.

Dans l'organisation policière, les membres des minorités visibles semblent vivre des difficultés semblables à celles que rencontrent les femmes : la discrimination, les préjugés, le manque de modèles ou de mentors, la difficulté à établir des alliances et à être soutenus par les collègues et les superviseurs, le sentiment d'isolement et la désagréable sensation d'être « la minorité de service ». La tâche devient encore plus difficile pour les policières noires, davantage exposées à la discrimination en raison de leur double statut minoritaire (Price, 1999).

Les citoyens appartenant à la culture dominante peuvent aussi contribuer au stress du policier appartenant à une minorité visible en lui refusant leur respect. Par ailleurs, s'il doit intervenir auprès de membres de sa culture d'origine, là où on pourrait penser qu'il sera respecté, il peut au contraire être perçu comme un étranger, voire un traître à sa propre culture, du simple fait que son rôle est de faire appliquer les lois de la culture dominante que contestent les contrevenants de sa culture d'origine (Kirschman, 1997).

En conclusion, les agents stressants propres aux personnes présentant des caractéristiques autres que celles de la culture dominante ont été circonscrites. Sans vouloir minimiser ces différences, on peut postuler que le milieu policier pourrait jouer un rôle déterminant dans la **socialisation** de ses membres en vue d'atténuer ces différences et de renforcer les dénominateurs communs à tous les policiers. Cette socialisation enrayerait ou diminuerait, à moyen et à long terme, le stress relatif aux caractéristiques identitaires différentes de la culture policière dominante (Haarr et Morash, 1999).

Les agents stressants liés aux climats de travail malsains

La description des agents stressants liés aux différences identitaires a permis de distinguer les sources éventuelles de conflits, de relations malsaines, de manifestations de harcèlement ou de discrimination en milieu de travail envers les personnes appartenant à des groupes minoritaires. Bien que ces personnes risquent davantage d'être exposées à ces agents stressants, il peut arriver à tout travailleur de se retrouver dans un milieu de travail dont le climat est malsain, le milieu policier ne faisant pas exception. Depuis quelque temps, les organisations et les comités de santé et de sécurité veillent de plus en plus à créer et à préserver des climats de travail sains (Arcand et Brissette, 1998; Comité de coordination provinciale des comités de santé et de sécurité du travail, Sûreté du Québec, 1998; Hirigoyen, 1999).

Examinons d'abord les règles informelles pouvant contribuer à la création de conflits et détériorer les relations de travail; puis nous identifierons les indices permettant de déceler la présence de violence au sein même d'une équipe de travail.

Les règles informelles génératrices d'un climat de travail malsain

Chaque équipe de travail possède ses règles informelles, difficiles à décrire justement parce qu'elles ne sont pas établies officiellement; elles n'en conditionnent pas moins la qualité des relations de travail au quotidien. Voici quelques règles informelles pouvant contribuer à augmenter le stress des personnes impliquées (Arcand et Brissette, 1998).

- *La règle d'évitement des conflits :* on l'observe quand les membres d'une équipe minimisent l'importance d'un conflit et de ses répercussions émotives. Ils attendent que les choses se règlent d'elles-mêmes, discutent du conflit en dehors des lieux officiels ou le taisent, par crainte de mettre des personnes en cause ou de susciter la colère des personnes concernées, ou encore punissent plus ou moins directement la personne qui a l'audace d'aborder le sujet. Une équipe qui fonctionne selon cette règle utilisera une partie de ses énergies à essayer de contrôler le conflit et les émotions qu'il génère, énergies qui seront perdues pour le travail.

- *La loi du silence :* cette loi informelle a été définie et présentée dans le chapitre 1 en tant qu'agent stressant couramment observé dans divers milieux de travail, et particulière-ment dans le milieu policier. Elle sert à protéger la cohésion du groupe et l'image de la profession en camouflant les erreurs et les inconduites de collègues. À l'interne, des cloisons sont établies entre les niveaux hiérarchiques : on dissimule les conflits entre agents en présence du superviseur; on se tient les coudes devant l'autorité.

- *Les règles occultes concernant le zèle au travail* varient d'un poste de police à l'autre et d'une équipe à l'autre. Une personne peut se voir retirer à son insu le soutien de son équipe s'il ne respecte pas la règle informelle, soit en travaillant « trop » ou « pas assez ». Seule une observation fine du comportement des patrouilleurs et des renforce-ments qu'ils reçoivent pendant les réunions et lors des contacts informels permet de saisir ces règles du jeu occultes. Face à de telles règles et à l'esprit de compétition qui règne dans la culture policière, spécialement chez les jeunes recrues, seulement deux attitudes sont possibles : le « chacun pour soi » ou « la course aux éloges ». Dans les deux cas, ces attitudes se transforment en agents stressants, dans la mesure où l'interdépendance est la condition de base de l'efficacité et de l'accomplissement des policiers.

- *Les règles touchant à l'expression des émotions :* le chapitre 3 a permis de comprendre que le milieu policier nourrit de solides tabous à l'égard de l'expression de certaines émotions comme la tristesse et la vulnérabilité, la colère et l'hostilité seulement étant mieux tolérées. Un climat de travail peut devenir malsain si la colère y est l'émotion dominante, sans possibilité d'exutoire. Une équipe où l'expression des émotions reliées à la vulnérabilité n'est pas acceptée serait fragilisée, surtout dans les moments où ses membres doivent affronter ensemble les conséquences d'un incident critique.

Les comportements de violence dans une équipe de travail

Des auteurs tentent depuis peu de circonscrire le concept de *violence en milieu de travail*. La violence réfère ici à une « agression qui affecte physiquement ou psychologi-quement une personne » (Davenport et Taylor, 1999, p. 4). En milieu de travail, cette violence se caractérise par le **harcèlement moral** ou sexuel. Nous décrirons d'abord des comportements de harcèlement moral en milieu de travail (Arcand et Brissette, 1998; Hirigoyen, 1999).

- *Le refus de la communication directe* : l'agresseur cesse toute communication avec la personne, fait comme si elle n'existait pas ou encore lui adresse des reproches nébuleux, dans le but de l'humilier.

- L'*isolement* survient lorsqu'une personne est tenue à l'écart de toute information et invitation à participer aux activités du groupe. Cela peut contraindre une personne dont le besoin d'affiliation est grand à en faire beaucoup pour être acceptée.

- *Disqualifier ou discréditer l'autre* : ces comportements peuvent être non verbaux ou se manifester sous la forme de propos sexistes, racistes, calomnieux ou médisants répandus dans le milieu de travail à propos de la personne victime de violence.

- *Être victime de rumeurs* : cette forme de violence vise les personnes qui ont un problème de santé mentale ou une différence connue et rejetée par le groupe. Pour Oligny (*voir* Leduc, 1995, p. 8), « il est bien évident que toutes les rumeurs véhiculées à l'intérieur du service de police sont un véritable cancer, pour ne pas employer des termes encore plus forts ».

- Une personne *incapable de refuser* peut devenir la victime d'exploiteurs qui lui refileront les tâches qui leur déplaisent. Il n'y a pas de victime sans *profiteur*, son complément. Exploiter une personne est un acte de violence.

- Certaines personnes victimes de violence servent de *bouc émissaire*. Lorsqu'ils sont poussés par un fort besoin d'attention, certains boucs émissaires renforcent inconsciemment les comportements violents des collègues à leur égard en endossant les critiques, les insatisfactions et les moqueries des autres.

Le harcèlement sexuel est une forme particulière de harcèlement en milieu de travail. Il est commis par les hommes envers les femmes, dans la grande majorité des cas. Dans ce type de harcèlement, les gestes, les paroles et les actes posés, en général fréquents et importuns, ont une connotation sexuelle. Le tableau 4.3 décrit l'escalade des comportements de harcèlement sexuel.

Tableau 4.3   Comportements de harcèlement sexuel.

1. Remarques, attouchements, insultes, plaisanteries à caractère sexuel, etc., portant atteinte à l'intégrité de la personne.
2. Séduction dans le but d'exercer du pouvoir sur l'autre.
3. Demande importune de faveurs sexuelles.
4. Chantage sexuel.
5. Intimidation, menaces, représailles, refus de promotion, congédiement ou autres injustices pour cause de faveurs sexuelles non obtenues.
6. Agression physique et viol.

Source : Élaboré à partir de Paludi et Bercikman (1991 : *voir* Anderson et coll., 1995), de Patry-Buisson et Hirigoyen (1999).

4.2 L'interaction mésosystémique entre le travail et la vie familiale

Comment pouvez-vous toute la journée commander, diriger et donner des ordres, cacher vos émotions et votre peur... puis arriver ensuite à la maison et dire : « Bonsoir mon amour, je suis là » ? (Beverly J. Anderson, citée par Kirschman, 1997, p. 3).

Outre les agents stressants directement liés aux relations en milieu de travail, s'il est un fait indéniable concernant le stress vécu par les policiers, c'est bien celui de la difficile conciliation entre les exigences du travail policier et l'engagement familial et marital (Alexander et Walker, 1996; Leduc, 1994). Cependant, malgré la croyance populaire à l'effet que les policiers éprouvent des difficultés conjugales, les résultats des recherches sur ce sujet varient selon les endroits et les époques.

Ainsi, le taux de divorce des policiers oscillait entre 5 % et 33 % selon les recherches effectuées entre 1970 et 1983 (Ellison et Genz, 1983). Les études recensées par Dionne-Proulx et Pépin (1997) révèlent une proportion de divorces de deux à quatre fois plus élevée chez les policiers que dans la population en général. Lors d'une enquête effectuée auprès de policiers aux États-Unis, Wolford (1993 : *voir* Janik et Kravitz, 1994) a observé que 37 % d'entre eux estimaient vivre de graves difficultés conjugales. Les premières années de la vie du couple sont les plus difficiles; par la suite, les couples ont de bonnes chances de durer. Autrement dit, 75 % des divorces chez les policiers surviennent entre les troisième et cinquième années de service (Kirschman, 1997; Kannady, 1998).

Il est clair que la culture policière et la nature du travail policier imposent un mode de vie dont certains aspects ne peuvent pas être mêlés à la vie familiale sans courir le risque de nuire à l'équilibre d'un couple et de sa famille. Le tableau 4.4 illustre les possibilités d'interactions négatives entre ces deux systèmes.

Lorsque les conjoints sont tous deux policiers, ils ont l'avantage de partager le même esprit de groupe et les mêmes affinités, contrairement aux couples dont un seul des partenaires est policier. Ils peuvent aussi plus facilement ériger des cloisons entre le travail et la famille, étant tous deux pareillement conscients des risques d'influence de leur travail sur leur vie privée. Ils éprouvent cependant des difficultés à organiser leurs vies en fonction de quarts de travail différents pour chacun. En outre, plus ils travaillent à proximité l'un de l'autre, plus il leur est difficile de séparer leur relation affective de leurs relations de travail. Par exemple, des attitudes protectrices en situation d'urgence peuvent nuire aux décisions rationnelles requises en de telles circonstances. La gestion des difficultés conjugales peut aussi devenir explosive dans un contexte de trop grande proximité au travail. Enfin, les couples sont souvent la cible de rumeurs et de commérages de la part des collègues (Borum et Philpot, 1993).

4.3 Les ressources sociales

Pour combattre les agents stressants de toute nature, le policier doit développer deux ressources sociales protectrices : l'engagement et le soutien social.

Tableau 4.4 Effets intersystémiques négatifs entre les demandes du travail policier et celles de la famille.

Demandes du travail policier	Impact sur la famille
Aspects organisationnels • Quarts de travail variables • Assignation à des dossiers spéciaux • Heures supplémentaires	• Fierté professionnelle, promotion et avantages financiers • Réduction du temps passé en couple ou en famille • Difficulté d'engagement stable dans des activités et rituels familiaux • Solitude et ressentiment du conjoint non policier à l'endroit des exigences du travail policier
Culture du milieu policier • Solidarité et cohésion à l'intérieur des rangs policiers • Isolement face au milieu social élargi : « la police ou les autres »	• Le policier passe ses heures de loisirs avec ses collègues, parfois au détriment du temps consacré à la famille • Les contacts sociaux de la famille proviennent presque exclusivement du milieu de la police : isolement de la famille • Effet « aquarium » à l'égard des membres de la famille du policier, surtout en milieu rural
Rôle du policier • Menace physique constante • Hypervigilance, méfiance, contact avec les aspects les plus négatifs de la société • Attitudes de contrôle, de domination, de rigidité, de rationalité et d'indépendance • Contrôle émotionnel	• Inquiétude du conjoint et des enfants • Jalousie face au conjoint, attitudes surprotectrices face aux enfants • Rupture du contact avec la famille causé par la fatigue consécutive à l'hypervigilance vécue au travail • En cas de conflits, tendance à traiter ses enfants et son épouse comme des suspects • Difficulté à établir des relations intimes basées sur la coopération et l'égalité • Isolement et solitude du policier face à l'ensemble de sa famille; impression d'un « mur » entre le policier et sa famille • Difficulté à identifier sa vulnérabilité et ses émotions et à les exprimer : parent ou conjoint « pas parlable, pas approchable » • Violence familiale

Source : Basé sur les écrits de : Stratton (1975 : *voir* Besner et Robinson, 1982); Kroes (1985); Gilmartin (1986); Oligny (1990); Southworth (1990); Borum et Philpot (1993); Kannady (1993); Janik et Kravitz (1994) et Alexander et Walker (1996). Le lecteur intéressé à approfondir le thème de la violence dans les familles de policiers peut consulter les références suivantes : Lott (1995); Kirschman (1997); Feminist Majority Foundation and the National Center for Women and Policing, page consultée le jeudi 11 novembre 1999.

L'engagement

Tel que mentionné au chapitre 3, la capacité d'engagement est l'une des caractéristiques psychologiques des personnalités robustes. L'**engagement psychologique** peut augmenter la contrôlabilité individuelle et collective en présence d'agents stressants et diminuer significativement leur impact (Biggam et coll., 1997). Cette ressource constitue le point de contact entre les caractéristiques psychologiques d'une personne et son environnement social. Une personne engagée croira aux buts qu'elle poursuit, s'impliquera et éprouvera un attachement face au milieu dans lequel elle évolue (Campbell, 1994).

Par exemple, l'engagement peut se traduire, pour un policier, par la quantité de temps qu'il décide volontairement de passer avec sa famille. Un policier pourrait participer à une session de formation en vue de perfectionner un aspect de ses interventions. Une femme pourrait choisir de s'impliquer dans le syndicat afin de combattre les inégalités relatives aux promotions dans la police. Elle pourrait aussi choisir de s'engager envers elle-même en s'accordant du « temps à elle ». Pour un autre, il pourrait s'agir de contribuer à augmenter l'accessibilité des services sportifs dans sa ville. Notez, dans ces exemples, que l'engagement peut s'exercer envers soi-même et envers les autres. La stratégie d'ajustement 36 aide à mesurer votre engagement face à divers aspects de votre vie.

Le soutien social

> *Ne construisez pas des murs, construisez des ponts* (Dufford, 1986, p. 128).

Une autre ressource sociale, dont l'impact est démontré par plusieurs recherches, a des effets bénéfiques sur la santé (Jeammet et coll., 1996; Thoits, 1995); il s'agit du soutien social, qui serait directement une source de dynamisme et d'épanouissement personnel et surtout exercerait indirectement un effet protecteur sur une personne soumise à un agent stressant.

Le **soutien social** est déterminé par les ressources humaines dont dispose une personne; il est constitué par les actions accomplies à son intention par des personnes (pairs, membres de sa famille, amis) qu'elle estime importantes. Ces personnes significatives peuvent l'aider de diverses manières.

1. Le *soutien instrumental* est une aide technique, financière ou administrative consistant à offrir des objets, du temps, du travail ou encore à améliorer l'environnement de travail. Participer à une corvée de déménagement ou remplacer quelqu'un lors d'un décès sont des exemples de soutien instrumental.

2. Le *soutien informatif* se rapporte aux conseils, suggestions, directives et informations. Par exemple, si quelqu'un réfère un collègue à un médecin pour ses enfants ou l'aide à apprendre une façon de diminuer son agressivité en cours d'intervention, il lui procure ce type de soutien.

3. Le *soutien émotionnel* consiste à être attentif à l'autre, à l'écouter, à le rassurer afin de lui procurer un sentiment de confiance et de protection. On peut consoler quelqu'un, le laisser parler d'un événement ou lui apporter une boisson chaude après un incident critique.

4. Le *soutien d'estime* est la reconnaissance de la valeur d'une personne, de ses ressources, de ses capacités à faire face à une situation, de son courage ou de son honnêteté. Ainsi, féliciter une personne après un bon coup, lui rappeler ses forces à un moment où elle broie du noir et lui manifester de la confiance au cours des interventions sont diverses manifestations de soutien d'estime (Wells, 1984).

5. Le *soutien d'appartenance au groupe* est le sentiment d'appartenance et de camaraderie à l'intérieur d'un groupe (Paton et Stephens, 1996).

La plupart des études effectuées sur les effets du soutien émotionnel en arrivent à la conclusion que *ce n'est pas tant l'aide réelle apportée à une personne mais sa perception d'être soutenue qui semble exercer une influence déterminante sur sa santé mentale. Pour bénéficier de ce type de soutien, une personne doit développer à la fois sa capacité d'aller chercher de l'aide et la qualité de son réseau de soutien.*

En effet, une personne peut avoir, dans son mésosystème, un bon réseau de soutien. Elle est bien *intégrée socialement* : elle exerce plusieurs rôles sociaux, a des contacts fréquents avec les membres de ses divers microsystèmes et a des relations nombreuses et soutenues avec les membres de son réseau social. On pourrait croire que plus une personne est *intégrée socialement*, mieux elle est protégée contre les agents stressants; cela n'est pas nécessairement le cas.

Certes, plus une personne est intégrée socialement, meilleure est sa santé mentale et physique et elle est donc moins susceptible de mourir prématurément (Thoits, 1995). Cependant, l'intégration sociale n'exerce pas de rôle protecteur entre les événements stressants majeurs de la vie ou les difficultés chroniques, d'une part, et les manifestations émotionnelles et physiques qu'elles entraînent, d'autre part. Cela signifie qu'un policier évoluant dans un réseau mésosystémique élargi ne sera pas nécessairement mieux protégé contre les effets stressants d'une fusillade à laquelle il aurait pris part, que son collègue dont le réseau est moins élargi.

Si le mésosystème du policier est cohésif et que les liens y sont forts, il est certain que les types de soutien social qu'il peut en tirer sont maximisés. Encore faudra-t-il qu'il perçoive ce mésosystème en tant que support et que les liens « obligatoires » (parent, conjoint, ami, collègue) qu'il entretient dans ce système ne soient pas eux-mêmes des agents stressants. D'où l'importance de *sa perception* de l'aptitude de son milieu social à le soutenir. C'est cette différence perceptive de la qualité d'un milieu social qui caractérisera le soutien social.

Le soutien social dans le microsystème du travail

En présence d'un agent stressant auquel le soutien d'autrui pourrait atténuer la réponse de stress, on doit se poser la question suivante : pour ce problème précis, quelle est la personne la plus apte à m'apporter le type de soutien dont j'ai besoin ?

Bien que les conjoints et les membres de la famille soient des sources de soutien incontournables, ils peuvent parfois être d'un piètre secours dans les situations de crise parce qu'ils sont directement affectés et anxieux face aux événements vécus par le policier (Dufford, 1986). Il est donc parfois plus facile de recevoir du soutien des personnes provenant du milieu de travail. Celles-ci partagent la même réalité et peuvent évaluer les difficultés vécues avec plus de discernement (Thoits, 1995).

Les acteurs principaux d'une équipe de travail sont le superviseur et les patrouilleurs. Le rôle du superviseur est particulièrement important en ce qui a trait au soutien social prodigué à l'équipe de travail. Son style de leadership et la qualité générale de ses rapports avec les patrouilleurs conditionneront significativement le climat et le rendement de l'équipe de travail (Lord, 1996).

Le duo est le lieu par excellence de soutien, en raison de la nécessaire complicité qui s'y installe entre agents. Cependant, le soutien entre deux personnes n'est pas spontané : il s'installe progressivement au moyen de la communication, de l'établissement de routines et de rituels et de la valorisation réciproque. Il peut aussi ne jamais se produire entre deux personnes. Il faut donc être attentif et prêt à fonctionner avec ou sans lui; il importe d'évaluer de façon réaliste le degré de confiance à accorder pour ensuite agir en conséquence.

Dans une équipe de travail et dans un poste de police, certaines personnes peuvent être perçues comme des alliées susceptibles de fournir certains types de soutien, tandis que d'autres ne le seront pas. Comme pour le travail en duo, l'observation de l'atmosphère de l'équipe et du poste permet de déceler les lieux de soutien, ou d'absence de soutien, pour ensuite pouvoir interagir avec l'ensemble des collègues. Un milieu de travail susceptible de générer un soutien social possède les caractéristiques suivantes :

- *Les règles d'éthique s'appliquant aux communications sont connues et respectées par les membres.* Par exemple, on se parle entre quatre yeux et non dans le dos; on fait rapidement cesser les rumeurs en ne les répétant pas ou en les vérifiant auprès de la personne concernée; les conflits sont réglés ouvertement; on ne se mêle pas des aspects de la vie des autres qui ne nous concernent pas.
- *Les besoins et les différences individuelles sont pris en considération et respectés.* Par exemple, les ressources de chacun sont mises à contribution; les pensées et croyances irréalistes des policiers à leur propre égard ou à l'égard des autres policiers sont désamorcées avec humour; une attention spéciale est portée aux signes non verbaux et verbaux de stress chez les pairs.
- L'interdépendance est une source de plaisir plutôt qu'un poids. *Les policiers s'entraident et se valorisent mutuellement.*

Les amis

Les policiers ont tendance à se bâtir un réseau de relations provenant uniquement du milieu policier. Ce faisant, ils se privent d'autres contacts sociaux, ce qui peut contribuer à augmenter leur impression d'éloignement des gens qui ne partagent pas les « vrais » intérêts et les « vrais » problèmes de la police. Pourtant, la qualité du soutien social varie selon les milieux de travail. Le policier n'y passant guère que 8 heures par jour, et pouvant changer de milieu plusieurs fois dans sa vie, a donc intérêt à se doter de sources de soutien plus stables, comme des amitiés de longue date.

En effet, il a été démontré que le soutien des amis autres que ceux du milieu policier et celui de la famille ont un impact positif déterminant sur les réponses physiologiques associées à la détente, affectant même la volonté de faire carrière à long terme dans la police (Lord, 1996). Avoir de « vrais » amis en dehors de la police constitue une source privilégiée de soutien social, permettant de se décontaminer des effets de l'hypervigilance et de garder une ouverture sur d'autres réalités que celle, si accaparante, de la police (Dufford, 1986; Gilmartin, 1986). La famille d'un policier qui entretient des amitiés à l'extérieur du milieu bénéficie aussi d'un réseau social plus élargi que celui de la seule police (Alexander et Walker, 1996).

La famille

Bien que la conciliation entre le travail et la famille constitue une source de stress pour le policier et sa famille, il n'en demeure pas moins qu'une vie de famille harmonieuse et stable est un facteur important de réussite professionnelle (Rogers, 1979 : *voir* Janik et Kravitz, 1994). La famille doit cependant vaincre de nombreux défis avant de devenir progressivement ce lieu de soutien social. Le tableau 4.5 décrit des comportements indiquant si un couple ou une famille bénéficient ou non d'un climat propice au soutien social de ses membres.

Tableau 4.5   Comportements indicateurs d'un climat conjugal ou familial propice au soutien social.

Comportements et sentiments reliés au soutien dans un couple ou une famille	Comportements et sentiments dénotant la nécessité de développer du soutien dans une famille
1. L'expression des émotions, tant négatives que positives, est encouragée.	1. On réprime l'expression des émotions.
2. La vulnérabilité, les erreurs et les imperfections sont acceptées avec compassion : les membres sentent qu'ils peuvent demander de l'aide.	2. On tolère mal les gaffes et les manifestations de faiblesse : la règle est de se débrouiller seul.
3. Les conflits sont affrontés ouvertement et réglés rapidement.	3. On ne parle pas de ce qui ne va pas; les conflits ne sont pas réglés et s'étendent à d'autres sujets et circonstances.
4. Les partenaires s'engagent et se font confiance.	4. Les partenaires ne s'engagent pas et sont méfiants l'un de l'autre.
5. Les parents jouent leur rôle de parents; les enfants vivent leur vie d'enfants.	5. On attend des enfants qu'ils se comportent comme des adultes : les rôles sont renversés.
6. L'acceptation du changement, la souplesse, le plaisir et l'énergie sont présents.	6. La honte, la culpabilité, la rigidité, la volonté de plaire, de contrôler et la dépression constituent les sentiments dominants.
7. La sécurité, l'humour et le calme règnent.	7. On ne sait jamais à quoi s'attendre : crises, sautes d'humeur, désorganisation, chicanes et violence sont fréquents et soudains.
8. Le couple et la famille sont ouverts au monde extérieur et tentent de maintenir des rituels familiaux.	8. Le couple ou la famille se replie sur soi : on s'isole des autres.

Pour le (la) conjoint(e), le premier défi est constitué par la décision de s'engager à partager la vie d'un policier ou celle d'accepter les changements imposés par le choix de cette carrière. Même s'il est difficile d'anticiper les conséquences quotidiennes de telles décisions, la compréhension lucide et l'acceptation des exigences du « mode de vie policier » aident à s'y engager pleinement. Les premières années de vie conjugale ou de pratique professionnelle étant déterminantes pour la réussite de la vie familiale, le couple doit consacrer une énergie importante à l'organisation de plusieurs aspects de la vie quotidienne, en tenant compte des besoins de chacun : ajustements liés au sommeil, aux repas, à l'incompatibilité des horaires, au temps passé ensemble, aux vacances et aux rituels en famille.

Pour arriver à passer à travers cette adaptation, il faut absolument *choisir de mettre le couple et la famille en priorité* et poser les gestes appropriés pour faire de la famille ce lieu privilégié de soutien social. Des stratégies d'ajustement sont suggérées à la fin de ce chapitre pour aider à améliorer le soutien social dans un couple et une famille.

Résumé

La culture policière tissée serrée, tout en aidant les policiers à se solidariser pour affronter les agents stressants de leur métier, peut également devenir stressante, particulièrement pour les policiers dont les caractéristiques personnelles diffèrent de la culture policière dominante.

- Les femmes, les gais et lesbiennes, et les membres des minorités visibles sont plus susceptibles d'éprouver un stress supplémentaire dû à leur différence. Ce stress est causé par les jugements et les comportements discriminatoires déclenchés par l'insertion d'un groupe minoritaire dans une culture dominante.
- Des règles informelles comme l'évitement des conflits, la loi du silence, les règles touchant le zèle au travail et l'expression des émotions, de même que la violence au travail sous forme de harcèlement psychologique ou sexuel, sont tous des agents stressants liés aux climats de travail malsains.

Des raisons organisationnelles, propres à la culture et au rôle policiers, mettent à l'épreuve la capacité des policiers et de leurs familles à concilier les demandes contradictoires du travail policier et de la vie familiale.

L'engagement et le soutien social sont les deux ressources sociales permettant d'affronter les agents stressants. Le soutien social peut être obtenu auprès du partenaire de duo, de l'équipe de travail, des amis et de la famille.

Études de cas

Yannick, Nathalie et Leila

Yannick est patrouilleur depuis douze ans. Il habite seul, séparé depuis un an. Il partage la garde de son enfant de 5 ans avec Nathalie, son ex-conjointe, qui patrouille dans une autre relève du même poste. Ses relations sont plutôt tendues avec Nathalie; le divorce se passe mal. Yannick étant de caractère fougueux, la colère monte immanquablement entre eux lorsqu'il va chercher son enfant.

Agente au même poste depuis huit ans, Nathalie patrouille présentement avec une collègue temporaire, Leila, d'origine marocaine. Même si elle la connaît peu, cette recrue lui semble très compétente lors de ses interventions. Depuis quelque temps, Nathalie éprouve de plus en plus de difficultés à s'entendre avec les membres de sa relève. Elle constate que ses collègues masculins ont tendance à prendre leur temps quand elles ont besoin d'assistance, à les écarter des activités informelles de la relève et à ignorer les suggestions que fait Leila lors des réunions. Elle a entendu parler de rumeurs circulant sur sa vie sexuelle parmi leurs autres relèves. Des gars lui font des remarques sur sa « nouvelle disponibilité ».

1. Identifiez tous les agents stressants rencontrés par chacun(e) dans cette situation et le niveau de système d'où ils proviennent :

   Yannick : _____ Niveau de système : _____

   Nathalie : _____ Niveau de système : _____

   _____ Niveau de système : _____

   Leila : _____ Niveau de système : _____

2. Quelle est la caractéristique personnelle de Yannick qui augmente le stress causé par son divorce ?

   _____

   _____

3. Suggérez à Yannick et Nathalie des ressources pouvant leur apporter du soutien social.

   _____

   _____

4. Sans présumer de l'ensemble du contexte de leur milieu de travail, quelles sont les particularités de la culture policière qui expliqueraient les difficultés que Nathalie et Leila rencontrent au travail ?

   _____

   _____

   _____

5. Quels sont les indices de harcèlement à l'égard de Nathalie et Leila ?

   _____

   _____

Jean Loubert et Daphnée

Patrouilleur depuis deux ans dans la même équipe que Nathalie, Jean Loubert est d'origine haïtienne de deuxième génération. Jeune papa, il est constamment fatigué, car il manque de sommeil. Il apprécie beaucoup que sa belle-mère garde parfois le bébé pour que Daphnée, son épouse, et lui puissent être un peu ensemble; il en a besoin car il se sent de plus en plus loin de sa conjointe.

Il a tendance à ne pas l'écouter, le soir, lorsqu'elle raconte sa journée avec Junior. Rien d'excitant à côté de « sa journée à lui ». Daphnée l'appelle au poste à l'heure de la pause, ce qui fait rire ses collègues et agace Jean Loubert : elle pourrait bien le laisser prendre ses pauses avec les gars du poste... Les jours de congés, elle semble jalouse lorsqu'il assiste à des fêtes organisées par les gars, alors que lui trouve important d'y participer quand ils l'invitent car ils le font rarement et ont plutôt tendance à le tenir à distance. Elle lui reproche aussi de négliger leurs amis communs de sa communauté. Jean Loubert est déçu du fait que Daphnée, même s'ils en ont discuté avant de décider de se marier, n'accepte pas tout à fait son métier. Évidemment, il n'était pas encore dans la police à ce moment-là; maintenant, dans la réalité, c'est différent... Et lui qui croyait que la vie de couple, c'était simple, facile...

1. Identifiez les agents stressants rencontrés par chacun(e) dans cette situation et le niveau de système d'où ils proviennent :

   Jean Loubert : _____ Niveau de système : _____

   _____ Niveau de système : _____

   Daphnée : _____ Niveau de système : _____

2. Quel type de soutien social apporte la belle-mère au couple ?

   _____

   _____

   _____

3. Décrivez les réponses de stress découlant des difficultés du couple de Jean et Daphnée.

   _____

   _____

   _____

Philippe

Philippe, patrouilleur depuis quatre ans, est le partenaire de duo de Yannick depuis six mois. Il ne parle jamais de sa blonde et répond de manière évasive à toute question sur sa vie privée. Il semble quitter la ville pendant ses journées de congé, sans que personne de l'équipe ne sache où il va. Philippe a une relation avec un homme depuis un an. Il éprouve souvent un malaise réel au contact de ses collègues à cause de leurs questions indiscrètes. Il angoisse à l'idée que quelqu'un de l'équipe découvre la vérité.

1. En vous appuyant sur la différence entre les cultures gaie et policière, décrivez l'agent stressant affectant Philippe.

_____

_____

2. Selon Burke (1995), à quelle étape de la construction de son identité se trouve-t-il ? Pouvez-vous prédire les autres étapes qu'il traversera ? Quel type de soutien lui suggéreriez-vous ?

_____

_____

_____

Démarche de gestion de stress : stratégies sociales d'ajustement

Dans cette partie, il est recommandé de choisir les stratégies sociales d'ajustement en fonction de ce que vous vivez dans votre milieu de travail, avec votre conjoint(e), votre famille ou vos amis. Le tableau suivant vous indique les stratégies à adopter selon votre rôle :

VOTRE RÔLE	STRATÉGIE SUGGÉRÉE
Tous les rôles	Stratégies : 36-37-38.
Vous êtes policier	Ajoutez les stratégies : 39 appliquée au duo, 40-41-42.
Vous vivez en couple et/ou en famille	Utilisez plus spécifiquement les stratégies : 39 appliquée au couple, 43-44-45-46.
Vous êtes superviseur	Utilisez plus spécifiquement les stratégies 41 et 46.

STRATÉGIE D'AJUSTEMENT 36 : Prendre la mesure de votre engagement

Type : connaissance de soi

Temps d'utilisation : 10 minutes

À utiliser : pour établir des priorités ou évaluer votre engagement dans chacun des secteurs de votre vie

Quand : au besoin

Effets escomptés : vous engager dans des activités qui correspondent à vos valeurs et vous apportent une satisfaction personnelle

Pour chacun des aspects suivants de votre vie, évaluez le temps que vous y consacrez par semaine, votre niveau d'engagement et votre degré de satisfaction.

Activités	Temps	Degré d'engagement (0 à 10)	Degré de satisfaction (0 à 10)
Travail			
Études			
Couple et famille			
Sports			
Bénévolat			
Autres			

À la lecture de ce tableau, que constatez-vous ? Il est possible que vous tiriez plus de satisfaction des secteurs où vous êtes le plus engagé(e). Peut-être investissez-vous beaucoup de temps dans un secteur où vous ne vous sentez pas engagé(e) ? Si vous ne retirez pas de satisfaction d'un engagement, y voyez-vous encore un sens ? Constatez-vous que vous n'êtes pas très engagé(e) dans un secteur où vous souhaiteriez l'être davantage ? Pourquoi en est-il ainsi ?

S'engager ne devrait pas être pénible. Il est peut-être temps de faire des choix. Si c'est le cas, il est possible de revoir vos engagements à la lumière de vos valeurs. Pour vous guider, complétez le tableau suivant.

MES VALEURS	CE QUE JE COMPTE CHANGER POUR METTRE MES VALEURS EN PRATIQUE
	Au travail
	Dans mes rapports avec les autres
	Dans ma vie quotidienne

Source : d'après Pépin, 1999, p. 294.

STRATÉGIE D'AJUSTEMENT 37 : Prendre la mesure de votre réseau de soutien social

Type : connaissance de soi et des autres
Temps d'utilisation : 2 minutes
À utiliser : pour identifier vos alliés dans une situation précise
Quand : au besoin
Effet escompté : voir clair dans vos relations sociales pour identifier celles qui vous apportent du soutien et celles qui sont stressantes

---

La mesure la plus simple du soutien social consiste à l'identification d'**une** personne confidente dans son environnement. Habituellement, il s'agit du conjoint; les ami(e)s ou les parents jouent le même rôle, mais avec moins d'impact sur la réduction du stress. Cependant, comme les situations diffèrent et que chaque personne de votre réseau possède ses propres ressources, il importe de vous poser les questions suivantes dans les moments où vous avez besoin d'aide :

Qui est la meilleure personne pour me donner *quel type d'aide* pour *quel type de problème ?* L'exercice suivant vous aidera à répondre à ces questions[2].

1. Parmi vos amis et parents, incluant votre conjoint(e), y a-t-il quelqu'un auprès de qui vous sentez que vous pouvez être réellement vous-même et dire vraiment ce que vous ressentez et pensez, quelqu'un qui vous comprend et sur qui vous pouvez compter ?

   Attribuez-vous les points suivants : (0 = personne; 1 = une personne; 2 = deux ou plusieurs personnes).

2. Commentez à votre intention les points obtenus.

   _____
   _____
   _____

3. Faites une liste des personnes qui vous soutiennent dans toutes les situations :

   _____
   _____
   _____

4. Faites une liste des personnes qui vous soutiennent seulement dans certaines situations (relire p. 91 pour la définition des divers types de soutien) :

   a) soutien instrumental : _____

   b) soutien informatif : _____

   c) soutien émotionnel : _____

---

2. Exercice inspiré de Wells (1984), Dufford (1986) et Pépin (1999, p. 323).

d) soutien d'estime : _____

e) soutien d'appartenance : _____

> **STRATÉGIE D'AJUSTEMENT 38 :** Échanger du soutien émotionnel
> *Type : connaissance de soi et action*
> *Temps d'apprentissage : à moyen et à long terme*
> *Temps d'utilisation : de 10 minutes à une heure*
> *À utiliser : pour prendre une décision plus éclairée ou exprimer une émotion*
> *Quand : au besoin*
> *Effet escompté : recevoir du soutien, accorder votre confiance à quelqu'un, exprimer une émotion et passer à autre chose*

Une fois que vous avez identifié vos sources de soutien émotionnel, il s'agit de les utiliser. Demandez à l'autre personne si elle accepte de vous écouter. Si vous voulez exprimer de la colère, limitez cette expression dans le temps afin de ne pas vous laisser envahir de nouveau par l'émotion. Après 10 minutes, passez à autre chose. Si vous avez l'habitude de vous débrouiller seul(e), il est possible que vous ne voyiez pas du tout l'utilité de cet exercice; il vous est en fait particulièrement destiné : *parler, c'est efficace*. La prochaine fois, vous rendrez le même service à cette personne ou à quelqu'un d'autre.

> **STRATÉGIE D'AJUSTEMENT 39 :** Évaluation du soutien émotionnel dans un duo ou dans un couple
> *Type : connaissance de soi et de son milieu*
> *À utiliser : quand vous voulez évaluer jusqu'à quel point votre relation avec votre partenaire de duo ou votre conjoint(e) est une source de soutien émotionnel*
> *Temps d'utilisation : 10 minutes*
> *Quand : au besoin*
> *Effet escompté : évaluer lucidement, puis améliorer le degré de soutien émotionnel que vous vous apportez mutuellement*

Pour chacune des propositions suivantes, attribuez les points correspondant à votre perception, sur une échelle de 0 à 5 — **0** signifiant l'**absence** de la caractéristique citée et **5**, son entière **présence**. Additionnez le résultat de chaque section, puis faites la somme des quatre sections, ce qui vous donnera le **résultat global de soutien émotionnel perçu** dans votre duo ou couple. L'emploi du masculin vise uniquement à alléger le texte.

1. Ma perception de la capacité de soutien de mon partenaire.	**Points de 0 à 5**
a) Mon partenaire m'écoute quand je parle.	_____
b) Mon partenaire prend au sérieux ce que je lui dis.	_____

c) Mon partenaire n'aurait pas peur si je lui exprimais des sentiments négatifs sur moi-même. _____

d) Mon partenaire serait capable de me dire que je n'ai pas l'air d'aller bien. _____

e) Dans la mesure de ses moyens, mon partenaire serait disposé à m'aider si je le lui demandais. _____

f) Mon partenaire est capable de se mêler de ses affaires. _____

g) Je sais que mon partenaire gardera le secret sur ce que je lui dis. _____

h) J'ai confiance en mon partenaire. _____

Total : _____/40

2. Ma perception de ma propre capacité de soutien de mon partenaire.	**Points de 0 à 5**

a) J'écoute mon partenaire quand il parle. _____

b) Je prends au sérieux ce que dit mon partenaire. _____

c) Je suis capable de supporter les émotions négatives de mon partenaire. _____

d) Je suis capable de dire à mon partenaire qu'il n'a pas l'air d'aller bien. _____

e) Dans la mesure de mes moyens, je suis disposé à aider mon partenaire s'il me le demande. _____

f) Je suis capable de me mêler de mes affaires. _____

g) Je garde le secret sur ce qu'il me dit. _____

h) Mon partenaire a confiance en moi. _____

Total : _____/40

3. Ma perception de ma capacité à demander le soutien de mon partenaire.	**Points de 0 à 5**

a) Je parle de mes problèmes à mon partenaire. _____

b) Je n'ai pas peur que mon partenaire me méprise si je lui avoue mes faiblesses. _____

c) Je demande au besoin de l'aide à mon partenaire. _____

d) J'ai l'habitude de demander de l'aide plutôt que de tenter de tout résoudre seul. _____

Total : _____/20

4. Ma perception de la capacité de mon partenaire à me demander du soutien.	Points de 0 à 5

a) Mon partenaire me parle de ses problèmes. _____

b) Mon partenaire sait que je ne le méprise pas lorsqu'il m'avoue ses faiblesses. _____

c) Mon partenaire me demande au besoin de l'aide. _____

d) Mon partenaire a tendance à demander de l'aide plutôt que de tenter de tout résoudre seul. _____

Total : ___ /20

Interprétation de votre résultat

Résultat global de soutien émotionnel perçu

Si vous avez obtenu entre 96 et 120 points, vous bénéficiez d'une relation réciproque de soutien émotionnel. En deçà de ce score, il est suggéré de revoir vos résultats à chacune des sections afin d'identifier les aspects auxquels vous devriez apporter des changements.

Les sections 1 et 2 évaluent la capacité de votre partenaire et la vôtre à vous apporter mutuellement du soutien.

Si vous avez obtenu entre 32 et 40 points à la section 1, vous percevez que votre partenaire vous apporte du soutien de façon satisfaisante. Si votre résultat est inférieur à 32, relisez les propositions auxquelles vous avez accordé le moins de points et voyez si vous pouvez exercer de la contrôlabilité sur ces aspects.

Si vous avez obtenu entre 32 et 40 points à la section 2, vous percevez que vous êtes une source de soutien satisfaisante pour votre partenaire. Si votre résultat est inférieur à 32, relisez les propositions auxquelles vous avez accordé le moins de points et voyez si vous pouvez exercer de la contrôlabilité sur ces aspects.

Les sections 3 et 4 évaluent votre perception de votre capacité et de celle de votre partenaire à se demander mutuellement de l'aide.

Si vous avez obtenu entre 16 et 20 points à la section 3, vous vous sentez capable de demander de l'aide à votre partenaire. Si votre résultat est inférieur à 16, relisez les propositions auxquelles vous avez accordé le moins de points et voyez si vous pouvez exercer de la contrôlabilité sur ces aspects.

Si vous avez obtenu entre 16 et 20 points à la section 4, vous percevez que votre partenaire est capable de vous demander de l'aide. Si votre résultat est inférieur à 16, relisez les propositions auxquelles vous avez accordé le moins de points et voyez si vous pouvez exercer de la contrôlabilité sur ces aspects.

Discutez-en avec votre partenaire.

STRATÉGIE D'AJUSTEMENT 40 : La violence psychologique au sein de l'équipe ou du poste
Type : connaissance de soi et des autres
Quand : au besoin
Temps d'utilisation : 10 minutes
À utiliser : quand vous voulez évaluer le climat de travail de votre équipe
Effet escompté : évaluer lucidement, puis améliorer le soutien social dans l'équipe

---

Les règles informelles génératrices de stress

Dans votre équipe de travail, existe-t-il des exemples de règles informelles génératrices de stress telles que : *la règle d'évitement des conflits; la loi du silence; les règles reliées au zèle au travail; les règles reliées à l'expression des émotions.*

1. Énumérez-les :

_____

_____

_____

2. Sont-elles génératrices de stress pour des personnes de votre équipe ? Expliquez.

_____

_____

_____

3. Quelle est votre zone de contrôlabilité (stratégie 15, p. 60) à l'égard de ces règles ?

_____

_____

_____

Les indices de violence psychologique

Dans votre équipe, observez-vous des indices de violence psychologique tels que : *le refus de la communication directe, l'isolement, la disqualification ou le discrédit de l'autre, la propagation de rumeurs, l'exploitation de certaines personnes, des cas de personnes boucs émissaires, du harcèlement sexuel.*

1. Décrivez-les :

_____

_____

_____

2. Avez-vous remarqué les effets de ces actes dans votre équipe (climat de travail pendant les réunions, choix d'interventions lors d'appels, vie sociale de l'équipe, etc.) ?

_____

_____

_____

_____

_____

3. Quelle part prenez-vous à de tels actes ? Y participez-vous ? Les observez-vous ? Les dénoncez-vous ?

_____

_____

_____

_____

_____

4. Quelle est votre zone de contrôlabilité (stratégie d'ajustement 15, p. 60) à l'égard de tels actes ?

_____

_____

_____

_____

STRATÉGIE D'AJUSTEMENT 41 : L'évaluation du soutien social au sein de l'équipe ou du poste
Type : connaissance de soi, introspection
Quand : au besoin
Temps d'utilisation : 10 minutes
À utiliser : quand vous voulez évaluer votre perception du climat de travail de votre équipe
Effet escompté : évaluer lucidement, puis améliorer le soutien social dans l'équipe

Le questionnaire suivant est bipolaire : il présente des indices de soutien et des indices d'absence de soutien.

Pour chaque proposition, accordez à votre équipe une note variant de **0** — si vous êtes entièrement d'accord avec la proposition décrivant **l'absence de soutien** — à **5** — si vous êtes entièrement d'accord avec la proposition décrivant **la présence de soutien**.

Absence de soutien dans l'équipe	0-5	Présence de soutien dans l'équipe
C'est chacun pour soi.		Si je rends service à quelqu'un, je sais qu'il fera de même.
Les autres se prennent au sérieux.		Je me sens égal aux autres.
Je ne vois pas à qui je demanderais de l'aide si j'en avais besoin.		Il y au moins deux personnes sur qui je peux compter.
Je ne peux pas compter sur le renfort des autres.		Je peux compter sur le renfort des autres.
Je ne me sens pas à l'aise dans mon équipe.		Je me sens à l'aise dans mon équipe.
Je ne suis pas moi-même dans mon équipe.		Je suis vraiment moi-même dans mon équipe.
Je ne peux pas compter sur les connaissances des autres.		Je peux toujours m'informer auprès de quelqu'un dans l'équipe.
Les autres se moquent de mes erreurs ou de mes limites.		J'ai le droit à l'erreur dans mon équipe.
Je trouve souvent l'humour des autres déplacé.		J'ai du plaisir avec les membres de mon équipe.
Les autres ne m'écoutent pas.		Les autres m'écoutent.
Je ne peux pas me montrer vulnérable dans mon équipe.		Je serais accepté(e) s'il m'arrivait d'être triste.
Les autres ont des visages à deux faces.		Je sais à quoi m'en tenir dans mon équipe.
Les autres me découragent.		Les autres m'encouragent.
Les autres disent quelque chose et font le contraire.		Je peux me fier à la parole de mes partenaires.
Total/70		

Interprétation de votre résultat

Si vous avez obtenu entre 56 et 70 points, vous percevez que votre équipe est un lieu de soutien social pour vous comme pour les membres de votre équipe. Si vous avez obtenu moins de 35 points, vous ne percevez vraiment pas votre équipe comme un lieu de soutien. Un exercice de contrôlabilité (stratégie d'ajustement 15, p. 60) vous permettrait d'identifier vos zones de responsabilité dans cette perception, pour ensuite passer à l'action. Entre 35 et 56 points, relisez les propositions auxquelles vous avez accordé le moins de points et tentez d'évaluer les changements sur lesquels vous avez du contrôle et qui pourraient améliorer votre perception du soutien social à l'intérieur de l'équipe.

STRATÉGIE D'AJUSTEMENT 42 : Enlever l'uniforme
Type : action
Apprentissage : à moyen et à long terme
Quand : au volant de votre automobile après un quart de travail
Temps d'utilisation : quelques fractions de secondes
À utiliser : pour retrouver votre identité en dehors du travail
Effet escompté : décrocher du travail pour vous disposer à entrer en contact avec vos amis, votre famille

Vous vous rappelez le **IAR** (stratégie d'ajustement 20, p. 66).

1. **Identifiez** les événements marquants de votre journée et le sentiment dominant qui vous en reste.
2. **Cessez d'être policier** : imaginez-vous en train d'enlever votre uniforme pour redevenir pleinement vous-même; vous devriez éprouver de la légèreté.
3. **Remplacez** ce « vide » par des **anticipations positives** de ce qui vous attend dans les 16 prochaines heures de la journée : accueil chaleureux, repas, lit, etc.

   Vous avez décroché : vous pouvez maintenant laisser place aux autres personnes et aspects de votre vie. Utilisez cette stratégie comme un rituel que vous répéterez à la fin de chaque quart de travail jusqu'à ce que cela devienne un automatisme.

STRATÉGIE D'AJUSTEMENT 43 : Les croyances et valeurs facilitant la vie de couple
*Les croyances ou valeurs énumérées ci-après peuvent nuire au développement d'une vie de couple et de famille satisfaisante. Des pensées ou actions de remplacement sont suggérées, fonctionnant sur le même principe que le **IAR** (voir p. 66).*

Croyances ou valeurs pouvant fragiliser une vie de couple et de famille	Pensées ou actions de remplacement
L'amour romantique du début doit durer toujours.	La passion caractéristique du début d'une relation amoureuse dure peu de temps. La qualité de l'amour est en perpétuelle évolution dans un couple.
Les conjoints devraient tout faire ensemble.	Chaque partenaire d'un couple est responsable de son bonheur, de son emploi du temps et de son plaisir. Être ensemble est un « plus » et non une nécessité.
Il faut miser sur la qualité du temps passé en couple et en famille plutôt que sur la quantité.	La quantité de temps passé ensemble détermine la qualité d'une relation. Le développement de l'intimité est fondé sur le temps passé ensemble.
Tout doit être partagé également dans un couple (tâches domestiques, soin aux enfants, etc.).	La perception de l'équité par rapport aux responsabilités est plus importante que le partage strictement mathématique des tâches.

Croyances ou valeurs pouvant fragiliser une vie de couple et de famille	Pensées ou actions de remplacement
La vie de couple devrait être facile; si elle est difficile, c'est qu'il n'y a plus d'amour.	Comme pour tout engagement à long terme, la vie de couple requiert courage et ténacité pour traverser les tempêtes.
Le travail d'abord, la maison ensuite.	Dans l'ordre : 1) le (la) conjoint(e), 2) la famille, 3) le travail et 4) les autres intérêts.

STRATÉGIE D'AJUSTEMENT 44 : Communiquer dans un couple (adapté de Besner et Robinson, 1982)

Type : action
Apprentissage : à moyen et à long terme
Quand : tout le temps
À utiliser : pour communiquer avec votre partenaire
Effet escompté : le soutien social dans le couple

Essayez d'appliquer ces lignes directrices à vos communications de couple, sans vous attendre à être tout de suite parfait(e).

Les lignes directrices d'une communication loyale

Pour parler

1. Traitez les autres comme vous aimeriez être traité(e).
2. Le but de la conversation devrait être d'essayer d'atteindre une compréhension mutuelle.
3. Ne faites pas de remarques ou ne coupez pas les cheveux en quatre.
4. Soyez direct au sujet de vos idées et de vos sentiments et exprimez clairement vos opinions.
5. Au lieu de ne parler que des aspects négatifs, essayez d'apporter également des points positifs.

Pour écouter

1. Écoutez activement.
2. Ne laissez pas vos émotions envahir le thème de la conversation et prendre toute la place dans la discussion.
3. Rappelez-vous que l'autre a des sentiments et des droits.
4. Lignes directrices pour écouter de façon efficace :
   - Ne jouez pas au psy.
   - Ne jouez pas à l'archéologue (déterrer la fois où...).
   - Vous ne pouvez pas refuser une discussion.
   - Discutez d'un seul sujet à la fois.

- Répondez à ce que vous dit votre conjoint : il faut parler pour se comprendre.
- Ne rompez pas le contact.
- Évitez les injures.
- Quand vous vous disputez sur des opinions, reconnaissez que ce sont des opinions; quand vous disputez sur des faits, vous devez obtenir l'information juste.
- Acceptez l'entière responsabilité de vos actes.
- « Luttez » de bonne foi.

STRATÉGIE D'AJUSTEMENT 45 : L'heure « arsenic » de l'arrivée à la maison
Type : connaissance de soi et action
Apprentissage : à moyen et à long terme
Quand : au début et, au besoin, au cours d'une relation
À utiliser : pour établir des frontières entre le travail, le couple et la famille
Effet escompté : le soutien émotionnel et le soutien d'estime dans le couple et la famille

Ayez d'abord, au début de la relation avec votre conjoint(e), une conversation franche sur vos anticipations et vos craintes respectives face aux différentes demandes du métier et de la famille. La santé de votre relation repose sur la compatibilité de vos valeurs et de vos attentes pour arriver ensuite à les vivre au quotidien. Cette discussion devrait être reprise au besoin.

Pourquoi avoir intitulé cette stratégie l'« heure arsenic » (expression de Kirschman, 1997) ? Parce que la fatigue pèse après huit heures de travail et d'hypervigilance, à l'heure même où tous les membres de la famille, de retour à la maison, éprouvent des besoins différents et souvent urgents. En d'autres mots, imaginez autant de postes de télévision branchés sur des canaux différents qu'il y a de personnes dans la maison; la cacophonie et le volume élevé des besoins sur des canaux différents peuvent « empoisonner » l'atmosphère.

Pourquoi s'intéresser autant à cette « heure arsenic » ? Parce qu'elle constitue « le » moment pour marquer les frontières entre le travail et la maison. Et parce que chaque prise de contact réussie avec les personnes qu'on aime aide à renforcer les liens d'intimité.

Pour vous aider à adopter un code de conduite facilitant le retour à la maison, tout en tenant compte de vos besoins et limites respectives, préparez d'abord ces éléments de discussion :

Le policier :

En rentrant de travailler, j'ai besoin de :

_____

_____

S'il m'est arrivé un incident dans la journée, j'ai besoin de :

_____

_____

Le conjoint :
Quand tu rentres de ton quart de travail, j'ai besoin de :

_____

_____

Quand tu rentres de ton quart de travail, les enfants ont besoin de :

_____

_____

S'il t'est arrivé un incident dans la journée, je préfère :

_____

_____

2. Maintenant, établissez un rituel de retour à la maison qui convienne à tous les deux et révisez-le au besoin.

   Vous pouvez utiliser une méthode semblable pour la résolution de problèmes concernant d'autres aspects de votre vie conjugale ou familiale : les finances, l'espace matériel, le temps consacré au couple et le temps en famille, les vacances, la sexualité, l'éducation des enfants, l'établissement de frontières étanches entre le travail et la famille, etc.

   STRATÉGIE D'AJUSTEMENT 46 : Les indices de violence en milieu familial à l'intention des couples et des superviseurs
   Type : connaissance de soi, des autres et action
   Apprentissage : à moyen et à long terme
   Quand : au début d'une relation et au besoin par la suite
   À utiliser : pour prévenir la montée de la violence dans le milieu familial des policiers
   Effet escompté : le soutien social dans le couple, la famille et l'équipe

Nous ne souhaitons à personne d'être exposé à ce type de souffrance. Cependant, il est important d'affronter la réalité de la violence, lorsqu'elle survient dans une famille, et d'agir rapidement.

Parmi les indices suivants, cochez ceux que vous avez observés dans la relation de couple ou le comportement au travail du policier :

☐ Jalousie

☐ Contrôler les faits et gestes du (de la) conjoint(e)

☐ Aventure extraconjugale

☐ Isolement dans l'équipe ou la famille

☐ Tendance à blâmer les autres pour ses sentiments et ses problèmes

☐ Comportements violents envers les animaux ou les enfants

☐ Changement subit de personnalité

☐ Hypersensibilité

☐ Histoire familiale de violence

☐ Menaces de violence

☐ Casser ou lancer des objets

☐ Utilisation de la force physique pendant une discussion

☐ Avoir vécu un incident critique

Si vous avez identifié des indices :

1. Vous êtes le superviseur du policier : il est suggéré de le rencontrer, d'évaluer son problème et de le référer aux ressources appropriées.

2. Vous êtes le (la) conjoint(e) de ce policier (Kirschman, 1997, p. 156) :

   • Établissez une politique de « tolérance zéro » face à toute forme de violence dans votre famille.

   • Bloquez les escalades verbales.

   • Ne niez pas la réalité de l'abus : appelez les choses par leur nom.

   • La personne violente a la responsabilité de contrôler son propre comportement.

   • Demandez l'aide de personnes en qui vous avez totalement confiance. Assurez-vous de faire appel à quelqu'un qui vous aidera à trouver *vos propres solutions* au lieu de vous en imposer, tout en vous aidant à assurer votre sécurité.

   • Ayez un plan de sécurité en cas d'urgence.

■ POUR FAIRE UN CHOIX JUDICIEUX

N.B. : Il est suggéré d'utiliser régulièrement ces stratégies, dans votre vie personnelle et professionnelle, plutôt qu'en réaction à un agent stressant spécifique.

Porte d'entrée	Stratégies d'ajustement
Engagement	36. Prendre la mesure de votre engagement (p. 98)
Soutien social *(Mesure)* *(Communication)*	37. Prendre la mesure de votre réseau de soutien social (p. 100) 39. L'évaluation du soutien émotionnel dans un duo ou dans un couple (p. 101) 41. L'évaluation du soutien social au sein de l'équipe ou du poste (p. 105) 38. Échanger du soutien émotionnel (p. 101)
Les frontières entre le travail et la maison	42. Enlever l'uniforme (p. 107) 45. L'heure « arsenic » de l'arrivée à la maison (p. 109)
Le couple et la famille	43. Les croyances et valeurs facilitant la vie de couple (p. 107) 44. Communiquer dans un couple (p. 108)
La violence	40. La violence psychologique au sein de l'équipe et du poste (p. 104) 46. Les indices de violence en milieu familial à l'intention des couples et des superviseurs (p. 110)

Chapitre 5
L'épuisement professionnel _____

Ironiquement, c'est l'image de « dur à cuire » qui constitue la plus grande source de difficulté dans la carrière du policier. L'incapacité d'exprimer ses émotions, aggravée par l'absence de communications ouvertes avec ses proches, peut mener à une terrible tragédie (Cummings[1], 1997, p. 96).

Patrick est agent dans une MRC depuis dix ans. Tout le monde dans la région sait qu'il « mange de la police ». Il est connu et impliqué dans sa ville : entraîneur de hockey depuis cinq ans, il n'a jamais hésité, dans le cadre de son travail et pendant ses loisirs, à participer à toutes les initiatives qui visent au mieux-être des jeunes.

Puis arrive en poste un nouveau superviseur dont il n'apprécie pas les méthodes de travail : il se sent étroitement contrôlé alors qu'il avait l'habitude d'avoir de la latitude; on n'accorde aucune valorisation au travail qu'il accomplit; l'équipe, auparavant solidaire, se disloque peu à peu. Il ne tarit d'ailleurs pas de remarques cyniques à l'égard de ce superviseur pendant les réunions.

Patrick a l'impression constante d'être surchargé et de perdre son temps à répondre à des appels répétitifs. Il n'envisage cependant pas demander une promotion qui l'obligerait à quitter la ville natale de sa femme, les enfants y ayant leur école et leurs amis.

Il devient de plus en plus irritable lors de ses contacts avec les citoyens. Certaines personnes influentes de la ville se sont plaintes par écrit au superviseur à propos de son comportement irrévérencieux, ce que Patrick a nié avec indifférence. Depuis un mois, il éprouve de la difficulté à dormir et souffre de douleurs au dos. Il se renferme dans le mutisme aussitôt arrivé à la maison. Il a récemment abandonné son poste au conseil d'administration de la Maison des jeunes. Seuls ses cours de pilotage lui procurent encore du plaisir.

Patrick présente des signes d'épuisement professionnel. Pour définir et prévenir cette conséquence du stress policier,

- les aspects organisationnels et individuels contribuant au développement de l'épuisement professionnel seront abordés;
- les facteurs précipitant l'épuisement professionnel seront explicités;
- les composantes de l'épuisement professionnel seront présentées;
- les comportements observables liés aux stades menant vers l'épuisement professionnel seront décrits;

_____

1. M. Cummings est lieutenant et membre de l'équipe d'incidents critiques du département de police de Boynton Beach, en Floride.

- des suggestions permettant de réagir aux signes d'épuisement seront faites au policier, à son (sa) conjoint(e), à son collègue et à son superviseur.

5.1   Comment se développe l'épuisement professionnel ?

L'**épuisement professionnel** s'installe progressivement, à la croisée des caractéristiques de *l'organisation policière* et des *ressources du policier.* Pour illustrer cette interaction, voici la triste histoire d'une grenouille qui tomba un jour dans un chaudron d'eau tiède posé sur le feu. Confortable au premier contact avec la température de cette eau, elle ne sauta pas hors du chaudron. Petit à petit, elle s'adapta à la chaleur de plus en plus élevée de l'eau et finit par être complètement « cuite » (traduction libre d'Anderson et coll., 1995, p. 41). Cette fable vise à montrer que l'épuisement professionnel est le résultat de l'« usure » de la capacité d'adaptation du policier (grenouille), tout en soulignant sa participation et celle de l'organisation policière (l'eau) au développement progressif de cette usure.

Le rôle de l'organisation policière

Comme tout milieu de travail bureaucratisé, les organisations policières ont leur part de responsabilité dans le développement de l'épuisement professionnel chez leurs employé(e)s. Les agents stressants organisationnels suivants sont des *sources d'épuisement professionnel* chez le policier :

- les demandes élevées, les pressions, la surcharge de travail;
- les attentes contradictoires ou ambiguës de l'organisation à l'égard du rôle policier;
- la sous-utilisation des ressources personnelles des policiers : tâches répétitives, absence de latitude décisionnelle du policier;
- les conflits en milieu de travail.

Néanmoins, l'autonomie, la participation active aux décisions organisationnelles directement liées à la tâche et le soutien social sont des *ressources* fournies par une organisation à ses membres pour prévenir le développement de l'épuisement professionnel à l'intérieur de ses équipes de travail[2].

L'étude de Lavallée et coll. (1988) illustre l'impact des caractéristiques respectives de diverses organisations policières sur le développement de l'épuisement professionnel. En effet, on a évalué à l'époque un échantillon composé de membres de la SQ, du SPCUM et des corps municipaux en comparant leurs réponses à des questionnaires mesurant l'épuisement professionnel. Les contextes de travail n'étant plus les mêmes aujourd'hui, il importe de relativiser ces résultats en fonction de l'organisation du travail de ces milieux à ce moment-là. Cela dit, les policiers du SPCUM de l'époque déploraient plus massivement que les autres corps policiers le caractère restrictif des politiques du service liées à leur

---

2. Les auteurs suivants traitent de l'impact des caractéristiques des organisations sur la productivité et le stress : Blau (1994); Caldwell (1991); Graves (1996); Karasek (*voir* Girdano et coll., 1997, p. 175); Leiter, (1991a : *voir* Maslach et coll., 1996); Pépin (1999).

emploi et la trop grande influence politique exercée sur celui-ci. Pour leur part, les policiers de la SQ se sentaient plus autonomes dans l'exercice de leurs fonctions et reconnaissaient savoir clairement ce qu'on attendait d'eux dans une plus grande proportion que les membres des autres corps policiers. En conséquence, les policiers du SPCUM présentaient un indice plus élevé d'épuisement émotionnel et ceux de la SQ se distinguaient par le niveau plus élevé de leur engagement envers le travail.

Les dysfonctions constatées dans un milieu de travail doivent donc être interprétées comme des signes révélateurs de changements à apporter, non seulement chez une personne mais également aux niveaux de système dans lesquels elle évolue. L'organisation a la responsabilité collective d'être à l'écoute de ces signes et d'identifier leurs causes potentiellement liées au climat de travail, pour ensuite voir à les prévenir (Freudenberger, 1983; Ianni et Reuss-Ianni, 1983). À titre d'exemple, trois ans après l'implantation du concept de la police communautaire, le SPCUM a effectué une enquête auprès de ses cadres pour découvrir que 17,3 % d'entre eux souffraient d'épuisement émotionnel et que plus de la moitié avaient de la difficulté à donner leur plein rendement. Les changements occasionnés par l'implantation de la pratique de la police communautaire leur ont apporté une surcharge de travail, sans avoir eu l'impression, par ailleurs, d'être consultés par la haute direction (Cédilot, *La Presse*, 3 octobre 1999, p. A-2). Ces informations permettent au SPCUM d'effectuer les changements susceptibles d'apporter aux cadres le soutien dont ils ont besoin pour enrayer et prévenir l'épuisement professionnel dans leurs rangs.

Caractéristiques des policiers passibles d'épuisement professionnel

Les fonctions de patrouilleur et d'enquêteur sont les plus susceptibles de contribuer au développement de l'épuisement professionnel chez les policiers (Oligny, 1990). En outre, certaines caractéristiques individuelles contribuent à augmenter le facteur de risque.

Certains policiers sont considérés dans le milieu comme des *idéalistes*, des leaders possédant des qualités d'empathie et de sensibilité. Ils aiment aider les gens, se confient peu, sont anxieux, perfectionnistes, extrêmement enthousiastes et davantage portés à s'identifier aux personnes en difficulté qu'ils côtoient. Ils se donnent entièrement à la tâche, veulent changer le monde et, plus précisément, l'image de la police auprès de la population. On reconnaît chez eux le besoin impérieux d'aider et de jouer pour ainsi dire le rôle de *sauveur* (Farber, 1983; Oligny, 1990).

On peut constater chez ces policiers au moins deux des illusions ou erreurs de pensée présentées dans le chapitre 3 (stratégie d'ajustement 18, p. 62) : l'*illusion du contrôle sur les autres*, l'*illusion de la perfection* et peut-être l'*illusion du contrôle sur soi*. Le surinvestissement émotionnel qu'ils s'imposent n'est pas toujours récompensé à la mesure de leurs attentes dans la pratique quotidienne. À plus ou moins long terme, ils peuvent finir par s'épuiser en donnant plus qu'ils ne reçoivent, et se retrouver en manque de ressources pour faire face aux agents stressants et aux nombreuses occasions de déception qu'ils rencontrent.

Les personnes de « *type A* » ne tolèrent pas la frustration (Farber, 1983); cette attitude a un impact non seulement sur le développement éventuel de maladies cardiovasculaires mais aussi sur la qualité du soutien social dont ils disposent dans leur mésosystème. Ils n'ont pas tendance à demander de l'aide et les autres ne sont pas portés à les soutenir, étant donné leur propension à se comporter avec suffisance et hostilité. Ianni et Reuss-Ianni (1983) rapportent que les policiers ayant un niveau d'agressivité et d'anxiété élevé sont plus exposés à développer des comportements dysfonctionnels liés à l'épuisement professionnel.

Quelques auteurs utilisent des concepts, ressemblant à certains comportements observables des personnes de type A, pour désigner les policiers qui risquent de souffrir d'épuisement professionnel en cours de carrière. Ces concepts, qui sont pour le moment peu opérationnels, méritent tout de même d'être cités, ne serait-ce qu'à des fins préventives. Cummings (1997) emploie l'expression « *dur à cuire* » alors que Beehr et coll. (1995) parlent d'« *individualisme bourru* » pour qualifier cette tendance à ne pas exprimer ses émotions, à prétendre au contrôle des situations et à brusquer les autres pour se faire une place. Les résultats de l'étude de Beerh et de ses collaborateurs en 1995 établissent un lien positif entre la mesure de ce concept, la consommation d'alcool et l'épuisement professionnel.

Sur la base des informations précédentes et malgré la réserve que l'opération exige, compte tenu de l'insuffisance des recherches sur le sujet, certaines caractéristiques associées au développement de comportements liés à l'épuisement professionnel peuvent être identifiées :

1. Le policier s'épuise dans sa quête d'idéaux inatteignables.
2. Il ne veut pas reconnaître sa vulnérabilité et la camoufle sous l'illusion du contrôle et de l'omnipotence; il projette l'image d'un être dur et insensible et finit par y croire.
3. Il établit son contact avec les autres sur la base du pouvoir, de la manipulation et de l'arrogance : les autres sont seuls responsables de ses problèmes (attributions externes et incontrôlables, stratégie d'ajustement 15, p. 60).
4. Il éprouve inconsciemment une grande souffrance psychologique.

Les comportements décrits ci-haut ne sont pas en soi préjudiciables à l'exercice de la fonction de policier; c'est plutôt leur manifestation constante et stéréotypée, qu'importent les situations, qui augmente la vulnérabilité du policier. Prenons l'exemple des arbres en cas de verglas : les moins endommagés sont ceux dont le bois est plus mou et plus flexible. Pour affronter des stress intenses pendant une longue période de temps, il semble préférable de *plier, d'admettre sa vulnérabilité et de s'en accommoder*, surtout en dehors du travail, plutôt que de *craquer* après avoir persisté à jouer un rôle de « *dur à cuire* ».

5.2 Les facteurs aggravants

Prenons l'exemple d'une pédale d'embrayage; selon le type de route (autoroute ou voie urbaine) et la manière de conduire du chauffeur, cette pédale sera soumise à une usure plus ou moins rapide et prononcée (Kirschman, 1997). Il en va de même des conditions de vie des policiers. Certaines périodes de la carrière d'un policier et certains événements de sa vie peuvent précipiter la fragilisation de ses ressources et en accélérer l'usure.

Les cycles de carrière et de vie des policiers

Tout en reconnaissant le caractère unique du parcours de vie de chaque personne, on peut identifier quatre étapes assorties de défis différents dans la carrière d'un policier (Violanti, 1983 : *voir* Duchesneau, 1988; Patterson,1992).

La phase d'alarme (0-5 ans)

La phase d'alarme est très énergisante pour le jeune policier. Il débute sa carrière, souvent au même moment que sa vie de couple ou sa vie familiale. Lors de ses trois premières années, il connaîtra plus de situations émotionnelles extrêmes qu'un citoyen ordinaire pendant toute sa vie (Kirschman, 1997). Il est parfois traumatisé par les scènes dont il est témoin, tout en prenant un réel plaisir à s'intégrer et à mettre à l'épreuve ses capacités professionnelles. Il perçoit alors son travail avec plus d'enthousiasme que de stress (Patterson, 1992). Malheureusement, cet enthousiasme que les policiers idéalistes souhaiteraient garder tout au long de leur carrière est mis à rude épreuve au contact des limites réelles de la profession. Caldwell (1991) signale que les jeunes policiers peuvent s'y épuiser. Cependant, la majeure partie des auteurs s'entend pour affirmer que les policiers ayant accumulé quelques années d'expérience et de déceptions sont les plus susceptibles de développer de l'épuisement professionnel.

La phase de désillusion (6-13 ans)

La phase de désillusion se produit chez les policiers qui ont entre six et treize ans d'ancienneté. En effet, le policier constate petit à petit le peu d'impact de ses actions sur la lutte contre le crime. « On joue aux cow-boys et aux Indiens », mentionnait en entrevue un patrouilleur ayant dix ans d'expérience. Plusieurs policiers se voient alors contraints de remettre en question les idéaux qui les avaient guidés dans le choix de leur profession. Ils constatent le manque d'appui de la direction et de la population et leur absence de contrôle sur leur carrière : « Qu'est-ce que ça me rapporte en regard de ce que je donne ? » (Farber, 1983).

Il arrive alors à plusieurs policiers d'exprimer des sentiments de déception, de détresse, d'insatisfaction ou d'échec devant l'impossibilité d'atteindre ces idéaux. Pour se protéger, les policiers prennent psychologiquement leurs distances face aux problématiques rencontrées dans l'exercice de leur profession, tout en continuant de s'occuper du bien-être des citoyens qu'ils côtoient. Certains d'entre eux, idéalistes, continuent à dépenser sans compter autant d'énergie, tout en épuisant peu à peu leurs ressources personnelles. Ils deviennent ainsi des candidats à l'épuisement professionnel (Cannizo et Liu, 1995). Indépendamment des stratégies utilisées par les policiers à cette étape de leur vie professionnelle, l'indice de stress y est plus élevé que dans les autres phases, d'autant plus que cette phase coïncide souvent avec la période de *crise de la trentaine,* dans la vie personnelle du policier, provoquant une remise en question et une consolidation ou un rejet des choix faits dans la vingtaine.

La phase de personnalisation (14-20 ans)

Une fois la phase précédente traversée avec succès grâce au réajustement des aspirations de départ, le niveau de stress lié au travail diminue. Le policier accorde alors plus d'intérêt à ses objectifs personnels qu'à ceux de l'organisation. Il investit sa juste part dans son travail et perçoit ses erreurs professionnelles de façon moins dramatique que lors de la première phase, où il se sentait tenu de faire ses preuves. Il a peut-être réussi à obtenir une promotion ou à diversifier la nature de son travail, ce qui lui procure une plus grande satisfaction profession-nelle. Il est également possible qu'il se soit résigné à ne pas atteindre tous les objectifs professionnels qu'il s'était fixés sans pour autant en éprouver du dépit ou du ressentiment.

La phase d'introspection (20 ans et plus)

Cette période, qui coïncide avec l'âge de la quarantaine, est la moins stressante de la vie policière. Le policier se sent désormais plus en sécurité dans l'exercice de son travail, il s'inquiète moins face aux agents stressants quotidiens et devient plus introspectif tant sur le plan personnel que professionnel. S'il est appelé à jouer le rôle de mentor pour les recrues de son équipe, il prendra plaisir à leur montrer les rudiments du métier.

En résumé, la phase de désillusion semble constituer une phase « charnière » pour l'ensemble des policiers, tout en posant un défi spécifique aux policiers idéalistes; en effet, ces derniers risquent davantage de s'épuiser professionnellement à cette période de leur carrière.

Les événements liés à la vie professionnelle ou personnelle du policier

Certains événements peuvent déclencher l'apparition de symptômes d'épuisement profes-sionnel; par exemple, un policier peut se voir imposer une mesure disciplinaire, ressentir une absence de soutien de la part des superviseurs ou être obligé de changer de tâche contre son gré. Un autre peut subir une situation familiale explosive. Étant donné que l'épuisement est en quelque sorte une « maladie de système », l'évaluation des événe-ments antérieurs à l'apparition des signes d'épuisement aide à comprendre la situation et à y apporter les correctifs individuels et organisationnels requis.

5.3 Les composantes de l'épuisement professionnel

L'épuisement professionnel est un état de fatigue *physique*, *émotionnelle* et *mentale* (Pines et coll., 1990, p. 27), se manifestant sous trois angles : 1) l'épuisement émotionnel; 2) la déshumanisation des clients ou des citoyens (manifestée par des attitudes négatives ou cyniques envers la clientèle); et 3) les sentiments personnels d'échec (insatisfaction à l'égard des réalisations personnelles au travail) (Maslach et coll., 1996). Voyons comment se manifestent ces trois composantes.

L'épuisement émotionnel

L'épuisement émotionnel se traduit par l'incapacité du policier à exprimer les réactions émotionnelles appropriées aux circonstances (Cannizio et Liu, 1995) : soit il est fortement ému lors de situations qui ne devraient pas normalement l'affecter, soit il se montre indifférent à ce qui, normalement, devrait provoquer en lui des réactions émotionnelles plus fortes. Il pourra par exemple se mettre en colère pour des menus tracas de la vie, avoir souvent envie de pleurer ou ressentir constamment une boule oppressante dans la gorge ou la poitrine. Le paradoxe lié au contrôle émotionnel chez les policiers est responsable en partie de cette composante de l'épuisement : en effet, un policier ayant pris l'habitude de réprimer ses émotions dans le cadre de son travail peut persister à le faire, une fois l'uniforme enlevé, et atrophier ainsi sa capacité à exprimer ses émotions.

La déshumanisation

La déshumanisation est une forme de protection caractérisée par du **cynisme** et par des pensées, des sentiments et des comportements négatifs à l'égard de la clientèle. Les citoyens jugent très sévèrement cette attitude chez les policiers, car ils sont incapables d'imaginer que c'est au contact quotidien avec la misère humaine, la violence et les aspects les plus glauques de la société, que ces policiers finissent par percevoir le monde uniquement sous cet angle négatif. La répétition des mêmes problèmes les conduit à s'intéresser moins aux personnes et à leurs préoccupations qu'au problème lui-même; les citoyens sont alors considérés comme des objets de résolution de problèmes plutôt que des êtres humains. Cette composante de l'épuisement professionnel causée par l'exposition répétée à la souffrance humaine sous toutes ses formes, s'amplifie à mesure que le policier cesse de croire que ses actions ont un impact positif sur les gens qu'il tente d'aider. Cela peut théoriquement coïncider avec la phase de désillusion des policiers ayant de 6 à 13 ans d'ancienneté.

Les sentiments personnels d'échec

Le policier souffrant d'épuisement éprouve des sentiments d'échec face à son travail et à sa réalisation personnelle. Il s'évalue négativement au plan professionnel, ayant l'impression de ne pas accomplir correctement sa tâche : soit la différence entre ses ressources perçues et celles qu'il consacre à son travail est positive et il se sent sous-utilisé, soit il n'arrive jamais à satisfaire les exigences de la charge de travail. La première éventualité est plus fréquente chez les policiers idéalistes qui estiment ne pas disposer de l'autonomie souhaitée pour atteindre leurs objectifs personnels d'efficacité. Elle est également ressentie par les policiers qui n'arrivent pas à obtenir la promotion qu'ils convoitent, lors de la phase de désillusion (Cannizzo et Liu, 1995). La deuxième éventualité s'applique à ceux qui ont réussi à obtenir une promotion et découvrent ensuite qu'ils n'arrivent pas à assumer leurs nouvelles responsabilités ou que cette promotion ne comble pas leurs attentes professionnelles (Blau, 1994).

5.4 Les comportements observables liés à l'épuisement professionnel

Soumis au déficit croissant entre des demandes stressantes et les ressources protectrices qu'il y oppose, le policier qui n'arrive plus à se maintenir dans sa **zone de stabilité** (voir p. 2) manifeste progressivement des signes d'épuisement. Le tableau 5.1 décrit la séquence de ces signes correspondant aux trois stades d'évolution de l'épuisement professionnel, stades comparables à ceux du SGA de Selye (voir p. 26 à 28). À l'instar de celle de Selye, la séquence s'arrête au moment où la personne décompresse.

Tableau 5.1 Stades de l'épuisement professionnel.

STADE 1 DÉBUT DE LA RÉPONSE DE STRESS (incluant deux des symptômes suivants)

Signes physiques
- Périodes de haute pression sanguine
- Grincement des dents pendant la nuit
- Insomnie, ulcère d'estomac, maux de dos et migraines
- Palpitations cardiaques; arythmie cardiaque
- Douleurs dans la poitrine que le médecin n'arrive pas à diagnostiquer : attaques d'anxiété
- Diminution de l'exercice physique; impression d'avoir moins d'énergie

Signes psychologiques
- Irritabilité persistante
- Anxiété persistante
- Tendance à tout oublier
- Difficultés de concentration

Signes comportementaux
- Négligence de son apparence physique
- Manque d'appétit ou alimentation compulsive; gain ou perte de poids non planifiés
- Plaintes de douleurs physiques

STADE 2 CONSERVATION DE L'ÉNERGIE (incluant deux des symptômes suivants)

Signes physiques
- Fatigue persistante au réveil
- Mains tremblantes ou tics faciaux
- Diminution du désir sexuel

Signes psychologiques
- Ressentiment, insatisfaction, irritabilité, rigidité
- Apathie
- Autodépréciation et erreurs de pensée ou croyances non réalistes : déceptions, sentiment d'infériorité, d'incompétence, d'inutilité et de culpabilité

Signes comportementaux
- Absences, retards, procrastination, congés de maladie à répétition
- Isolement (ne passe plus de temps avec les amis et la famille, s'isole et ne communique pas)
- Agressivité
- Attitudes cyniques, paranoïa et « je m'en foutisme » lors des réunions et des interventions auprès des citoyens

- Augmentation de la consommation d'alcool, de café, de thé et de cola
- Le policier fait du zèle et effectue davantage d'arrestations pour des offenses bénignes, s'exposant ainsi à la résistance des citoyens
- Il fait ou reçoit souvent des appels de la maison
- Engagement excessif dans des activités agréables mais à potentiel élevé de risque (sports extrêmes)

STADE 3   ÉPUISEMENT (incluant deux des symptômes suivants)

Signes physiques
- Fatigue physique chronique
- Maux de tête chroniques
- Problèmes de dos chroniques
- Maladies chroniques d'estomac ou des intestins
- Troubles cardiaques

Signes psychologiques
- Tristesse ou dépression chroniques : pleurs, hypersensibilité, absence de plaisir
- Fatigue mentale chronique
- Se dit persécuté par les autres et ses supérieurs
- Désir de partir loin des amis, du travail et peut-être même de la famille
- Idées de mort et/ou de suicide

Signes comportementaux
- Parle de quitter son emploi, de « décrocher »
- Pertes de contrôle et explosions de colère en présence des confrères, de ses supérieurs et des citoyens
- Dépendance aux substances psychotropes (médicaments, cigarettes, alcool, cocaïne, etc.)
- Conflits conjugaux

Source : Adapté du tableau de Everly (1985 : *voir* Girdano et coll., 1997, p. 78) avec emprunts à Ellison et Genz (1983), Oligny (1990), Burke (1994) et Fishkin (*voir* Cummings, 1996).

À partir des signes associés aux trois stades, vous êtes maintenant en mesure d'identifier le type de situation que vous ou un de vos collègues vivez. Les signes du stade 1 sont faciles à identifier objectivement. Cependant, il arrive souvent que les policiers ayant atteint les stades 2 et 3 aient plus de difficulté à reconnaître les aspects de leur comportement liés à l'épuisement; on peut penser qu'ils sont littéralement « aveuglés » par l'épuisement.

Avant d'explorer les pistes d'action à prendre en présence de signes d'épuisement professionnel, sur la base des mécanismes expliquant le stress policier (figures 1.1 et 1.3), la figure 5.1 présente la synthèse des explications fournies jusqu'à maintenant dans ce chapitre sur l'épuisement professionnel, son développement, ses composantes et ses conséquences.

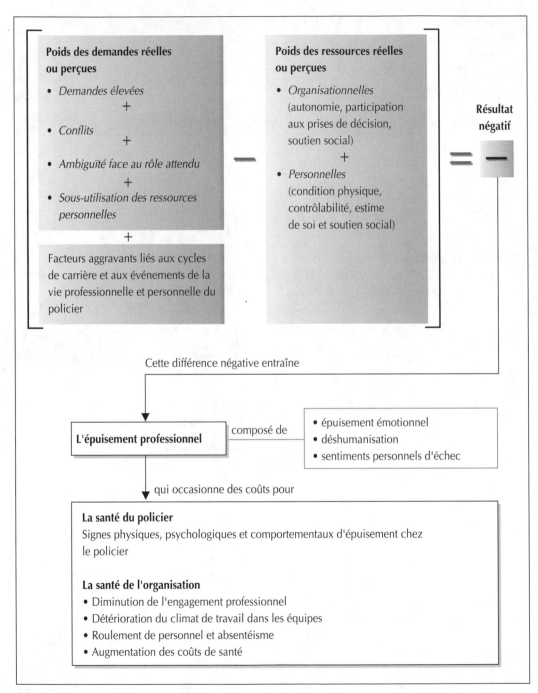

Figure 5.1   Modèle explicatif de l'épuisement professionnel (adapté de Maslach et coll., 1996).

5.5 Réagir aux signes d'épuisement professionnel

Une fois en présence de signes liés à l'épuisement, que doit-on faire ou éviter de faire ? Comment s'aider soi-même ou aider les collègues présentant de tels signes ? Mieux vaut prévenir que guérir; il n'est souhaitable pour personne d'atteindre le stade 3 de l'épuisement professionnel. La souffrance ressentie par le policier épuisé et ses proches est trop grave pour ne pas tenter de s'attaquer aux premières manifestations observables de l'épuisement. On peut en effet considérer l'épuisement et les symptômes dépressifs qui l'accompagnent comme des ennemis à abattre (Cummings, 1997). Les tableaux 5.2 et 5.3 fournissent des pistes d'actions à entreprendre lorsque vous reconnaissez des signes d'épuisement en vous ou chez les autres.

Étant donné qu'un collègue policier manifestant des signes d'épuisement est particulièrement vulnérable, il importe alors d'être très attentif aux blessures profondes pouvant être infligées par le non-respect d'une éthique relationnelle. C'est pourquoi, avant même de tenter toute action auprès d'un collègue, vous devez vous poser les questions suivantes :

1. « Suis-je la personne la mieux placée pour en parler avec ce policier ? Suis-je un allié pour lui ? Ai-je du respect pour lui ? Me fait-il confiance ? » (stratégie d'ajustement 39, p. 101);

2. Si vous avez répondu oui aux questions précédentes, prévenez les rumeurs en demandant conseil à des personnes extérieures à la situation et en respectant l'anonymat et la confidentialité.

Tableau 5.2   Je reconnais ces signes en moi-même.

Quoi faire ?

- J'identifie et j'accepte les premiers signes d'épuisement.
- J'entreprends ou j'accélère mon programme d'exercice physique.
- Je m'astreins à une diète.
- Je réduis ou j'arrête ma consommation d'alcool.
- J'oublie mon orgueil : j'en parle à une personne en qui j'ai totalement confiance, qui saura m'écouter sans paniquer et croira en mes ressources.
- Je demande de l'aide, un changement d'affectation, un congé.
- J'apprends à relaxer.

Quoi éviter ?

- Je n'écoute pas les signes physiques et les avertissements des proches : « Je suis capable » ou « De quoi je me mêle » ou « C'est comme ça ».
- J'interromps mes activités de sport et de loisir.
- J'augmente ma consommation d'alcool.
- Je veux tout régler moi-même : « Ça va s'arranger ».
- J'attribue ma situation uniquement à des facteurs externes : « C'est la faute de... », « On a trop de travail ces temps-ci ».
- J'essaie d'en faire encore plus.

(Cummings, 1997)

Tableau 5.3 Je reconnais ces signes chez mon (ma) conjoint(e).

Quoi faire ?

- Je reconnais les premiers signes d'épuisement.
- Je parle franchement à mon (ma) conjoint(e) des signes observés.
- Je l'écoute.
- S'il (elle) a tendance à nier la situation, j'insiste sur les signes que j'ai observés.
- J'examine avec lui (elle) les ressources dont il (elle) dispose pour enrayer la progression de l'épuisement.
- Je l'encourage et lui signale les changements positifs observés.
- Je n'oublie pas que sa santé relève de sa responsabilité.
- Je prends soin de ma propre santé.

Quoi éviter ?

- J'attribue à son métier les signes observables d'épuisement.
- Je ne prends pas ces signes au sérieux.
- Je lui fais constamment des remarques sur son état.
- J'évite les moments d'intimité avec lui (elle) sans discuter ouvertement de la situation.
- Je le (la) blâme; je blâme la police et le poste; je m'apitoie sur mon sort de conjoint(e) de policier, etc.
- Je tente de soigner son épuisement à sa place en contrôlant son comportement.

Une fois ces précautions observées, les collègues et le superviseur d'un policier manifestant des signes d'épuisement trouveront au tableau 5.4 des suggestions pour les aider à communiquer avec lui.

Tableau 5.4 Je reconnais ces signes chez mon collègue ou mon subalterne.

Quoi faire ?

- Je fais confiance à ses ressources et lui laisse prendre ses responsabilités dans la solution du problème.
- Je lui rappelle ses comportements incitant à penser qu'il est en train de s'épuiser (« feedback » descriptif).
- Je n'entre pas dans son « jeu » de pensées irréalistes, de pessimisme et d'impuissance; au besoin, je défends ma position.
- Je lui rappelle ses ressources personnelles et ses bons coups ou j'oppose des contre-exemples à ses pensées irréalistes.
- Je lui indique concrètement les limites et les conséquences claires en l'absence de changements.
- Je lui suggère des ressources possibles.
- Je l'encourage lorsqu'il manifeste des signes apparents de changement.
- Si aucun changement n'est observé et que votre sécurité, celle de l'équipe ou des citoyens est menacée :
  - le superviseur doit en être informé;
  - si vous êtes le superviseur, des mesures correctrices doivent être apportées.

Quoi éviter ?

- Ressasser continuellement le problème dans votre tête sans agir : vous êtes probablement en train de vous épuiser vous-même avec « son » problème.
- Dramatiser et imaginer des catastrophes.
- Le blâmer.
- Se moquer de lui en privé ou en public.
- Répandre de vagues insinuations sur son comportement.
- Le pousser à bout pour qu'il décroche plus vite.
- Jouer au sauveur en tentant de réparer ses erreurs, de le conseiller sans cesse, de compenser pour les tâches qu'il n'est plus capable d'accomplir.
- Minimiser ou nier la gravité de la situation : « Y a rien là, viens prendre un verre ».
- L'abandonner à son sort après qu'il vous ait confié ses difficultés, s'il s'est senti suffisamment en confiance pour le faire.

Quant aux ressources disponibles pour assister un policier et sa famille victimes d'épuisement professionnel, chaque service de police dispose d'un programme d'aide aux employés. Le soutien non professionnel d'un collègue qui a déjà traversé une situation semblable peut être utile. Il est très important de vous assurer au préalable que ces services soient confidentiels, distincts des mécanismes d'application des procédures disciplinaires prévues à la convention collective, et d'en informer votre collègue.

Résumé

L'épuisement professionnel résulte de l'usure subie par un policier soumis pendant une longue période aux exigences de sa vie professionnelle. Le déficit croissant entre les demandes adressées au policier et les ressources organisationnelles et personnelles dont il dispose entraîne l'épuisement professionnel et les coûts qui s'ensuivent pour le policier et l'organisation. Cette conséquence du stress se situe donc à la frontière des responsabilités de l'organisation à l'égard des policiers et de leurs prédispositions personnelles.

- Au plan organisationnel, l'autonomie, la participation et le soutien social sont des ressources à développer pour prévenir l'épuisement causé par des demandes élevées, des conflits, de l'ambiguïté face au rôle attendu et une sous-utilisation des ressources personnelles.
- Les policiers idéalistes et ceux qui possèdent des caractéristiques apparentées à la personnalité de type A sont plus sujets à développer de l'épuisement.

La phase de désillusion des policiers ayant cumulé de six à treize ans d'ancienneté ainsi que des événements stressants survenus dans leur vie professionnelle et personnelle peuvent augmenter les risques d'épuisement professionnel.

Les composantes de l'épuisement professionnel sont l'épuisement émotionnel, la déshumanisation et les sentiments personnels d'échec.

L'épuisement professionnel se manifeste par des comportements évoluant progressivement en trois stades : le début de la réponse de stress, la conservation de l'énergie et l'épuisement.

Dès que l'on remarque des signes d'épuisement chez soi ou son (sa) conjoint(e), il importe d'agir immédiatement au premier stade pour enrayer le processus. Étant donné que l'épuisement professionnel survient à la frontière du collectif et de l'individuel, chacun a la responsabilité de collaborer au maintien de la santé de ses collègues en s'apportant mutuellement du soutien.

Étude de cas

Dominic et Geneviève sont agents dans un service municipal urbain. Nicolas est leur nouveau superviseur. Au cours des dernières années, ils ont essuyé une vague de coupures budgétaires. Depuis deux ans, les nouvelles politiques sont axées vers le développement d'une approche communautaire auprès de la population, ce qui suppose des changements dans les modes d'intervention des patrouilleurs. Les relèves font aussi l'objet d'un important renouvellement de personnel. Trois superviseurs se sont succédé dernièrement à la tête de leur relève où le climat de travail est assez tendu. La moitié des patrouilleurs a de cinq à dix ans d'ancienneté, l'autre moitié vient d'entrer en service. Il ne reste que deux patrouilleurs solo d'expérience dans la relève.

Nicolas vient d'être nommé sergent après huit années de service. En tant que patrouilleur, il était reconnu pour son dynamisme, son tempérament de leader et son intégrité. Il voulait devenir sergent, dans l'espoir d'aider ses agents à mener à bien la nouvelle mission communautaire du service. Il est soutenu dans cette voie par son épouse.

Dominic a dix ans d'expérience. Il a patrouillé au moins trois quartiers de la ville. Les changements survenus au poste l'ont contraint à ne plus patrouiller avec son ancien partenaire et ami, ce qu'il accepte difficilement. Geneviève patrouille maintenant avec Dominic la plupart du temps. Elle vient d'arriver au poste et déborde d'enthousiasme à l'idée de pratiquer enfin le métier.

Geneviève a vite constaté les faits suivants à son arrivée dans la relève : le climat est tendu lors des réunions; les policiers, Dominic y compris, s'agressent verbalement et n'écoutent pas Nicolas lorsqu'il parle; le taux d'absentéisme est très élevé, ce qui l'oblige à faire beaucoup d'heures supplémentaires. Par ailleurs, Dominic boit dix cafés par jour et il fréquente régulièrement un bar après ses quarts de travail. Il semble éprouver des difficultés conjugales. Il est arrogant et agressif avec les citoyens. Il fait souvent des réflexions à Geneviève sur l'inutilité de leur travail. Geneviève souffre parfois de migraines et néglige un peu son horaire d'entraînement.

1. Évaluez, à la lumière de ses comportements, à quel stade d'épuisement professionnel se situe Dominic.

_____

2. Évaluez, à la lumière de ses comportements, à quel stade d'épuisement professionnel se situe Geneviève.

_____

3. À quel type de personnalité associé au développement de l'épuisement professionnel appartiennent Nicolas et Geneviève ?

   _____

4. Identifiez deux aspects de la situation personnelle et professionnelle de Nicolas qui diffèrent de celle de Dominic et peuvent exercer sur lui un effet protecteur contre l'épuisement professionnel.

   a) _____

   b) _____

5. À quel cycle de carrière se trouve chacun de ces policiers ?

   Nicolas : _____

   Geneviève : _____

   Dominic : _____

   Lesquels risquent le plus d'être victimes d'épuisement professionnel ? _____

   _____

6. Identifiez deux composantes de l'épuisement professionnel observables chez Dominic.

   _____

7. Idéalement, lorsque chacun aura identifié ses indices d'épuisement et ceux des autres, quelles actions utiles seront-ils en mesure d'entreprendre ?

   Nicolas pour lui-même, pour la relève et pour Dominic :

   _____

   _____

   Geneviève pour elle-même, pour la relève et pour Dominic :

   _____

   _____

   Dominic pour lui-même, pour la relève et pour Geneviève :

   _____

   _____

8. Quels aspects organisationnels ont pu contribuer à accroître l'épuisement de certains policiers de la relève ?

_____

_____

_____

_____

Chapitre 6
Le stress post-traumatique _____

Le traumatisme a le pouvoir de nous affecter profondément et de bouleverser nos vies, mais pas toujours d'une mauvaise façon... (Kirschman, 1997, p. 92).

Jean-François Cimon, enquêteur aux collisions et coordonnateur du programme « policier-ressource » au SPCUM, témoigne d'un événement marquant survenu au cours de sa carrière.

« **12 décembre 1992, 2 h 30 du matin**. Je suis patrouilleur au SPCUM depuis quatre ans. Mon partenaire et moi recevons un appel codé 2 : une dame habitant dans un immeuble résidentiel a l'impression qu'un individu essaie de s'introduire dans un appartement situé à côté du sien. Arrivés sur les lieux, nous remarquons que la poignée de la porte d'un des appartements est endommagée, mais verrouillée; nous nous procurons les clés et constatons qu'il est vacant.

Pendant ce temps, un bruit tonitruant provient d'un autre appartement situé en face de celui de la plaignante : on entend la télévision à plein volume, mais crachotant le bruit de friture indiquant normalement la fin des émissions. Quelque chose d'anormal se passe dans cet appartement. Nous frappons à la porte : pas de réponse. Après une deuxième tentative, un homme nous crie : « Allez-vous-en, allez-vous-en, crisse de chiens ! » Les autres locataires apparaissent et commencent à s'énerver : « Il se passe quelque chose, arrêtez ce vacarme, ça n'a pas de bon sens... »

Existe-t-il un lien entre ce bruit et le motif de l'appel ? Quelqu'un aurait-il pénétré dans le premier appartement pour ensuite s'introduire dans l'autre et prendre son occupant en otage ? Le taux d'adrénaline commence à monter. Deux autres policiers viennent nous assister. Mon partenaire et moi passons par la ruelle pour aller voir ce qui se passe à l'intérieur de l'appartement pendant que nos collègues frappent à la porte principale en criant « Ouvrez, police ! » De la porte arrière, nous ne voyons que l'écran enneigé de la télévision découpé dans une complète obscurité. Nous rejoignons donc nos collègues pour planifier l'intervention.

2 h 50 : Le rôle d'ouvrir la porte me revient. Une policière est à ma gauche et les deux autres policiers sont à ma droite. Je commence par sonder la poignée et constate qu'elle n'est pas verrouillée. Je l'ouvre. Un individu, caché derrière la porte, la repousse violemment et hurle : « Allez-vous-en, crisse de chiens, vous n'avez pas d'affaire à entrer. Allez-vous-en ! » Mes collègues dégainent leurs armes. Au moment où je m'apprête à rouvrir la porte, l'individu bondit hors de l'appartement, un couteau de boucher à la main, et s'élance vers les deux policiers situés à ma droite, qui partent aussitôt à courir. J'ai le réflexe de me déplacer vers la

gauche, du côté de la policière. L'individu se retourne brusquement et fonce sur nous en faisant des moulinets avec son couteau, comme s'il avait une épée dans la main.

2 h 52 : Je dégaine alors mon arme de service. Je brûle d'anxiété. Les autres se sont mis à l'abri. Mon instinct de survie est plus fort que tout : c'est lui ou moi. Une fraction de secondes, je tire deux coups... Il tombe à mes pieds.

2 h 53 : Ce qui semblait être un film devient réalité : l'individu qui est en face de moi saigne, et c'est moi qui ai causé sa blessure. Je n'ai plus d'écran, plus de carapace pour me protéger de ce qui est devenu « ma réalité ». Je me penche vers lui, le désarme et lui mets les menottes. Il souffre d'hyperventilation. Je le sécurise : « On s'occupe de toi... » J'ai tout fait pour qu'il ne meure pas.

2 h 56 : Les ambulanciers sont arrivés. Tout le monde parlait et s'agitait autour de moi, tous mes sens étaient en alerte. Le sergent m'a demandé de lui remettre mon arme. « Tu connais la procédure, Jean-François... Je t'en procurerai une autre pendant la durée de l'expertise. » Je la lui ai rendue.

3 h 15 : À mon arrivée au poste, une collègue et amie me dit : « Je suis fière de toi, Jean-François. Je m'occupe de toi à partir de maintenant. Tu vas descendre te changer et je t'emmène ensuite voir le médecin à l'hôpital. » Elle s'est comportée envers moi comme un garde du corps, donnant ses instructions d'une manière à la fois douce et autoritaire. J'étais réconforté d'être avec quelqu'un qui prenait soin de moi sans me juger. J'en avais besoin.

Le médecin m'a donné un tranquillisant et recommandé deux semaines de repos. Sur le coup, cette idée me plaisait plus ou moins. Je voulais revenir au travail plus tôt, d'autant plus que c'était la période des fêtes. J'avais peur des commentaires sarcastiques du genre : « Jean-François va en profiter pour passer tranquillement les fêtes aux frais de la CSST, chanceux va ! Et nous, on sera forcés de mettre les bouchées doubles parce qu'il ne sera pas là. »

4 h 30 : De retour au poste de police, fourmillant d'activité, les enquêteurs et les membres de la section des homicides étaient là. Le directeur m'a demandé : « Veux-tu que j'appelle ta conjointe ? » J'ai accepté. Les images défilaient à toute vitesse dans ma tête. Avais-je bien fait de tirer ? J'en étais sûr à 75 %, mais le doute pèse lourd dans la balance en de tels moments. Les trois autres policiers et moi avons d'abord participé en groupe à un « débriefing » avec le psychologue. Par la suite, celui-ci m'a rencontré à part. Puis, l'enquêteur est venu me dire : « Écoute, Jean-François, je ne t'oblige pas à écrire quoi que ce soit maintenant mais si tu te sens prêt à témoigner de ce qui s'est passé, tu peux le faire. Sinon, je peux attendre. » En fait, cela m'a fait énormément de bien d'écrire. Cela m'a permis de me recentrer psychologiquement et de mettre de l'ordre dans les images qui se bousculaient alors dans ma tête.

5 h 30 : Ils m'ont ramené à la maison. Je me sentais comme si je venais de participer à une compétition ou de prononcer un discours devant deux mille personnes. J'étais trop préoccupé pour conduire, incapable de me concentrer; j'aurais été dangereux si j'avais pris l'auto après un tel incident. À la maison, j'ai raconté en gros à ma conjointe ce qui s'était passé, comme s'il s'agissait d'un événement ordinaire. Je n'étais pas très connecté avec mes émotions et je ne voulais pas les exposer outre mesure; ma conjointe est partie travailler.

Le médicament administré par le médecin était passablement fort; j'ai dormi un peu. À mon réveil, j'ai appelé quelques copains pour les prévenir avant qu'ils prennent connaissance de l'incident par les médias. C'est à ce moment que j'ai été très surpris de ma réaction : je me suis mis à pleurer dès que j'ai commencé à en parler. J'étais très secoué. Au cours de la journée, j'ai informé ma famille; je me suis vidé le cœur, j'ai pleuré, ce qui m'a fait énormément de bien.

Un soir, quelques jours après l'événement : Ma conjointe rentrait du travail. J'étais fébrile, j'avais les larmes aux yeux. Je n'acceptais pas le fait d'avoir causé des blessures à quelqu'un, même si c'était légitime de le faire. J'avais son sang sur mes mains... Paradoxalement, je ne cherchais pas à savoir s'il allait s'en sortir. Ma conjointe m'a suggéré d'en parler avec quelqu'un au poste. Un collègue de travail avait déjà participé à deux fusillades et ouvert le feu sur deux personnes; je l'ai appelé pour lui raconter ce qui m'arrivait et lui demander comment il s'était senti les deux fois où il avait dû tirer sur quelqu'un. « Bof, moi, Jean-François, pas de problème; le lendemain, je suis retourné travailler comme si de rien n'était. » Cette conversation m'a déboussolé. Non seulement je me sentais mal à l'aise de ne pas rentrer travailler pendant la période des fêtes, mais je m'inquiétais de l'intensité de mes émotions. Je me sentais vulnérable, au point de me demander si je devais continuer à être policier.

Ce soir-là, vers 10 heures et demie, à l'heure de me coucher, j'étais extrêmement tendu. Mon taux d'adrénaline ne cessait d'augmenter. J'ai dû soulever des haltères pendant une heure. Si une piscine avait encore été ouverte, je serais allé nager. J'avais besoin de dépenser de l'énergie. Il fallait que ça sorte, c'était une question de survie, comme si l'énergie physique risquait de m'engloutir. Le lendemain, j'ai contacté le psychologue du programme d'aide aux policiers qui m'a confirmé que je souffrais de stress post-traumatique et que mes réactions étaient tout à fait normales. Ça m'a vraiment rassuré; c'est alors que j'ai décidé de prendre mes journées de repos. J'ai commencé à revivre cet incident dans des rêves fréquents. À partir de ce moment, le pire était passé. J'ai passé mon temps de congé à m'observer et à parler de mes réactions. Par la suite, j'ai consulté un psychologue pendant plusieurs mois. J'avais de la difficulté à remettre ma carapace.

Depuis : Un policier a besoin d'une certaine carapace pour pouvoir faire son travail, sinon il ne serait pas capable de tenir le coup longtemps; la mienne avait éclaté en mille morceaux. Avant de tirer sur l'individu, j'éprouvais un sentiment d'invulnérabilité : je mettais ma carapace ou un écran de plexiglas lorsque j'intervenais dans des situations pénibles; une fois l'événement terminé, je passais à autre chose. En tirant sur cet individu, j'ai pulvérisé mon écran de plexiglas.

Je suis retourné en patrouille avec appréhension : « S'il arrivait que je doive à nouveau tirer sur quelqu'un, que se passera-t-il ? » Au moindre appel présentant des similitudes avec cette situation, par exemple lorsqu'un individu coupable de voies de fait dans la rue se barricadait chez lui, j'avais des sueurs froides et des bouffées de chaleur. Si j'avais pu, je n'y serais pas allé.

J'avais décidé de m'en sortir et j'ai réussi. Aujourd'hui, ma carapace est très mince mais suffisante pour me permettre de faire mon travail d'enquêteur. Cependant, je ne serai plus jamais le même policier : avant l'incident, j'étais beaucoup plus insouciant; je n'avais presque pas peur. C'était une erreur. Cet événement-là m'a appris que je suis capable d'intervenir en situation critique. Je le sais maintenant, sauf que mon niveau de stress est aussi beaucoup plus élevé qu'avant. Je n'ai pas honte d'affirmer que oui, j'éprouve du stress, que j'aime toujours autant mon métier, mais je suis beaucoup plus prudent et réfléchi lors de mes interventions : je ne m'expose pas inutilement, j'accepte mon stress et je le gère; il m'aide à prendre soin de moi. De plus, j'en suis davantage conscient : avant l'incident, il s'accumulait à mon insu; maintenant, je l'analyse au fur et à mesure. Supposons que j'ai fait telle intervention qui a augmenté mon niveau de stress, je me repositionne : « Est-ce que j'aurais pu agir autrement pour obtenir la même qualité de résultat ? »

La chose la plus importante à retenir, c'est qu'il faut en parler. Lorsqu'un policier intervient à la suite d'un appel d'apparence banale et qu'il en ressort bouleversé, il doit savoir que s'il garde ses émotions à l'intérieur, quelle qu'en soit la raison, il est certain qu'elles vont revenir sous une forme ou une autre, peut-être pas tout de suite, mais un jour... »

Un appel, quelques minutes pour cerner la réalité; en quelques secondes, une décision d'intervention, une autre réalité — celle d'une agression armée subite —, une autre décision, un coup de feu... Et l'agent Cimon doit par la suite affronter des réactions inhabituelles, causées par l'*interaction* entre les *circonstances de cet événement traumatique* et sa propre *personne*. Pour arriver à comprendre ces réactions et à pouvoir agir en leur présence, ce chapitre :

- traite des caractéristiques d'un incident critique susceptibles d'entraîner des réactions de stress post-traumatique;
- présente les facteurs propres à la personne expliquant la manière dont elle peut être atteinte par un événement traumatique;
- décrit les signes de stress post-traumatique;
- suggère des actions à entreprendre suite à un événement traumatique, à l'intention du policier et de ses proches.

6.1 L'événement traumatique

Un événement traumatique signifie tout événement « constituant une menace sérieuse pour la vie ou l'intégrité d'une personne ou d'un proche et qui provoque de l'effroi, de l'impuissance ou de l'horreur » (American Psychiatric Association, 1994, p. 209). Dans le milieu policier, on emploie couramment l'expression **incident critique** pour désigner ces

Tableau 6.1   Événements policiers traumatiques*.

1. La mort ou autre traumatisme violent d'un partenaire, d'un conjoint ou d'un membre de la famille.

2. Le fait de tuer quelqu'un en cours d'intervention ou de participer à une fusillade.

3. Le décès traumatique ou les blessures graves subies par un enfant.

4. Le suicide d'un collègue, d'un conjoint ou d'un membre de la famille.

5. La participation à une poursuite automobile aboutissant à une mort d'homme.

6. Un événement impliquant plusieurs blessés ou morts et la vue de corps mutilés.

7. Un événement ayant un impact émotionnel en raison de sa durée, de son ampleur ou de son intensité émotive (ex. : utilisation d'armes à feu, prise d'otages, enlèvements).

8. Une mission d'infiltration effectuée dans des conditions stressantes ou dont la durée excède six semaines.

* Les incidents énumérés ici proviennent d'un document interne de la Sûreté du Québec, de Kirschman (1997) et de McNally et Solomon (1999).

événements inattendus qui provoquent de fortes réactions émotionnelles chez les personnes qui les vivent, même lorsque celles-ci sont expérimentées et formées pour y faire face. Ce type d'incident est l'agent stressant le plus grave que puisse rencontrer le policier en cours de carrière. Les événements cités dans le tableau 6.1 sont les plus susceptibles d'entraîner des réactions de stress post-traumatique chez les policiers.

La puissance de ces événements peut être interprétée à l'aide des critères énumérés ci-après.

La durée et l'intensité des événements traumatiques

Les événements varient en durée et en intensité. Le tableau 6.2 présente des exemples de deux types d'événements et leurs conséquences. Les événements du type 1 sont soudains, inattendus, dangereux, dévastateurs et de nature limitée, alors que ceux du type 2 sont endurés pendant une longue période de temps ou sont répétitifs et cumulatifs, la personne qui les subit étant même capable de les anticiper (Anderson et coll., 1995 ; Côté, 1996).

La responsabilité et le rôle du policier lors de l'événement

L'attribution de la cause des incidents critiques peut avoir un impact sur les réactions de stress qu'ils provoquent. Les incidents sont déclenchés soit par des *désastres naturels*, soit par le *facteur humain*.

En cas de catastrophe, les policiers ont la responsabilité d'assurer la sécurité publique. Étant donné que la cause de tels événements est naturelle et incontrôlable et que les policiers exercent un rôle réconfortant en de telles circonstances, ils sont partiellement à l'abri des effets négatifs du stress occasionné par les scènes pénibles qu'ils découvriront.

D'autres incidents relèvent de la responsabilité humaine. Par exemple, un événement attribué à l'erreur humaine engendre plus de réactions de stress qu'un événement naturel,

Tableau 6.2   Événements de types 1 et 2.

Événements	Exemples	Conséquences
De type 1	• Fusillade • Viol • Accident d'automobile • Écrasement d'avion • Désastre naturel • Victime d'un acte criminel • Meurtre ou suicide d'un membre de la famille • Incendie mortel	• Souvenir indélébile des détails, des gestes posés et des sensations éprouvées • Possibilité de réactions de stress post-traumatique intenses • Rétablissement normalement plus rapide que dans le cas d'événements de type 2
De type 2	• Torture • Violence conjugale et abus physiques et sexuels d'enfants • Génocide • Guerre	• Troubles de la perception de soi et du monde, culpabilité, sentiment de dévalorisation, dissociation, détachement, difficultés interpersonnelles • Rétablissement difficile nécessitant du temps

mais moins encore qu'un cas appréhendé de méchanceté délibérée : la violence gratuite, surtout à l'égard d'enfants, est difficilement acceptable et peut susciter d'intenses réactions émotionnelles chez le policier. Dans l'ensemble de ces cas, le policier est à la fois témoin et intervenant de première ligne. Cependant, si le policier est lui-même victime ou responsable de l'incident ou que ses proches sont impliqués, l'intensité de ses réactions risque d'être d'autant amplifiée.

Plus l'événement est intense, en raison du contact direct avec l'horreur, les blessures et les émotions qu'il suscite, et plus ses conséquences sont graves — surtout si elles sont attribuables à la responsabilité du policier —, plus sa réaction traumatique sera forte. Si cet événement dure longtemps ou s'il y a répétition du même type d'événements, cela entraînera des réactions plus intenses chez le policier (Dominic et coll., 1986 : voir Mann et Neece, 1990; Nielsen, 1991; Carlier et coll., 1997).

6.2 La personne impliquée

Certains policiers sont exposés à des incidents graves sans pour autant en subir de séquelles alors que d'autres, victimes d'incidents moins graves, souffrent de réactions post-traumatiques intenses. L'expression « événement policier marquant » est précisément utilisée au SPCUM pour désigner le stress post-traumatique en fonction de l'impact d'un événement sur le policier plutôt que des seules caractéristiques de l'événement.

La vulnérabilité à des incidents critiques peut être définie comme la « force d'impact de l'événement traumatique sur l'individu » (Violanti, 1991, p. 366). Comment un tel impact peut-il être évalué ? D'abord par l'importance avec laquelle la personne est elle-même touchée ou blessée physiquement et psychologiquement par l'incident. Ensuite, de

Tableau 6.3 Les niveaux de victimisation (Black, 1997).

Niveaux	Personnes touchées
1	La victime et sa famille immédiate
2	Les témoins, la personne responsable de l'événement, la parenté, les camarades ou collègues de travail (parmi ces personnes, il est possible que certaines soient plus directement touchées par l'incident, selon le rôle qu'elles y ont joué, leur proximité physique et émotionnelle des victimes ou leur expérience de vie antérieure ou actuelle)
3	Les personnes indirectement impliquées : les ambulanciers, les policiers et les intervenants en relation d'aide

tels incidents ébranlent fortement les systèmes de croyances personnelles des victimes. Enfin, la vulnérabilité et les ressources personnelles déterminent l'impact différencié d'un événement sur les personnes.

Les niveaux de victimisation

On peut identifier trois niveaux de victimisation (tableau 6.3), selon que les personnes sont touchées plus ou moins directement par un événement traumatique.

Une personne se trouvant au premier niveau de victimisation risque de connaître des réactions de stress post-traumatique plus intenses que les victimes de niveau 3. Cependant, une victime de niveau 3 peut aussi éprouver une réaction intense, provoquée par l'exposition répétée à de tels incidents.

Les systèmes de croyances affectés par les incidents critiques

> *Plus jamais, plus jamais je ne pourrai être la même. [...] Et j'ai mal. J'ai très mal en dedans de moi [...]* (Vézina, 1994, p. 99-100).

Nos systèmes de croyances servent à maintenir une vision cohérente de nous-mêmes et du monde qui nous entoure. Certaines croyances fondamentales sont mises à rude épreuve lorsque nous avons à traverser un événement traumatique. Sans négliger l'événement traumatique comme tel, il n'en reste pas moins que l'intensité des réactions traumatiques du policier varie aussi selon la mesure dans laquelle ses croyances de base sont ébranlées. Le tableau 6.4 décrit ces croyances et la manière dont elles risquent d'être altérées[1].

Le policier en proie à ces pensées et émotions douloureuses suite à une expérience pénible aura à relever le dur défi de redonner un nouveau sens à sa perception de lui-même et du monde.

---

1. Ces croyances sont commentées par Janoff-Bulman (1985 : *voir* Brillon et coll., 1996); McCann et Pearlman (1990); Gentz (1991); Violanti (1991); Black (1997); Kirschman (1997).

Tableau 6.4 Altération des croyances suite à un événement traumatique.

SENTIMENTS ET CROYANCES ANTÉRIEURS À UN ÉVÉNEMENT TRAUMATIQUE	SENTIMENTS ET CROYANCES CONSÉCUTIFS À UN ÉVÉNEMENT TRAUMATIQUE
Invulnérabilité « Je suis formé pour être invincible. » « J'interviens auprès des victimes. » « Je sais comment faire face au danger. » « J'ai la vie devant moi. »	**Vulnérabilité** « Je suis vulnérable. » « Je suis démuni, blessé physiquement : je suis une victime. » « Je ne reconnais plus mes réactions. » « Je peux mourir n'importe quand. »
Confiance « Je peux faire confiance aux autres. » « Le bien ou la justice existent. » « La vie a un sens. »	**Méfiance** • Désabusement • Cynisme • Colère

Sentiment de compétence
 	
« Un policier est responsable de voir au bien-être et à la sécurité des autres. »
	Culpabilité
	
	• Honte
	   « J'aurais dû... : c'est de ma faute. »
	
	• Baisse d'estime de soi
	   « Qu'est-ce que je vaux si je ne suis même pas arrivé(e) à... ? »

Sentiment de contrôle « Je peux prévoir les événements et les contrôler. » « Les événements tragiques n'arrivent qu'aux autres. » « Je suis indépendant(e). »	**Perte de contrôle** « Je suis impuissant(e). » « Je dépends des autres. » **Hypervigilance** « Je suis constamment en danger. » « J'ai peur. »

La vulnérabilité et les ressources de la personne

La vulnérabilité

Une hypothèse actuelle soutient qu'une prédisposition génétique expliquerait la plus grande *vulnérabilité physiologique* au stress de certaines personnes (Jones et Barlow, 1992). Selon cette hypothèse, la tendance à la suractivation du système nerveux autonome induisant la réponse d'alerte en présence de stimuli stressants serait transmise génétiquement.

De plus, certaines personnes seraient plus *vulnérables psychologiquement* aux événements traumatiques; elles se caractériseraient par une faible estime d'elles-mêmes, une attitude pessimiste ou une personnalité perfectionniste et rigoureuse. Les personnes souffrant de dépendances, ayant vécu des problèmes émotionnels et des maladies ou des blessures, de même que celles qui ont déjà connu des traumatismes antérieurs à l'événement, sont susceptibles de réactions plus intenses.

Les facteurs prétraumatiques de vulnérabilité peuvent reposer sur une histoire d'abus physique ou sexuel dans l'enfance, des troubles de comportement pendant l'enfance ou l'adolescence, une séparation précoce des parents ou un divorce avant l'âge de dix ans (Côté, 1996; Kirschman, 1997). Ces événements négatifs survenus dans l'enfance auraient pour conséquence de restreindre la zone de stabilité des personnes qui les ont vécus (Anderson et coll., 1995). Les policiers déjà portés, à cause des événements de leur vie, à être en état de résistance, sont également sujets à réagir plus fortement au moment d'un incident critique (Nielsen, 1991). Les femmes, les jeunes, les adolescents et les personnes âgées sont aussi plus vulnérables aux événements traumatiques (Black, 1997).

À la lecture de ces facteurs de vulnérabilité, il est possible qu'un policier s'inquiète de constater que plusieurs d'entre eux s'appliquent à son cas. Attention ! Ces facteurs, faisant encore l'objet de recherches, ne sont pas présentés ici pour culpabiliser les personnes aux prises avec des réactions de stress post-traumatique liées à leurs expériences passées, ni pour nier l'impact dévastateur d'incidents très graves comme, par exemple, une fusillade. Ils permettent plutôt de comprendre comment s'inscrivent les réactions d'une personne à un événement traumatique dans son histoire de vie (Matsakis, 1994). Du reste, on constate maintenant que certaines personnes, ayant subi des expériences pénibles dans leur enfance qui auraient dû les rendre plus vulnérables, développent plutôt, on ne sait trop comment, une force et une solidité personnelles qui exercent un rôle protecteur sur elles lors d'événements stressants ultérieurs.

Les ressources

Une bonne santé, inaltérée à la suite d'un incident, et le fait de ne pas y avoir été mutilé, contribuent à diminuer le risque de séquelles à long terme. En outre, des services et du soutien social et financier accessibles sont des facteurs sociaux protecteurs. Ces ressources s'ajoutent à l'utilisation appropriée des stratégies d'ajustement liées à la contrôlabilité et à la capacité d'exprimer ses émotions pour protéger le policier des conséquences d'un incident traumatique[2].

En résumé, l'intensité de la réaction d'un policier exposé à un incident traumatique dépendra des *caractéristiques de l'événement* lui-même et de la force de son impact sur le policier, elle-même tributaire de son *niveau de victimisation*, de la mesure dans laquelle ses *croyances personnelles* sont déstabilisées et de sa *robustesse personnelle*, fondée sur son expérience passée et consolidée par son état de santé physique et psychologique actuel. La figure 6.1 fait la synthèse de l'ensemble de ces éléments.

---

2. Les auteurs suivants traitent des ressources susceptibles d'amortir les effets d'un événement traumatique : Mann et Neece (1990); Nielsen (1991); Violanti (1991); Matsakis (1994); Carlier et coll. (1997); Kirschman (1997).

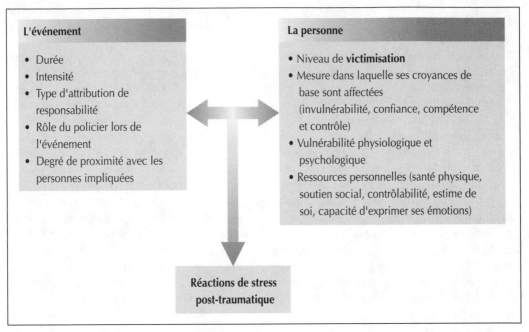

Figure 6.1   Les réactions de stress post-traumatique : résultante de l'interaction entre l'événement traumatique et la personne.

Utilisons cette figure pour analyser les facteurs qui s'avéreront stressants ou protecteurs lors d'une fusillade (tableau 6.5).

Tableau 6.5   Facteurs stressants et protecteurs influençant les réactions d'un policier lors d'une fusillade (adapté d'Anderson et coll., 1995, p. 103).

1. Préparation mentale à la confrontation (ressource personnelle).
2. Événements stressants récents dans la vie du policier (vulnérabilité personnelle).
3. Degré de contrôle exercé par le policier sur la situation (intensité, type d'attribution, rôle du policier).
4. Mesure dans laquelle le policier a été personnellement menacé pendant l'incident (intensité, rôle du policier).
5. Durée de l'événement.
6. Mesure dans laquelle le policier juge que la décision de tirer était justifiée (type d'attribution de responsabilité).
7. Soutien des autres officiers (soutien social).
8. Soutien de l'administration et de la population (soutien social).
9. Âge et sexe de la personne décédée (type d'attribution de responsabilité, liens avec les personnes impliquées).

6.3 Les signes observables de stress post-traumatique

Les réactions éventuelles d'un policier suite à un incident critique sont appelées globalement « stress post-traumatique ». Il est essentiel, au cours de la description des signes observables de stress post-traumatique, de garder en mémoire le postulat suivant : *les réactions consécutives à un événement traumatique sont des réactions normales dans une situation anormale*. Ces réactions sont souvent intenses, menaçantes et douloureuses pour les personnes qui les éprouvent, mais elles sont normales. On peut réagir de différentes façons à un traumatisme : aucune n'est bonne ni mauvaise (Kirschman, 1997; Black, 1999).

Réactions immédiates de stress traumatique

Les distorsions perceptives associées à la peur pendant un incident critique ont déjà été décrites dans le chapitre portant sur les aspects psychologiques du stress (voir p. 43). Celles-ci sont accompagnées d'un mécanisme appelé la **dissociation post-traumatique**, qui permet au policier de ne pas ressentir sur le coup la frayeur résultant de la confrontation avec la mort; il se conduit en quelque sorte comme un automate ou un spectateur de l'incident. Dans la mesure où ces signes disparaissent dans les deux jours, ils n'auront été qu'une réaction normale face à l'événement traumatique.

État de stress aigu (entre 2 jours et 4 semaines après l'incident)

L'événement traumatique laisse des marques à la manière d'une tornade fulgurante qui provoque des dégâts à long terme ou définitifs. Selon la gravité de cette tornade physique et psychologique que traverse le policier, il devra affronter plus ou moins longtemps des réactions personnelles douloureuses qu'il importe de connaître pour être capable de les apprivoiser. Ces réactions éventuelles caractérisent l'état consécutif au traumatisme appelé **état de stress aigu**[3]. Elles sont présentées dans le tableau 6.6.

État de stress post-traumatique (ESPT)
(à partir d'un mois après l'incident)

Lorsque les réactions associées à l'état de stress aigu persistent encore après un mois ou apparaissent soudainement après six mois, un diagnostic d'**état de stress post-traumatique** pourra être émis, basé sur la présence des trois principaux signes suivants (American Psychiatric Association, Mini DSM-IV, 1996, p. 209-211).

Le traumatisme revécu

L'événement est constamment revécu à travers des réviviscences de l'incident ou des rêves et cauchemars récurrents. La personne peut éprouver des sensations soudaines, « comme

---

3. Les réactions liées à l'état de stress aigu sont décrites par : Solomon et Horn (1986); American Psychiatric Association (1996); Kureczka, (1996); Nurse (1996); Black (1997); Kirschman (1997).

Tableau 6.6   Réactions physiques, psychologiques et comportementales associées à l'état de stress aigu.

RÉACTIONS		
Physiques	**Cognitives et émotionnelles**	**Comportementales**
En plus de la douleur occasionnée par les blessures physiques éventuellement encourues : • Maux de tête • Tremblements • Sueurs • Douleurs à la poitrine et difficultés à respirer • Augmentation ou diminution du désir sexuel • Augmentation ou diminution de l'appétit • Insomnie et cauchemars • Hypervigilance : la personne est continuellement en état d'alerte; elle sursaute exagérément • Agitation • Douleurs musculaires • Rythme cardiaque accéléré	• Irritabilité, colère et agressivité accrues • Périodes de torpeur, de détachement • Réactions émotionnelles démesurées à des incidents mineurs ou faibles • Anxiété accrue et persistante • Culpabilité et doutes sur le rôle joué lors de l'incident (ce que j'ai fait, ce que j'aurais dû faire) • Sentiments dépressifs et idées suicidaires • Intolérance à l'égard de ses propres émotions ou de celles des autres • **Reviviscences** (visuelles, auditives, kinesthésiques, olfactives) • Difficultés de concentration, confusion, problèmes de mémoire • Difficulté à prendre des décisions et à résoudre des problèmes	• Repli sur soi, démotivation, silence • Pertes de contrôle • Modification des habitudes de vie • Consommation accrue d'alcool, de drogues ou de médicaments • Apparition de comportements inhabituels ou excessifs et recherche de sensations fortes. Impulsivité, prise de risque excessive; vitesse excessive • Tendance à retrouver compulsivement les circonstances apparentées au traumatisme initial • Tendance à éviter les stimuli qui évoquent l'événement traumatique

si » l'événement allait se produire ou était en train de se reproduire. Elle ressent une détresse psychique intense lorsqu'elle est exposée à des objets ou des lieux qui lui rappellent l'événement. Des sensations physiques similaires à celles qui ont été éprouvées lors de l'incident sont ressenties de nouveau.

L'évitement et la diminution de la capacité à réagir

Des efforts sont faits pour éviter les pensées, les émotions, les activités, les endroits ou les gens ayant un lien avec l'incident. La personne est incapable de se rappeler un aspect important du traumatisme. Elle ne s'intéresse plus à plusieurs des activités qu'elle appréciait auparavant ou cesse carrément de les pratiquer. Elle se sent également étrangère aux autres et éprouve un engourdissement émotionnel, comme si elle était sous l'effet de l'anesthésie. Cet engourdissement l'empêche de ressentir la douleur émotionnelle vive liée à l'incident.

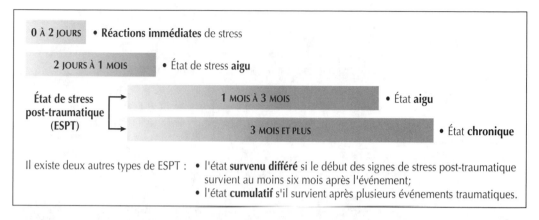

Figure 6.2   Séquence possible des réactions de stress post-traumatique selon leur durée ou leur moment d'apparition.

L'état d'activation persistant

Cet état se manifeste par de l'anxiété, de l'irritabilité, de l'insomnie, des difficultés de concentration, de l'hypervigilance et des réactions de sursaut exagérées. Ces réactions sont la conséquence de la très grande décharge d'adrénaline répandue dans l'organisme sous l'impact des émotions associées à l'événement (peur, colère, anxiété). Le cerveau réagit ensuite comme un moteur diesel en post-combustion, une fois l'ignition du moteur éteint (Kirschman, 1997).

La souffrance entraînée par ces réactions physiques et psychologiques puissantes a des répercussions importantes sur la vie professionnelle et familiale de la personne qui en est atteinte.

En résumé, la figure 6.2 illustre la séquence possible des réactions de stress post-traumatique selon leur durée ou leur moment d'apparition, ceux-ci variant chez chaque personne exposée à un événement traumatique.

6.4 Réagir aux signes de stress post-traumatique

> *Une victime explique ses difficultés par le fait qu'elle a été victimisée, tandis qu'un survivant invoque la même expérience pour expliquer d'où il tire sa force* (Figley, 1985 : *voir* Brunet, 1996, p. 145).

Se préparer à un événement traumatique

Même si de tels événements ne peuvent pas être anticipés et suscitent en des fractions de seconde un ensemble de réponses de survie que le policier ne contrôle plus rationnellement, il n'en demeure pas moins que ses réactions seront en partie conditionnées par les compétences personnelles et techniques apprises au cours de sa formation et sa pratique professionnelles. Voici des mesures susceptibles d'aider à réagir efficacement pendant un incident critique.

> ## Mesures préventives à l'éventualité d'un incident critique
>
> - *Considérez l'éventualité d'être impliqué(e) dans un incident critique et participez aux activités de perfectionnement touchant les interventions à haut risque de dangerosité.*
> - *Acceptez votre peur et ses effets positifs et négatifs (Artwohl et Christensen, 1997).*
> - *En vue de développer des automatismes, répétez souvent mentalement et pratiquez avec d'autres collègues plusieurs scénarios de tactiques appropriées aux situations à haut risque de dangerosité (stratégie d'ajustement 30, p. 74).*
> - *Au cours de chaque quart de travail, assurez-vous de rester dans votre « zone de stabilité » en évitant la fatigue, l'inattention et l'agitation (stratégies d'ajustement 1 à 14, p. 36 à 42).*
> - *Maintenez une vigilance constante : attention au « blanc ».*
> - *Interprétez toute situation en fonction des signes de dangerosité qu'elle présente (Prévost, 1999).*
> - *Veillez à votre distance sécuritaire.*
> - *Développez et préservez une mentalité de gagnant (stratégies d'ajustement 18-19-20-22-23-29, pp. 62, 64, 66, 68 et 73).*

Étant donné que la prévention ne prémunit pas le policier contre les effets nocifs de l'exposition à ce type d'événement exceptionnel, il importe maintenant de comprendre les étapes parcourues par le policier subissant un stress post-traumatique, afin de suggérer des comportements pouvant apaiser sa souffrance.

Les étapes de la réhabilitation après un événement traumatique

Imaginez un objet cassé que vous avez recollé : vous pouvez toujours l'utiliser bien que vous soyez conscient qu'il est plus fragile et que vous devez en prendre davantage soin. De la même façon, un policier ayant souffert de stress traumatique sera plus ou moins transformé pour toute sa vie par cet incident, selon la gravité des traces laissées en lui. Il devra prendre le temps nécessaire pour absorber le choc de cet événement, se réhabiliter et composer à plus long terme avec les changements survenus dans sa vie. Les étapes de cette réhabilitation sont décrites ci-après, de même que les rôles de soutien attendus de chacun des proches de la victime au cours de ce processus de réhabilitation.

D'après Kischman (1997), un policier soumis à un stress post-traumatique doit traverser deux étapes dans son processus de réhabilitation : la stabilisation et l'intégration.

La stabilisation

La stabilisation consiste pour le policier à se rebâtir un sentiment de sécurité dans son environnement et à reprendre le contrôle sur ses fonctions physiques — comme l'appétit, le sommeil — et sur les réactions liées à l'hypervigilance et aux pensées indésirables se rapportant à l'événement traumatique. Cette étape commence après l'incident et se poursuit habituellement pendant la semaine ou le mois qui suit.

L'intégration

L'intégration de cette expérience s'effectue au cours du processus suivant : premièrement, le policier doit *donner un sens à l'événement* qui lui est arrivé. Il devra trouver *sa* réponse aux questions suivantes : « Qu'est-ce qui est arrivé ? Pourquoi est-ce arrivé ? Pourquoi ai-je agi comme je l'ai fait ? Comment s'explique mon comportement depuis l'événement ? Qu'est-ce qui se passera si la même situation se reproduit ? » (Kirschman, 1997, p. 101).

Il devra aussi *réviser ses croyances de base* relatives à la vulnérabilité, la confiance, le contrôle et la responsabilité, afin de les remplacer par des croyances plus réalistes. Ces dernières l'aideront à admettre les aspects inacceptables de l'événement et à affronter les changements qu'il doit maintenant effectuer dans sa vie. La décision de retourner ou non au travail suscitera en lui des *sentiments d'ambivalence* qu'il devra d'abord écouter, pour arriver ensuite à prendre une décision le plus sereinement possible. Pendant des mois, les émotions et les images liées à l'incident auront tendance à remonter à sa mémoire. Le policier n'aura pas d'autre choix que de *revivre ces mémoires et ces émotions* pour pouvoir ensuite les laisser disparaître peu à peu du champ de sa conscience.

Comme il importe que le policier ne soit pas seul pour traverser ce difficile parcours, nous lui suggérons, de même qu'aux diverses personnes de son entourage, des actions qui peuvent l'aider après un incident traumatique.

Vous êtes vous-même impliqué(e) dans un incident critique

- *Tout de suite après l'incident,* il est recommandé de vous laisser prendre en charge par des personnes qui peuvent vous apporter du soutien. Vous êtes sous le choc de l'incident; il vous faut donc le temps et les moyens nécessaires pour récupérer du stress exceptionnel auquel vous avez été soumis(e).

- *Peu de temps après l'incident,* vous serez invité(e) à participer à un « *débriefing psychologique* » animé par des professionnels, en compagnie d'autres personnes victimes du même incident. Ce débriefing est différent du « débriefing opérationnel », qui est mené par les officiers du poste et porte sur les actions liées à l'opération policière. Le « *débriefing psychologique* » est une activité structurée permettant aux victimes de l'incident de s'exprimer, de valider leurs réactions et de diminuer l'impact négatif de l'incident, et favorisant la phase de stabilisation des personnes qui y ont été soumises (Black, 1997 ; Mitchell et Everly, 1997). Il est important d'y assister, même si vous auriez une tendance naturelle à l'éviter. Pour vous donner une idée de ce qui s'y passe, nous décrivons ci-après les étapes classiques d'un débriefing psychologique :

  1. *L'introduction :* les règles de fonctionnement de la réunion, les règles liées à la confidentialité et la création d'une atmosphère de confiance sont établies.

  2. *La phase des faits :* les personnes décrivent leur rôle dans l'incident; elles répondent à la question : « Qu'avez-vous fait ? »

  3. *La phase des pensées :* les personnes décrivent leurs premières pensées lors de l'incident : « Qu'est-ce qui vous est venu à l'esprit ? »

  4. *La phase des réactions :* les personnes décrivent leurs émotions : « Qu'est-ce qui a été le pire pour vous dans cet incident ? »

Tableau 6.7 Je reconnais des signes de stress post-traumatique en moi-même.

Quoi faire ?

- Oubliez votre orgueil : parlez, parlez, parlez. Exprimez ce que vous ressentez (réactions physiques, émotionnelles et cognitives) à une personne proche qui connaît les signes du stress post-traumatique. Choisissez une personne qui ne paniquera pas ou ne vous jugera pas.
- Donnez à vos proches les renseignements sur le stress post-traumatique dont vous disposez.
- Identifiez vos forces et vos faiblesses pendant l'incident sans vous juger.
- **Demandez de l'aide** et utilisez toutes les ressources que le Service de police met à votre disposition.
- Tenez compte des prescriptions des professionnels et du superviseur (médication, congés, assignation au poste, etc.).
- Entourez-vous de personnes en qui vous avez confiance plutôt que de rester seul(e).
- Préparez-vous pour le prochain incident en acquérant de la formation et en pratiquant des scénarios d'intervention en situations à haut risque de dangerosité.

Quoi éviter ?

- Vous isoler.
- Augmenter votre consommation d'alcool.
- Ne pas demander d'aide en pensant que ça se réglera tout seul.
- Penser que les autres ne peuvent pas comprendre parce qu'ils ne l'ont pas vécu.

Source : Ces suggestions sont inspirées en partie d'Artwohl et Christensen (1997).

5. *La phase des symptômes :* les personnes décrivent leurs réactions physiques, émotionnelles, cognitives et leurs comportements depuis l'incident critique jusqu'à maintenant.

6. *La phase d'information :* des renseignements sont donnés sur les réactions éventuelles à de tels incidents.

7. *La phase d'intégration :* des renseignements additionnels sont fournis sur les suites à donner et les ressources disponibles; les participants sont invités à se soutenir mutuellement autant que faire se peut.

Le tableau 6.7 résume quelques suggestions pour vous guider dans votre processus de réhabilitation au fil des jours qui suivront l'incident et le débriefing.

Votre conjoint(e) est impliqué(e) dans un incident critique

Il est difficile d'anticiper les réactions possibles de votre conjoint(e), ainsi que les vôtres, suite à un incident critique. Vous aurez donc tous deux à absorber le choc, ensemble mais différemment. Voici des suggestions pour vous aider à traverser cette épreuve (tableau 6.8).

Tableau 6.8 Si vous reconnaissez des signes de stress post-traumatique chez votre conjoint(e).

Quoi faire ?

- Assurez-vous d'être soutenu(e) par des amis à qui vous pouvez demander de l'aide, et par le programme d'aide du Service de police.
- Dans la mesure de vos moyens, assurez la stabilité dont il (elle) a besoin en prenant en charge l'organisation de la vie quotidienne.
- Admettez que votre relation sera temporairement transformée.
- Reconnaissez et exprimez votre colère de façon appropriée.
- Luttez contre la culpabilité (stratégie d'ajustement 15, p. 60).
- Prenez soin de vous.
- Écoutez votre conjoint(e) sans tenter de modifier sa perception ou ses sentiments liés à l'incident.
- Adoptez une approche de résolution de problèmes.
- Exprimez ponctuellement votre engagement, votre affection et votre pleine confiance en ses ressources.
- Sortez ensemble; passez du temps avec lui (elle); distrayez-vous.
- S'il y a lieu, dédramatisez et légitimez l'usage de médicaments en lui rappelant les effets physiques considérables de l'incident.

Quoi éviter ?

- Le (la) blâmer ou blâmer la situation.
- Consommer des drogues et de l'alcool.
- Lui imposer votre version des faits.
- Tolérer l'intolérable : violence, excès, etc.
- Jouer au sauveur.

Source : Les suggestions suivantes sont empruntées à Black (1997, 1999), Kirschman (1997, p. 116-117) et Brown (page consultée le 23 décembre 1999).

Votre collègue est ou a été victime d'un incident critique

Vos collègues et vous-même êtes les ressources les plus importantes pour un des vôtres qui subit un traumatisme (Blau, 1994). Ce que vous lui apporterez, chacun à votre façon, aura l'effet d'une « membrane traumatique », servant à le protéger de la détresse consécutive à l'incident (Lindy et coll., 1981 : *voir* Violanti, 1996b : Solomon et Horn, 1986).

Si vous arrivez rapidement sur les lieux de l'incident, rappelez-vous que votre collègue est désorienté, en état de choc et en perte de contrôle. Procurez-lui la chaleur et l'impression de reprendre un peu de contrôle sur sa vie au moyen de gestes simples : lui donner un verre d'eau, l'aider à panser une plaie ou le faire asseoir confortablement à l'écart des lieux de l'incident. Calmez ses inquiétudes éventuelles concernant sa famille et les procédures administratives; il doit comprendre que la suite des événements sera prise en charge par d'autres pendant que lui, lentement, reprend le contrôle sur sa vie.

Vous serez vous-même touché par l'incident et participerez probablement au *débriefing psychologique*. Si vous avez une bonne relation avec ce (cette) collègue, vous serez une ressource importante dans son rétablissement au cours des semaines et mois à venir. Soyez à l'écoute de ses besoins et de ceux de sa famille et veillez, dans la mesure de vos limites personnelles, à lui apporter le soutien émotionnel ou instrumental dont il (elle) a besoin.

Au cours des semaines et des mois qui suivront, votre collègue reprendra son travail. Il est possible qu'il demeure plus vulnérable pendant un certain temps. Il est possible aussi que vous patrouilliez avec un collègue chez qui vous reconnaissez des réactions de stress traumatique. Le tableau 6.9 résume les actions à poser et à éviter envers un collègue aux prises avec du stress traumatique.

Tableau 6.9 Je reconnais des signes de stress post-traumatique chez un collègue.

Quoi faire ?

- Observez.

- *Écoutez attentivement : soyez là, vraiment là, sans plus;* ne le forcez pas à parler; s'il veut parler de l'incident, respectez sa perception sans le contredire.

- *Validez* et *normalisez* ce qu'il éprouve : *une réaction normale dans une situation anormale...* Rappelez-lui les *ressources extérieures* dont il dispose *(programme d'aide du Service de police).*

- *Aidez-le à remplacer ses pensées* découlant de ses résistances à demander de l'aide (« Je suis capable tout seul », « Je ne suis pas fou », etc.) par des pensées réalistes (stratégie d'ajustement 18, p. 62).

- Rappelez-lui les *ressources personnelles* que vous lui connaissez.

- *Appuyez-le discrètement dans ses démarches*, sans jamais les faire à sa place. Demandez-lui comment vous pouvez l'aider; encouragez-le à prendre soin de lui; signalez-lui que vous êtes content de voir qu'il va mieux lorsque vous observez des signes de progression, etc.

Quoi éviter ?

- Critiquer le comportement de ce collègue ou donner votre avis sur l'événement.

- *Répéter avec admiration à quel point il a été « fort, solide, un dur, un tueur ».*

- Nier ses réactions émotionnelles.

- Faire comme si rien ne s'était passé (négation).

- L'amener boire un coup quand il parle de sa culpabilité.

- L'encourager dans ses prétentions à tout vouloir régler par lui-même.

- Lui dire que vous comprenez ce qu'il éprouve, surtout si vous n'avez rien vécu de semblable.

- Lui citer des exemples de policiers qui ne s'en sont pas sortis.

- Le considérer comme un malade et vous comporter autrement que d'habitude à son égard.

Source : Ces suggestions sont empruntées à Blau (1994), Artwohl et Christensen (1997), Black (1999).

Vous êtes le supérieur immédiat de la victime

Les superviseurs ont un rôle de soutien aussi important que les pairs lors d'un incident critique. Spécialement après une fusillade, alors que l'administration de la police doit poser un jugement sur les gestes posés pouvant entraîner des mesures disciplinaires, le policier est tellement sensible à la façon dont il est traité que la sévérité du traumatisme dépendra en grande partie de l'attitude de ses superviseurs (Solomon et Horn, 1986).

Il vous incombe donc de voir à lui faciliter l'ensemble des procédures administratives de suivi de l'incident, tout en prenant soin de ses besoins d'intégrité, d'intimité et de respect. Le tableau 6.10 présente les comportements à adopter à l'égard du policier.

En mettant en place toutes les ressources susceptibles d'apaiser le tumulte du stress post-traumatique, le policier et ses proches pourront, à leur rythme et en tenant réalistement compte de l'étendue des dégâts, traverser cette pénible épreuve et devenir des « survivants ». Ils auront intégré cette expérience dans leur vie et seront éventuellement en mesure de soutenir leurs collègues ou les citoyens aux prises avec une souffrance semblable.

Tableau 6.10 Un policier de votre équipe est victime d'un événement traumatique.

Quoi faire ?
• Assurez-vous qu'il puisse communiquer avec sa famille.
• Veillez à ce que le policier soit raccompagné chez lui par un membre du Service de police pour informer et apaiser la famille quant à l'événement.
• Incitez-le à profiter des ressources d'aide prévues en de tels cas par le Service de police.
• Éloignez-le des curieux et des médias.
• Préparez-le à se protéger mentalement de la couverture médiatique de l'événement.
• Informez-le clairement sur l'événement et les procédures d'enquête qui s'ensuivront; le cas échéant, *expliquez-lui pourquoi vous reprenez son arme*.
• Donnez-lui du temps de repos avant l'interrogatoire de l'enquête.
• Accordez-lui un congé administratif.
• Informez ses collègues pour lui éviter leurs questions.
• Filtrez ses appels si son numéro de téléphone n'est pas confidentiel.
• Favorisez un retour au travail progressif.

Quoi éviter ?
• Isoler le policier.
• Faire des remarques ou porter un jugement négatif sur son rôle dans l'incident; compte tenu de sa fragilité, ces remarques auraient l'effet d'un poison.

Source : Ces suggestions sont fournies par les auteurs suivants : Solomon et Horn (1986); Anderson et coll. (1995); Nurse (1996, p. 3-4).

Résumé

Les réactions de stress post-traumatique sont le résultat de l'interaction entre l'événement traumatique et la personne qui le subit.

Les événements traumatiques varient selon leur intensité et leur durée et laissent au policier des traces proportionnelles à sa responsabilité et au rôle qu'il y a joué. Les événements les plus marquants pour les policiers sont l'implication directe dans une fusillade ou dans toute situation où ils pourraient être ou se percevoir responsables de la vie ou de la mort de quelqu'un.

La réaction du policier variera en fonction de son niveau de victimisation, de la mesure avec laquelle ses systèmes de croyance — en ce qui a trait à son invulnérabilité, sa confiance, son contrôle sur les événements et son sentiment de compétence — seront ébranlés, de sa vulnérabilité et de ses ressources personnelles.

Les *réactions immédiates de stress post-traumatique* (pendant l'incident et jusqu'à deux jours après) sont aiguës; le policier souffre de distorsions perceptives et de dissociation. Un *état de stress aigu* peut résulter de l'exposition à un incident critique; il se distingue par des perturbations physiques, psychologiques et comportementales s'estompant au cours du mois qui suit. Si ces perturbations subsistent au-delà d'un mois, le diagnostic *d'état de stress post-traumatique* s'applique. Cet état se caractérise par la reviviscence, un comportement d'évitement, la diminution de la capacité à réagir et un état persistant d'activation, entraînant des perturbations dans toutes les sphères de la vie du policier.

Les services de police fournissent des instruments de soutien en cas d'événements traumatiques. Il est suggéré à chaque personne affectée par de tels incidents de ne pas minimiser la souffrance qu'ils impliquent et de se procurer ou de fournir aux autres le soutien nécessaire pour faciliter le chemin souvent pénible de la réhabilitation.

Étude de cas

Jean-Michel est agent depuis dix ans dans un district de la Sûreté du Québec. Au cours de ces années, il a acquis une expérience solide au fur et à mesure des événements qu'il a rencontrés. Il est reconnu au poste pour être « capable d'en prendre ». À ses amis non policiers qui lui demandent ce qu'il ressent lors des accidents d'automobile, des arrestations de criminels ou des suicides, il répond évasivement que c'est le métier, qu'on s'y fait... et il change le sujet de la conversation.

Au cours de sa carrière, il a dû faire feu une fois, blessant gravement un suspect qui avait braqué une arme sur lui lors d'un contrôle routier de sécurité routière. De retour au poste, tout le monde l'a félicité pour sa rapidité d'action et son efficacité. Les mois qui suivirent furent très pénibles à vivre. Habitant seul à l'époque, il a revécu constamment pendant un mois, sans en parler à personne, la scène du suspect braquant son arme sur lui, sans arriver à interrompre ce film. Encore aujourd'hui, le moindre contrôle de sécurité routière déclenche en lui une grande anxiété.

Deux ans plus tard, son partenaire Pierre-Paul et lui sont appelés sur les lieux du meurtre, suivi d'un suicide, d'un couple bien en vue de la région et ce, en pleine nuit, vers la fin de leur quart de travail. Deux mois auparavant, ils étaient intervenus auprès de ce couple dont le mari, sérieusement dépressif, menaçait de se suicider. Cette fois-ci, il ne s'était pas manqué... Cet événement, largement médiatisé dans la région, où son rôle et celui de son partenaire furent mentionnés dans les journaux, survint providentiellement juste à la veille de sa semaine de congé.

Il y a deux semaines, il a été appelé à intervenir lors d'une collision frontale; les ambulanciers et les pompiers ont dû travailler pendant deux heures avec les pinces de décarcération pour extraire les passagers d'un des véhicules, deux adultes et deux jeunes enfants, tous décédés sur le coup. Pendant tout ce temps, qui lui a semblé interminable, lui seul savait qu'il s'agissait d'amis proches d'un collègue de la relève. Machinalement, il a effectué tous les gestes nécessaires pour contrôler et rétablir la circulation. De retour au poste, il s'est occupé de soutenir son collègue dans cette épreuve, sans que les autres policiers ne portent attention à ses propres réactions. Il ne se rappelle pas vraiment comment il est rentré à la maison ce soir-là. Des images discontinues de l'accident revenaient à sa conscience, à la manière d'un stroboscope.

À la maison, depuis ce dernier événement, Annie constate que Jean-Michel n'est plus le même. La nuit, il semble faire des cauchemars et se réveille en sursaut. Il est agressif avec les enfants, de façon imprévisible. Il paraît absent, ailleurs, dans un autre monde. Elle s'inquiète de son attitude distante entrecoupée d'excès subits d'humeur. Elle constate également qu'il consomme beaucoup plus d'alcool.

Pour sa part, Jean-Michel panique devant ses propres réactions. Les images des corps mutilés des enfants le hantent. Il courrait des kilomètres pour les évacuer de son esprit. Seul l'alcool semble apaiser ce mal qui le ronge. « À quoi suis-je utile si ce n'est qu'à regarder mourir les gens ? » « Ne suis-je pas censé être là pour protéger des vies ? » La peur l'envahit dès que survient un appel impliquant un simple accrochage ou une demande d'aide psychosociale. Il se sent à bout de ressources. « Qu'est-ce qui m'arrive ? Suis-je en train de devenir fou ? »

1. Quelles sont les caractéristiques de chacun des événements rencontrés par Jean-Michel qui contribuent potentiellement au développement des signes de stress post-traumatique ?

   Fusillade : _____

   Meurtre suivi d'un suicide : _____

   Accident d'automobile : _____

2. Quels sont les niveaux de victimisation de Jean-Michel lors de ces trois incidents ?

   Fusillade : _____

   Meurtre suivi d'un suicide : _____

   Accident d'automobile : _____

3. Quels systèmes de croyance sont ébranlés chez Jean-Michel lors du troisième incident ?

   _____

4. Quel obstacle, lié à sa personnalité et pouvant nuire à l'intégration de ces événements traumatiques, Jean-Michel rencontre-t-il ?

_____

_____

5. a) Quelles sont les réactions de stress post-traumatique observables chez Jean-Michel ?

_____

   b) Quelle expression utiliseriez-vous pour nommer ces réactions ?

_____

6. Pour chacun de ces événements, suggérez à chaque personne faisant partie de son mésosystème des actions qui auraient pu apporter à Jean-Michel le soutien nécessaire pour affronter ses réactions de stress post-traumatique.

   Annie : _____

   Pierre-Paul : _____

   Son superviseur : _____

Chapitre 7
La dépendance à l'alcool_____

Le stress et l'alcool sont tous deux une lame à double tranchant : ils peuvent convenir à une personne alors même qu'ils seront poison pour une autre (Rosch, 1998, p. 137).

Pascal, 33 ans, est agent depuis 12 ans dans une petite municipalité. D'un tempérament fonceur, il a commencé sa carrière avec enthousiasme, content et fier d'être policier auprès des citoyens de sa ville d'origine. Graduellement, ses collègues et sa conjointe ont commencé à remarquer des changements dans son comportement.

Un incident, dont il ne parle que lorsqu'il a trop bu, semble l'avoir perturbé émotionnellement : il y a cinq ans, répondant à un appel de nuit signalant le déclenchement d'un système d'alarme commercial, lui et son partenaire se sont trouvés face à face avec deux individus armés en train d'entrer par effraction et il a été atteint d'une balle à l'épaule. Après quatre mois de repos, il retournait au travail malgré des problèmes d'insomnie et d'anxiété marquée qui persistent depuis lors. Il se croyait capable de s'en sortir seul; c'est d'ailleurs ce qu'il continue à faire courageusement chaque nuit où il doit patrouiller dans ce secteur.

Ces dernières années, il a commencé à fréquenter un bar après les quarts de travail et pendant ses jours de congé; il apprécie la détente que cela lui procure. Progressivement, la majeure partie de ses intérêts et de ses relations s'est concentrée autour de l'alcool. Dernièrement, il n'est pas rentré au travail deux matins de suite, incapable de se lever après avoir picolé une bonne partie de la nuit. Sa conjointe, essayant de cacher son comportement aux enfants, aux collègues du poste et à la famille, attribue son état à la fatigue. Son partenaire de travail constate la détérioration rapide de son état et a tenté en vain de lui parler de sa consommation d'alcool. Avant, on avait plaisir à faire la fête avec Pascal; maintenant, Pascal n'a plus de plaisir du tout, ni avec les gars ni tout seul.

L'alcool est légal et associé au plaisir, aux relations sociales et à la fraternisation. Il exerce un effet dépresseur sur l'organisme en neutralisant les effets adrénergiques des événements stressants rencontrés lors du travail policier. Pour Pascal, cette substance fait en outre office de remède, rendant temporairement plus supportable la souffrance associée aux réactions de stress post-traumatique qui le hantent depuis quelques années. Au fur et à mesure que sa consommation augmente, son entourage et lui-même expérimentent l'autre tranchant de la lame, celui de la dépendance à l'alcool. Pour comprendre les mécanismes de la dépendance à l'alcool, ce chapitre vise à :

- identifier les signes de dépendance à l'alcool;
- évaluer l'ampleur de cette conséquence du stress chez les policiers;
- traiter du développement de la dépendance à l'alcool chez les policiers;

- décrire les effets de la consommation abusive d'alcool;
- présenter les caractéristiques psychologiques et relationnelles de la dépendance à l'alcool;
- suggérer des pistes d'action en présence de signes de dépendance.

7.1 Les signes de dépendance à l'alcool

Médicalement, les vocables « alcoolisme » et « toxicomanie » correspondent au concept de « dépendance à une substance », ce qui met l'accent sur le « processus » de la dépendance plutôt que sur la « tare » de la personne affectée. De plus, elle permet de reconnaître le pouvoir dominant, reconnu scientifiquement, des substances consommées sur le développement des dépendances.

Bien que chaque substance produise un effet différent sur l'organisme et présente des caractéristiques spécifiques en ce qui a trait à la rapidité de développement d'une dépendance et le sevrage, le concept de « dépendance à une substance » englobe médicalement toutes les **substances psychotropes**. Le processus associé au phénomène de la dépendance est commun à tout psychotrope susceptible d'entraîner une dépendance chez les policiers. C'est pourquoi, hormis les effets physiques attribuables à la substance, les comportements liés au jeu pathologique sont comparables à ceux qui caractérisent la dépendance à l'alcool. De la même façon, quoique sans validation scientifique et médicale, un courant actuel tend à étendre l'appellation « dépendance » à des domaines comme la sexualité et l'affectivité. Étant donné que la dépendance à l'alcool est la plus susceptible de sévir dans le milieu policier, ce chapitre se limitera à ce type de dépendance.

Certains mythes concernant la consommation d'alcool et la dépendance à l'alcool doivent d'abord être confrontés à la réalité, comme le démontre le tableau 7.1.

Tableau 7.1   Mythes et réalités de la dépendance à l'alcool (adapté de Kirschman, 1997).

Mythes	Réalités
1. Un « alcoolique » est un gars toujours saoul ou itinérant.	1. Une personne souffrant d'une dépendance à l'alcool peut exercer sa profession et mener une vie apparemment normale. Elle peut bien effectuer son travail pendant longtemps avant que sa performance ne soit affectée par l'alcool.
2. L'alcoolisme est causé par un manque de volonté, une faiblesse de caractère ou le stress.	2. Personne ne sait vraiment ce qui pousse quelqu'un à boire.
3. Une personne qui boit trop et se tient mal ne « sait pas boire »; une autre, qui boit autant sans être déplacée, « sait boire »; elle porte bien l'alcool.	3. Le fait de bien porter l'alcool est plutôt un indice de « tolérance à l'alcool », un des signes de la dépendance à l'alcool.

Mythes (suite)	Réalités (suite)
4. « Qui a bu boira. »	4. Plusieurs personnes dépendantes de l'alcool peuvent redevenir et rester sobres à vie.
5. Pour être qualifié d'alcoolique, il faut boire tous les jours.	5. La dépendance à l'alcool ne se mesure pas à la fréquence ou à la régularité de la consommation.
6. Un alcoolique qui cesse de boire n'a plus de problème.	6. L'abstinence est le début d'une démarche qui changera plusieurs aspects de la vie d'une personne dépendante.

Une fois ces mythes démontés, quels indices réels permettent de déceler une dépendance à l'alcool chez une personne ? Certaines manifestations peuvent trahir une modification du fonctionnement ou une souffrance attribuable à la consommation indue d'une substance. Le tableau 7.2 présente les critères diagnostiques de la dépendance à une substance, tels qu'identifiés dans le DSM-IV (American Psychiatric Association, 1994, p. 109) :

Tableau 7.2   Indices ou signes de dépendance à une substance (il y a dépendance lorsqu'on observe au moins **trois de ces manifestations au cours d'une période continue de 12 mois**

1. Tolérance : a) besoin de quantités beaucoup plus grandes pour obtenir une intoxication ou l'effet désiré; b) effet considérablement diminué en cas d'utilisation continue de la même quantité de substance.
2. Sevrage caractérisé par l'une ou l'autre des manifestations suivantes : a) syndromes de sevrage particuliers à la substance; b) la même substance est consommée pour soulager ou éviter les symptômes de sevrage.
3. Excès dans la fréquence de consommation et la quantité consommée.
4. Désir persistant de consommer, ou efforts infructueux pour diminuer ou contrôler l'utilisation de la substance.
5. Activités concentrées autour de la substance.
6. Réduction des activités sociales et professionnelles ou des loisirs à cause de la consommation.
7. Maintien de la consommation, bien que la personne reconnaisse avoir un problème psychologique ou physique persistant ou récurrent relié à la substance.

7.2 Incidence comparée de la consommation d'alcool et de la dépendance à l'alcool

Sans émettre systématiquement un diagnostic médical de dépendance à l'alcool, la médecine considère l'indice de 14 consommations et plus par semaine comme potentiellement associé à la présence de problèmes de santé personnelle, familiale et physique. En 1994, Santé Québec évaluait à 5 % la population du Québec qui consommait 14 consommations ou plus par semaine, qu'elle appartienne aux catégories « gros buveurs » (plus de deux consommations par jour), « buveurs abusifs » (environ cinq consommations par jour) ou « dépendants ». Le tableau 7.3 détaille ce pourcentage en fonction de l'âge et du sexe (Pageau et coll., 1997).

Tableau 7.3 Pourcentage de la population du Québec qui consommait 14 consommations et plus en 1994, selon l'âge et le sexe.

Âge	Hommes	Femmes
15 – 24 ans	10,4 %	2,9 %
25 – 44 ans	12,3 %	2,5 %

Lors d'une enquête nationale menée par Statistique Canada, 6 % des Canadiens se distinguaient par leur consommation abusive d'alcool et 8 % des Canadiens adultes auraient eu des problèmes familiaux liés à l'alcool (Eliany, 1991).

On peut difficilement comparer les données provenant d'études menées auprès de policiers à celles de l'ensemble de la population. En effet, les données valides sur l'incidence de la dépendance à l'alcool en milieu policier sont encore plus difficiles à obtenir, pour plusieurs raisons : la crainte de représailles disciplinaires, du non-respect éventuel de la confidentialité ou la loi du silence (Dietrich, 1986). En tenant compte de ces réserves, voyons comment se comparent les pourcentages de policiers ayant un problème de consommation abusive ou de dépendance avec ceux que l'on retrouve dans la population en général.

Dans les pays occidentaux, 5 % à 8 % de la population abuse de l'alcool ou en est dépendant. Chez les policiers, cette proportion est de 25 % selon Kroes (1976 : *voir* Moriarty et Field, 1990), de 23 % et de plus de 20 % selon deux études citées par Ellison et Genz (1983), et varie de 5 % à 30 % selon une recension des études sur la dépendance à l'alcool chez les policiers en Amérique du Nord, effectuée par Dietrich (1986) pour le compte de la GRC.

Ces pourcentages, dont l'étendue est variable, ne permettent pas de conclure à une plus grande incidence de la dépendance à l'alcool chez les policiers que dans la popula-tion en général, les critères servant à mesurer la dépendance ou la consommation abusive variant selon les études, et les échantillons n'étant pas comparables. Ces statistiques très imprécises n'ont d'utilité que dans la mesure où elles incitent à comprendre la réalité de chaque policier et de son entourage aux prises avec un problème d'alcool.

7.3 Le développement de la dépendance chez les policiers

Au début, l'homme a pris un verre, ensuite le verre a pris un verre, puis le verre a pris l'homme (Proverbe japonais cité par Seligman, 1993, p. 201).

Certaines personnes consomment beaucoup d'alcool sans développer de dépendance alors que d'autres deviennent dépendantes. Pourquoi ? Comment se fait-il qu'une certaine proportion de policiers risquent d'être aux prises avec un problème d'alcool ?

Le rôle de la famille

Bien des questions au sujet de l'identification des personnes pouvant développer une dépendance à l'alcool demeurent sans réponse. Commençons par une certitude : les hommes développent la dépendance à l'alcool en plus grand nombre que les femmes. Une autre certitude : il n'y a pas un type de personnalité plus susceptible de développer une dépendance qu'un autre. La seule caractéristique commune aux personnes dépendantes à l'alcool est leur vulnérabilité à l'alcool. Cette vulnérabilité est habituellement présente aussi chez les parents de ces personnes (Vaillant, 1983 : *voir* Dietrich, 1989). La dépendance à l'alcool est une « maladie de famille ». Certains facteurs expliquant cette vulnérabilité sont présentés ci-après.

Ce n'est pas la seule instabilité familiale qui rend les enfants plus vulnérables à l'alcool : cette instabilité doit avoir pour cause la dépendance à l'alcool des parents. Certains dépendants, appelés primaires, développeraient précocement la dépendance au cours de l'adolescence. Ils seraient issus d'une famille dont la plupart des membres, génération après génération, souffrent ou ont souffert de dépendance, laquelle proviendrait d'une incapacité génétique à produire une quantité normale d'analgésiques naturels appelés endorphines, dont la fonction est de procurer un sentiment de bien-être et de détente. La consommation d'alcool procurerait donc à ces personnes un sentiment de bien-être comparable à celui qui est normalement généré par la sécrétion d'endorphines (Dietrich, 1989).

L'environnement familial contribue au développement des dépendances; en effet, les parents dépendants peuvent difficilement créer l'environnement affectueux, sécurisant et structuré dont les enfants ont besoin pour grandir harmonieusement. Ils procurent donc plutôt à leurs enfants un environnement stressant qui augmenterait la probabilité de consommation abusive à l'âge adulte (Rosch, 1998). Les enfants apprennent par imitation; les parents qui consomment enseignent à boire à leurs enfants en valorisant la consommation d'alcool à plusieurs fins, comme la fête, mais aussi la solution de problèmes ou l'inhibition de la timidité, par exemple (Goodwin, 1988). Par ailleurs, l'adoption par l'enfant devenu adulte d'un comportement de consommation similaire à celui de l'un de ses parents pourrait s'expliquer par sa motivation inconsciente à réparer la souffrance initiale vécue en présence de ce parent, en répétant la même situation.

Que l'origine des dépendances soit innée ou acquise, il est cependant clair que la famille en constitue le lieu d'incubation premier.

La filière policière

La culture policière

Boire, et même se saouler, sont des comportements associés dans notre culture à la « virilité » et susceptibles d'être adoptés dans toute l'ampleur de cette connotation par la culture policière. Aller prendre une bière après une journée particulièrement difficile ou réussie, décompresser, fraterniser et se détendre autour d'un verre sont des activités utiles et intéressantes, mais qui peuvent conduire à des abus (Dietrich, 1986). En fonction des milieux, l'alcool peut contribuer à l'initiation des nouveaux, à développer l'esprit de corps, le sentiment d'appartenance et la cohésion. Il est possible que des habitudes de consommation en groupe entraînent un relâchement des normes d'évaluation de l'abus d'alcool, qui cesse alors d'être considéré comme un comportement déviant. Un milieu où tout le monde boit peut même faire obstruction au traitement de la personne dépendante en niant son problème et en l'encourageant à le nier (Fine et coll., 1982, Barker, 1978, 1982 : *voir* Dietrich, 1986). Il appert que le risque d'abus d'alcool chez les policiers augmente dès les deux premières années de service (Beutler et coll., 1988).

Le stress policier et l'alcool

Le stress est un important facteur responsable de la consommation d'alcool des policiers, laquelle est donc potentiellement reliée aux exigences professionnelles propres à leur métier (Moriarty et Field, 1990; Violanti et coll., 1985). Au nombre de ces exigences, la **répression émotionnelle** contribue singulièrement à la consommation d'alcool : d'abord utilisée pour protéger le policier des émotions intenses de son métier, cette répression conduit, avec le temps, à l'épuisement émotionnel et à la « déshumanisation », composantes de l'épuisement professionnel (p. 119). Du coup, elle intensifie le stress, qui se manifeste entre autres par des attitudes et des comportements cyniques à l'égard des citoyens et de l'organisation. Le cynisme rend amer et n'apaise en rien le stress ressenti. L'alcool pallierait donc l'échec de stratégies d'ajustement inappropriées comme le cynisme. La figure 7.1 montre les liens entre ces facteurs explicatifs.

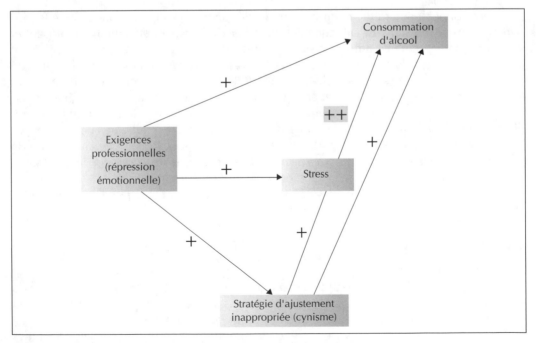

Figure 7.1 Le lien entre le stress et la consommation d'alcool chez les policiers (adapté de Violanti et coll., 1985, p. 107 et de Dietrich, 1986b).

Selon les recherches de Violanti et coll. (1985), le *stress est de loin le facteur le plus influent sur la consommation d'alcool*, tel qu'illustré par le signe ++. La répression émotionnelle a un effet direct sur la consommation d'alcool tout en augmentant indirectement le stress, lequel agit à son tour sur la consommation d'alcool. Il en est de même pour le cynisme, qui est censé diminuer les effets de la répression émotionnelle, mais accroît plutôt le stress et la consommation d'alcool qui s'ensuit, aggravant ainsi directement la consommation d'alcool.

Sans présumer de leur importance respective, les caractéristiques personnelles liées à l'origine familiale du policier, la culture policière et le stress fournissent des réponses aux motifs de sa consommation d'alcool. Quels sont maintenant les effets de la dépendance à l'alcool ?

7.4 Les effets de la consommation abusive d'alcool

L'intoxication à l'alcool comporte habituellement quatre étapes : la phase joviale, la phase belliqueuse, la phase larmoyante et la phase comateuse. Des variables individuelles et culturelles peuvent expliquer les différences d'intensité de ces phases selon les individus.

À long terme, l'abus d'alcool est en soi un agent stressant pour les systèmes cardio-vasculaire et digestif, déjà fortement sollicités dans le cadre du travail policier par le recours fréquent au mécanisme du SGA (p. 26). Ajouté au stress, cet abus augmente le risque de développer éventuellement de l'hypertension, des troubles cardiaques et des cancers du système digestif, maladies reconnues comme étant des conséquences physiques habituelles du stress des policiers (p. 27).

L'alcool lève les inhibitions et augmente le désir sexuel, mais diminue cependant la capacité d'érection (Goodwin, 1988). Les problèmes sexuels sont fréquents chez les couples dont l'un des partenaires abuse de l'alcool, non seulement pour des raisons physiques, mais également à cause des difficultés de communication et d'organisation de la vie quotidienne existant chez ces couples.

L'anxiété et la dépression sont des conséquences de l'abus d'alcool et peuvent également survenir pendant la consommation, lorsque celle-ci s'étend sur une longue période de temps ininterrompue (Goodwin, 1988). Des pertes de mémoire, communément appelées « black-out », en découlent également. Au cours de ces périodes, la personne accomplit cependant les gestes habituels, comme converser, conduire ou voyager; elle est donc alerte et consciente, tout en étant incapable de se rappeler quoi que ce soit par la suite.

La somnolence, des changements subits d'états émotifs ou de comportements, le fait de parler sans arrêt, la perte de compétitivité, l'impatience et l'irritabilité constituent des effets possibles de la consommation abusive d'alcool. D'autres effets, comme l'emprunt injustifié d'argent, une impression de confusion dans les contacts interpersonnels et lors des interventions ainsi qu'une apparence physique négligée, peuvent aider à détecter un problème d'alcool chez un policier. Attention cependant de sauter trop vite aux conclusions, ces indices pouvant être liés à d'autres causes que la consommation d'alcool.

7.5 Les caractéristiques psychologiques et relationnelles de la dépendance à l'alcool

Plus une personne consomme abusivement de l'alcool, plus elle compromet ses ressources de protection contre le stress, sa santé physique, sa contrôlabilité, son estime d'elle-même et son réseau de soutien social, ce qui l'enfonce encore davantage dans la dépendance (Rosch, 1998). En conséquence, cette personne et ses proches adoptent des réactions psychologiques et des modes de communication qui renforcent le cercle de la dépendance.

La préoccupation du contrôle

La dépendance est liée au contrôle. « Il ne s'agit pas ici d'un manque de contrôle, mais plutôt d'un besoin de contrôle » (Kline, 1985 : *voir* Dietrich, 1989, p. 6). La personne dépendante alterne sans cesse entre l'obsession, la compulsion et la culpabilité. L'*obsession* réfère ici à la préoccupation constante à l'égard de la substance : à quel moment de la journée commencer à consommer ? Où s'en procurer ? Se dire qu'on va prendre une seule consommation et fermer le bar; planifier ses sorties de même que ses allées et venues en fonction de l'alcool. Cette obsession s'accompagne de la *compulsion*, qui est la répétition irrépressible du comportement de consommation (Goodwin, 1988). Après un excès de consommation, l'état dépressif, la *culpabilité* et l'autodépréciation s'installent, devenant intolérables au point que les pensées obsessionnelles reliées à la substance et le recours à la consommation deviennent le seul remède possible contre ces sentiments.

Les proches de la personne dépendante finissent normalement par suivre le même cycle, non pas à l'égard de la substance, mais plutôt par rapport au comportement de cette personne. Pour empêcher le partenaire de consommer, ils tentent d'échafauder des plans pour le contrôler, l'esprit obnubilé par sa consommation. Leur anxiété augmente, déclenchée et alimentée par les comportements de consommation de la personne dépendante. La tension accumulée est libérée compulsivement en accusations et tentatives maladroites de contrôler la personne dépendante : par exemple, dans l'espoir de limiter sa consommation, ils choisissent de sortir ou de boire avec elle, font disparaître les bouteilles ou piquent des colères. Le même processus de culpabilisation et d'autodépréciation succède à ces vaines tentatives. La personne dépendante retourne consommer et le cycle recommence.

La figure 7.2 illustre le mécanisme de la hantise du contrôle chez la personne dépendante et ses proches.

Soumises au cycle « obsession, compulsion, culpabilité », les vies de la personne dépendante et de ses proches sont donc sous l'emprise du thème du contrôle. En effet, la personne dépendante essaie de contrôler sa consommation; elle contrôle son environnement pour pouvoir consommer; elle se donne l'illusion de contrôler les effets de la substance mais subit les répercussions de ses pertes de contrôle, pour finalement devenir de plus en plus impuissante à exercer ce contrôle. Celui ou celle qui vit avec la personne dépendante passe au travers d'un processus identique, non pas en rapport à la

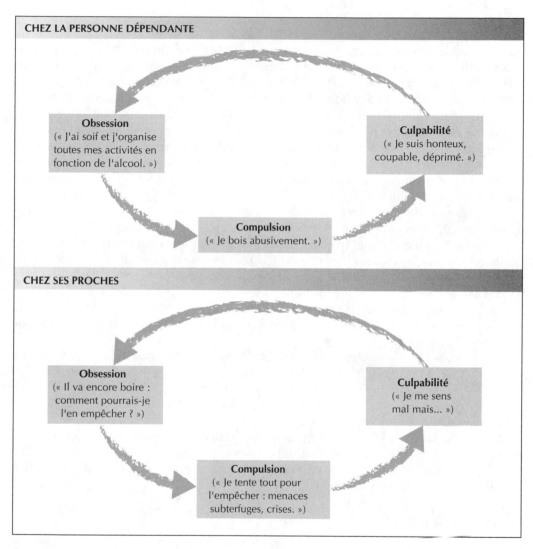

Figure 7.2 Le cercle du contrôle.

« substance » cette fois, mais à « la personne proche qui consomme la substance » : elle tente de contrôler la consommation de la personne dépendante, se donne l'illusion de contrôler l'autre personne et n'y arrive pas, développant de plus en plus un sentiment d'impuissance face à elle-même et à l'autre.

La vie d'une personne dépendante et de ses proches est nécessairement mouvementée : ce cercle du contrôle ressemble à une montagne russe physique et émotionnelle où une souffrance de plus en plus durable remplace le plaisir toujours plus bref d'une consommation abusive croissante.

La négation

Soumise au joug de l'alcool et souffrant de la honte liée à sa consommation, une personne dépendante adopte un mécanisme de protection appelé la négation. Ce mécanisme de défense l'empêche de reconnaître les signes de sa dépendance et d'enrayer sa progression. C'est ce mécanisme qui complique l'identification et le traitement de ce problème. Il se traduit par des propos tels que : « Tout le monde boit », « Je peux arrêter quand je veux », « Ce soir, j'étais fatigué et l'alcool m'a fait plus d'effet... ». La personne dépendante se ment à elle-même, atténue et déforme la réalité, se fâche lorsque ses excès de consommation lui sont repprochés. Elle accuse les autres d'être responsables des événements malheureux de sa vie, se protégeant ainsi de l'étiquette d'alcoolique et des préjugés sociaux qui y sont associés (Gilbert, 1986).

En présence de tels comportements et dans le but de se protéger eux aussi des projections négatives et des sentiments qui les accompagnent, ses proches développent le même mécanisme de défense. En effet, ils cachent aux tiers les comportements excessifs de consommation de la personne dépendante. Ils excusent et minimisent les conséquences de sa consommation : « Il a un peu bu, hier soir »; « Ça n'était pas si pire, ce qu'il a fait; les gens ne savent pas s'amuser s'ils se scandalisent pour si peu ! »; « Tout est sous contrôle ! ».

Le processus de négation fait régner la confusion dans le « système » dont font partie la personne dépendante et ses proches. Il devient alors difficile de reconnaître la réalité et de la dénoncer afin d'agir pour la modifier.

Les enfants ayant vécu dans une famille où le processus de négation conditionne les relations entre les parents, et envers les enfants, en subissent les conséquences à l'âge adulte. Ils ont quatre fois plus de chances que les enfants de familles n'ayant pas connu ce problème de devenir eux-mêmes dépendants à l'alcool, de vivre avec un(e) conjoint(e) dépendant(e), de rencontrer des difficultés reliées à l'acceptation et à l'estime de soi, à la confiance, au contrôle et à l'intimité dans leurs rapports interpersonnels. Souvent, ces enfants devenus adultes reconnaissent difficilement que leurs problèmes sont liés à l'alcoolisme de leur(s) parent(s), ayant été soumis très tôt à la « loi du silence » de la négation (Boivin et Violette, 1994; Charland et Côté, 1996).

La compensation

Lorsqu'un muscle est blessé, les autres groupes de muscles développent des mécanismes de compensation pour permettre à l'organisme de s'adapter à cette déficience. Il en va de même de la réaction d'une personne dépendante et de ses proches.

En effet, la personne dépendante crée des déséquilibres dans plusieurs sphères de sa vie : perte de permis de conduire, absentéisme, maladies, erreurs au travail, difficultés financières, juridiques et problèmes relationnels. Elle tend à compenser ces déséquilibres par la négation, le mensonge et la création d'une vie parallèle, tentant ainsi de rétablir un certain équilibre qu'elle rend en fait de plus en plus précaire en poursuivant et en aggravant ses comportements de consommation.

Ses proches subissent les effets de sa consommation et développent eux aussi des comportements compensatoires pour s'adapter à ce déséquilibre; ils tenteront d'assumer ses responsabilités ou de la couvrir. Par exemple au travail, ils retireront progressivement le leadership des interventions à leur partenaire et feront les choses à sa place en le tenant à distance. De cette manière, ils se conduisent en *« sauveur »*. Des attitudes de « super superviseur » et de « super patrouilleur » peuvent se développer chez certains membres de l'équipe (Dietrich, 1989). Lorsqu'ils se sentiront écrasés par la lourdeur de la tâche, ils se percevront comme *« victimes »* de leur partenaire. À ce moment, le vent peut tourner et ils peuvent devenir les *« bourreaux »* de celui-ci, submergés par la frustration et la colère de devoir subir les conséquences de son incapacité (Moriarty et Field, 1990; Kirschman, 1997).

Ces trois attitudes — contrôle, négation, compensation — sont des stratégies d'ajustement *normales dans une situation anormale.* Elles sont pourtant inefficaces parce qu'elles renforcent le cycle du contrôle déjà en place. En effet, ces comportements risquent d'augmenter la consommation d'une personne dépendante en raison de la déresponsabilisation, de la culpabilisation et de l'autodépréciation qu'ils entraînent chez elle.

Étant donné que l'énergie de la personne dépendante et de ses proches est consacrée au contrôle, à la négation et à la compensation, le système tout entier dévie de ses objectifs premiers. Dans une relève, les services aux citoyens peuvent être affectés par ce détournement de l'énergie des patrouilleurs et du superviseur. Dans une famille, le devoir premier d'assurer la sécurité et l'amour aux enfants est négligé. Le retour à l'équilibre de ces systèmes passera par la réhabilitation de la personne dépendante et des personnes touchées par le problème.

7.6 Réagir aux signes de dépendance à l'alcool
Prévenir le problème

Il est possible d'adopter un mode de vie qui réduise la probabilité de développer une dépendance. Voici quelques comportements favorisant ce mode de vie.

Mesures de prévention d'une dépendance à l'alcool

- *Observez-vous : besoin d'alcool après un appel stressant, fréquence et volume de consommation, fréquentations associées à la consommation.*
- *Utilisez des stratégies d'ajustement autres que la consommation, appropriées aux événements stressants que vous rencontrez.*
- *Parlez de ce que vous éprouvez.*
- *Respectez votre programme de conditionnement physique.*
- *Prenez au sérieux les commentaires ou les boutades des autres sur votre consommation abusive d'alcool.*
- *Demandez de l'aide pour développer votre capacité à contrôler votre consommation.*

Reconnaître le problème

Étant donné que la négation est au cœur même du processus de la dépendance à l'alcool, il importe avant tout que la loi du silence concernant sa progression et ses ravages soit levée par la personne dépendante et ses proches. Après seulement, ils seront plus en mesure de trouver les moyens d'y remédier et de l'affronter.

En plus de générer un stress favorisant la consommation d'alcool, le milieu policier exerce sur ses membres des pressions qui renforcent leur difficulté à cesser de nier leur dépendance. En effet, s'avouer dépendant de l'alcool est un signe de faiblesse dans un milieu où la volonté et le plein contrôle sont valorisés. De plus, un policier dépendant à l'alcool risque davantage de se livrer à des comportements passibles d'amendes, comme conduire en état d'ébriété, à l'encontre même de la loi qu'il a le mandat de faire respecter. Par conséquent, les enjeux relatifs à la perte de crédibilité et à la perte d'emploi sont énormes pour un policier dépendant à l'alcool, et plus encore si s'ajoute à sa consommation d'alcool celle d'autres substances illégales.

Il n'existe pas de recette miracle pour briser le mécanisme très résistant de la négation et laisser place à la réalité. Il peut arriver que l'accumulation de difficultés rencontrées dans plusieurs domaines de la vie force une personne à s'interroger sur ce qui ne va pas et à reconnaître que l'alcool en est peut-être la cause. Parfois, il peut s'agir de proches qui envoient des messages sur sa consommation abusive ou tentent d'en parler. Quelquefois, les proches décident de demander de l'aide et de sortir eux-mêmes de la négation, ce qui peut faire prendre conscience à la personne de son problème. D'une façon ou d'une autre, la réalité doit s'imposer pour enclencher la réhabilitation. À cet effet, deux séries de questions sont présentées dans les tableaux 7.4 et 7.5 pour permettre de détecter une éventuelle dépendance chez vous-même ou une personne proche.

Tableau 7.4   Avez-vous un problème d'alcool ?

Répondez le plus honnêtement possible par oui ou par non.	OUI	NON
1. Avez-vous déjà décidé d'arrêter de boire pendant une semaine ou deux, sans pouvoir tenir plus de quelques jours ?		
2. Aimeriez-vous que les gens ne se mêlent pas de vos habitudes de consommation d'alcool et qu'ils cessent de vous dire quoi faire ?		
3. Avez-vous déjà changé de type d'alcool dans l'espoir d'éviter de vous enivrer ?		
4. Vous est-il arrivé, au cours de la dernière année, de devoir prendre un verre le matin pour arriver à démarrer votre journée ?		
5. Enviez-vous les gens qui peuvent boire sans se causer des problèmes ?		
6. Avez-vous éprouvé des problèmes liés à l'alcool au cours de la dernière année ?		
7. Votre façon de boire a-t-elle causé des problèmes à la maison ?		

	OUI	NON
8. Vous arrive-t-il, lors d'une soirée, d'essayer d'obtenir des consommations supplémentaires parce qu'on ne vous en sert pas suffisamment ?		
9. Vous dites-vous que vous pouvez cesser de boire n'importe quand, même si vous continuez à vous enivrer malgré vous ?		
10. Avez-vous manqué des journées de travail ou d'école à cause de l'alcool ?		
11. Avez-vous des trous de mémoire ?		
12. Avez-vous déjà eu l'impression que la vie serait plus belle si vous ne buviez pas ?		

Source : Alcooliques anonymes.

Interprétation : Si vous avez répondu oui quatre fois ou plus, vous avez probablement un problème d'alcool.

Tableau 7.5   Vous inquiétez-vous de la consommation d'alcool d'un proche ?

Ne répondez qu'aux questions qui s'appliquent à votre situation.	OUI	NON
1. La quantité d'alcool consommée par cette personne vous préoccupe-t-elle ?		
2. Mentez-vous pour dissimuler sa consommation d'alcool ?		
3. Rejetez-vous la responsabilité de sa conduite sur ses amis et collègues de travail ?		
4. Les projets sont-ils fréquemment chambardés ou annulés, ou les repas retardés à cause de la personne dépendante ?		
5. Vous arrive-t-il d'expliquer une mauvaise intervention par la conduite de votre collègue qui consomme ?		
6. Proférez-vous des menaces telles que : « Si tu ne cesses pas de boire, je vais te quitter », « Je vais en parler à l'officier », etc. ?		
7. Essayez-vous discrètement de sentir l'haleine de la personne qui consomme ?		
8. Avez-vous peur de contrarier la personne dépendante par crainte de provoquer une cuite ?		
9. Avez-vous déjà été blessé(e), gêné(e) ou choqué(e) par la conduite de la personne dépendante ?		
10. Les jours de congé ou les fêtes sont-ils gâchés à cause de sa consommation d'alcool ?		
11. Avez-vous déjà eu peur de la violence de la personne qui consomme ?		
12. Fouillez-vous pour trouver des cachettes d'alcool ?		

	OUI	NON
13. Éprouvez-vous parfois un sentiment d'échec en songeant à tout ce que vous avez fait pour contrôler la personne qui consomme ?		
14. Pensez-vous que vos autres problèmes seraient résolus si la personne dépendante cessait de boire ?		
15. Vous sentez-vous habituellement fâché(e), confus(e) ou déprimé(e) ?		

Source : d'après Al-anon Family Group Headquarters.

Interprétation : Si vous avez répondu oui à trois questions ou plus, vous semblez être perturbé(e) par la consommation de cette personne.

Vous êtes aux prises avec une dépendance à l'alcool

Reconnaître le problème est l'étape la plus difficile. Une fois celle-ci traversée, il existe des ressources pour vous aider à surmonter la dépendance. **Demandez de l'aide**, en dépassant la blessure d'amour-propre et les craintes que vous éprouvez peut-être en ce moment.

Le programme d'aide du Service de police pour lequel vous travaillez demeure la première ressource à utiliser : en toute confidentialité, des professionnels vous aideront à évaluer votre situation, pour ensuite vous faire les recommandations appropriées : une cure de désintoxication, une psychothérapie ou l'adhésion au mouvement des AA.

Peut-être y arriverez-vous seul(e) ? Mais à quel prix ? En effet, supposons que vous arriviez à contrôler votre consommation ou que vous l'arrêtiez complètement par l'unique force de votre volonté; que vous contrôliez votre consommation ou soyez sobre, vous resterez aux prises avec les mêmes émotions envahissantes, avec les mêmes attitudes qui vous ont précipité(e) dans la consommation, de même qu'avec les conséquences financiè-res, familiales et professionnelles de votre période de consommation.

Vous devrez impérativement modifier votre mode de vie et vos réactions face à vous-même et aux autres pour améliorer votre qualité de vie. Ce processus vous prendra du temps et de la patience, et amènera probablement des changements importants dans votre vie; ce sera plus facile et plus simple si vous ne le faites pas seul(e); vous augmenterez ainsi vos chances de rester sobre et de reconsolider votre vie (Seligman, 1993).

Votre partenaire ou un membre de votre équipe a un problème d'alcool

Les proches d'une personne dépendante ou redevenue sobre depuis peu doivent aussi réapprendre des comportements fonctionnels en relâchant peu à peu les mailles du filet du contrôle. En effet, que vous soyez superviseur, collègue ou conjoint(e) d'une personne dépendante, vous risquez non seulement d'être atteint(e) vous-même psychologiquement et physiquement par le problème de la personne dépendante, mais vous êtes aussi un acteur important de sa réhabilitation. Votre soutien peut faire toute la différence (Boivin et Violette, 1994).

Il importe d'abord, lorsque vous constatez des signes de dépendance chez un proche et leurs effets sur vous-même, de garder une attitude objective en ne sautant pas trop vite aux conclusions. Une fois que vous avez suffisamment de preuves, le tableau 7.6 ci-après vous suggère des pistes d'actions à entreprendre et d'erreurs à ne pas commettre.

Tableau 7.6   Agir pour aider une personne ayant un problème d'alcool.

Quoi faire ?

1. **Demandez aide et conseil pour vous-même** auprès des professionnels du programme d'aide du Service de police et/ou du mouvement Al-Anon.
2. Déterminez **votre zone de contrôlabilité** et vérifiez si vous êtes la bonne personne pour agir (stratégies d'ajustement 15 et 39, p. 60 et p. 101); dans l'affirmative, vous devez absolument en parler **d'abord** avec la personne concernée.
3. **Abattez le mur de la négation**, tout en n'escomptant pas un arrêt immédiat de la consommation; rien n'est magique.
   - La personne doit être à jeun;
   - pendant votre entretien, prenez soin de revenir à **votre perception de son comportement** si la personne réplique par des tentatives de négation ou de manipulation;
   - tenez-vous en aux faits et **distinguez la personne des effets de la substance sur son comportement**;
   - la personne n'est pas coupable, mais responsable de sa dépendance (Dietrich, 1989). Soulignez-lui donc les conséquences à court et à moyen terme de son comportement;
   - rappelez-lui ses ressources personnelles;
   - suggérez-lui des ressources professionnelles et d'entraide disponibles (programme d'aide du Service de police, AA).
4. **Établissez vos limites**.
5. Encouragez-la dans ses tentatives pour s'en sortir, tout en lui laissant la responsabilité de son comportement.
6. S'il s'agit de votre collègue, que son comportement ne change pas et que les signes de sa dépendance sont sévères, le superviseur devrait en être informé.

Quoi éviter ?

- Porter des jugements globaux sur sa personne sans tenir compte du pouvoir de l'alcool sur ses comportements.
- **Assumer à sa place les conséquences de ses erreurs** dues à la consommation.
- Jouer au sauveur, à la victime et au bourreau.
- Lancer des rumeurs impitoyables à l'égard de ses comportements.

Résumé

En marge des mythes véhiculés sur les alcooliques, la dépendance à l'alcool se révèle par un ensemble de signes associés à la concentration des activités de la personne dépendante autour de la consommation d'alcool, et aux conséquences de cette consommation.

La consommation abusive d'alcool, entraînant à long terme une dépendance, compte parmi les conséquences graves du stress policier, sans que l'on puisse pour autant affirmer que son incidence est plus grande que dans la population.

Ce comportement prend racine dans les familles, surtout par apprentissage. En outre, la culture policière elle-même et le stress vécu par les policiers, lequel s'accompagne de répression émotionnelle et du cynisme qu'elle engendre, expliquent la consommation élevée d'alcool chez certains policiers.

La consommation abusive d'alcool entraîne des effets secondaires importants chez la personne qui en souffre : intoxication, troubles des systèmes cardiovasculaire et digestif, difficultés d'ordre sexuel, anxiété, dépression, pertes de mémoire, difficultés de concentration, somnolence et irritabilité.

La hantise du contrôle, la négation et la compensation sont les caractéristiques psychologiques et relationnelles du système dans lequel s'emprisonnent la personne dépendante et son entourage.

Un mode de vie axé sur la connaissance de soi et la diversification des stratégies d'ajustement préviennent le développement d'une dépendance. En cas de dépendance avérée, la réhabilitation est possible si la personne dépendante et ses proches abattent d'abord le mur de la négation, pour ensuite entreprendre un processus d'apprentissage de nouveaux comportements favorisant la sobriété.

Étude de cas

Annie patrouille avec Patrick depuis un an et demi. Ils sont tous deux agents dans un service municipal urbain. Depuis deux ans, la vie de Patrick a basculé : il a dû passer devant le comité de déontologie suite à la plainte d'un citoyen pour utilisation de force abusive. Son superviseur ne l'a pas du tout soutenu pendant cette période, déçu de son comportement et le jugeant sévèrement. Depuis lors, Patrick ne cesse de déblatérer contre l'officier et ne perd pas une occasion de répliquer avec cynisme à ses propos.

À la fin de la semaine, toute l'équipe du soir a l'habitude de sortir après le quart de travail. De plus, ils se rencontrent au moins une fois pendant le congé pour une soirée de cartes bien arrosée. L'équipe est solidaire. Ils font des fêtes d'enfer ! C'est d'ailleurs Patrick qui les a initiés. Annie y participe. Elle constate cependant que Patrick ne s'arrête pas là. Il ne semble pas dormir beaucoup. Il sent l'alcool le matin.

Il est présentement en instance de divorce de Nathalie, une policière travaillant sur la même relève que lui dans un autre poste. Nathalie aurait demandé le divorce parce qu'elle n'acceptait plus qu'il délaisse sa famille et soit presque toujours absent de la maison. Elle endurait de plus en plus mal ses changements subits d'humeur; elle n'arrivait plus à lui faire confiance.

Patrick, sans en être tout à fait conscient, consomme de plus en plus d'alcool en dehors des heures de travail. Toute la journée, il anticipe le moment où il pourra enfin boire. Il tente de réduire sa consommation sans pouvoir y arriver. Il n'éprouve même plus de plaisir avec les membres de l'équipe les soirs de fête; il a plutôt hâte qu'ils partent pour pouvoir enfin boire en paix sans subir leurs commentaires de plus en plus fréquents sur sa consommation. « Qu'est-ce qui les prend de se mêler de mes affaires ? » Les lendemains, au réveil, il se promet de ne plus boire exagérément comme la veille : il a trop souvent vu son père avoir de la difficulté à se lever après une cuite pour vouloir finir de la même façon.

Il y a un mois, Annie et lui ont dû intervenir sur une scène de suicide particulièrement sordide qui les a marqués tous les deux. Ils ne se parlent pas énormément de ce qu'ils ressentent, dans la voiture-patrouille : ce n'est pas le genre de Patrick. Annie éprouve de plus en plus de difficultés à travailler avec Patrick qui, par ailleurs, l'apprécie beaucoup pour sa discrétion et sa solidarité. Le père d'Annie a un problème d'alcool. Le malaise que ressent Annie au contact de Patrick n'est pas étranger à ce qu'elle a vécu dans son enfance.

1. Utilisez la figure 7.1 (p. 156) pour expliquer la consommation d'alcool de Patrick, en appliquant chacune des variables de cette figure à sa situation professionnelle.

_____

2. Utilisez la figure 7.2 (p. 159) pour expliquer le cercle du contrôle dont Patrick est captif, en appliquant chacun des termes à son comportement de consommation.

_____

3. Quels sont les facteurs aggravant sa consommation d'alcool ?

_____

4. D'après le DSM-IV, Patrick est-il dépendant à l'alcool ? Justifiez votre réponse.

_____

5. Supposons que Nathalie avait reconnu que le problème de Patrick était la dépendance à l'alcool, qu'aurait-elle pu faire et qu'aurait-il été préférable qu'elle évite ?

_____

6. Compte tenu de son histoire personnelle et des comportements de Patrick, quels mécanismes psychologiques et relationnels Annie risque-t-elle d'utiliser envers lui ?

_____

7. Supposons qu'elle décide de discuter de la situation avec Patrick.

   • Quelles questions préalables s'est-elle posées pour se décider à le faire ?

   _____

   • Quelles résistances risque-t-elle de rencontrer de la part de Patrick ?

   _____

   • Comment lui suggérez-vous d'agir ?

   _____

Chapitre 8
Le suicide _____

Le suicide des policiers est un exemple dramatique de ce qui arrive quand ceux qui ont pour fonction de protéger les autres n'arrivent plus à se protéger et à prendre soin d'eux-mêmes (sergent Michael Tighe, NYPD : *voir* Kirschman, 1997, p. 169).

Stéphane n'est pas rentré au travail ce matin, sans prévenir son partenaire ni son superviseur. Intuitivement, les membres de la relève ont pressenti qu'il se passait quelque chose d'inhabituel. À la fin du quart de travail, le sergent demande à deux de ses proches collègues de se rendre chez lui. À leur arrivée, ils constatent que sa voiture est garée dans l'entrée. La porte-patio est débarrée; ils entrent, l'appellent : pas de réponse. Ils font le tour de la maison pour finalement arriver à sa chambre, où ils le découvrent sans vie, une balle logée dans la tempe droite, son arme de service sur le lit à côté de lui. Il a laissé quelques mots sur la table de chevet, qui viendront confirmer l'hypothèse du suicide et soulever, sans y apporter de réponses, des questions et des réactions douloureuses chez ses collègues et son ex-conjointe.

Le suicide est la stratégie d'ajustement ultime et définitive adoptée par quelques policiers. Cette dernière conséquence du stress est certes la plus difficile à aborder, en raison de son caractère irrémédiable et de la profonde souffrance qu'elle provoque chez « ceux qui restent », ébranlés par ce geste déterminant qui les renvoie directement à la question : « Qu'aurions-nous pu faire ? » Sans prétendre apporter toutes les réponses à cette réalité dramatique, ce chapitre se propose de :

- mesurer l'ampleur de ce problème;
- présenter les facteurs aggravants du suicide chez les policiers;
- suggérer des éléments de compréhension du suicide policier;
- proposer des actions préventives au suicide.

8.1 Incidence et circonstances

Le danger est plus grand à l'intérieur de la veste pare-balles qu'à l'extérieur (docteur Normand Martin, SPCUM : *voir* Roy, 1999, p. 6).

Le suicide relève d'une décision individuelle s'appuyant sur une histoire personnelle. Pour parvenir à en avoir une compréhension élargie, il est cependant essentiel de le considérer comme un problème de société. Dans cette perspective, les données sur les ratios de suicide des membres de divers corps policiers seront comparées à celles de l'ensemble de la population. Mais auparavant, il importe de questionner la fiabilité de ces données.

Fiabilité des taux de suicide

Les informations concernant le suicide des policiers posent des problèmes de fiabilité pour certaines raisons. D'abord, peu de policiers se suicident; de plus, il est difficile de distinguer un suicide d'un accident de travail ou d'une mort dans l'exercice de la fonction. La crainte de l'opinion publique, la loyauté à l'organisation ou la volonté de protéger la famille incitent également à dissimuler le suicide d'un policier (Janik et Kravitz, 1994). Par conséquent, une certaine proportion des suicides serait plutôt officiellement attribuée à des causes indéterminées. En ce sens, Violanti (1996a) estime que 17 % des suicides policiers ne sont pas identifiés comme tels. Il importe donc de lire les statistiques suivantes en tenant compte de ces considérations.

Les faits

Plusieurs recherches concluent à un taux de suicide plus élevé chez les policiers que dans la population en général (Violanti, 1997). Par exemple, des études effectuées auprès des policiers de l'État de New York, de ceux de la ville de New York et des policiers de la ville de Rome obtiennent des ratios de suicide environ deux fois plus élevés que ceux de leur population d'origine (Violanti, 1996a). Des ratios supérieurs à ceux de la population sont observables dans sept pays sur 26, répertoriés de 1980 à 1989 par Lester (1992 : *voir* Violanti, 1996a).

Ces différences subsistent lorsque les policiers sont comparés à d'autres professions (Anson et Bloom, 1988). Ainsi, les policiers new-yorkais ont un taux de mortalité par suicide trois fois supérieur à celui des autres employés municipaux (Vena et coll., 1986 : *voir* Violanti, 1996a). Au Tennessee, parmi 130 métiers, les policiers se retrouvent au troisième rang des professions présentant le taux de suicide le plus élevé (Richard et Fell, 1975 : *voir* Violanti, 1997).

Certains corps de police échappent depuis un bon moment à ces sombres perspectives. En effet, la police de Los Angeles, de même que la GRC, obtiennent des taux inférieurs à ceux de la population. Ainsi, la GRC a enregistré entre janvier 1984 et décembre 1995[1] le suicide de 27 hommes et de deux femmes. Ces données, comparées aux ratios de la population en général, permettent de conclure que le taux de suicide est moins élevé à la GRC. Il en est de même au Québec, où le taux de suicide des hommes policiers actifs, pendant les sept années comprises entre 1986 et 1992, était de 19,8 pour 100 000, comparativement à 35,1 chez les hommes québécois d'âge équivalent pendant la même période.

Ces résultats indiquent que les policiers ne risquent pas plus de s'enlever la vie que les Québécois en général. Cependant, il ne faut pas minimiser l'impact du suicide chez les policiers au Québec puisque le nombre de suicides pour la période précitée (19, dont trois femmes) dépasse le nombre des décès de policiers en devoir (12) (Charbonneau, 2000). Les policiers sont donc davantage victimes de leur propre arme de service que de celles

---

1. Ces constats proviennent des recherches de de Menton (1984 : *voir* Andrews, 1997), Josephson et Reiser (1990), de Violanti (1996c) et d'Andrews (1997).

d'autrui. Des données plus anciennes, obtenues par Aussant (1984), révèlent que 21 des 27 suicides policiers survenus au Québec entre 1973 et 1983 avaient été commis avec une arme à feu; de ce nombre, 18 policiers s'étaient suicidés au moyen de leur arme de service.

Ces données sur les policiers québécois correspondent aux conclusions obtenues par Geller et Scott (1992). Leur analyse comparative des données de plusieurs études, couvrant la période de 1972 à 1982, auprès des corps policiers des villes de New York et Chicago, conclut que 25 à 80 % de tous les policiers qui ont été tués au moyen d'une arme à feu l'ont été de leurs propres mains.

Un portrait type du policier candidat au suicide

Typiquement, le policier qui se suicide est un homme blanc de 35 ans, patrouilleur, qui consomme abusivement de l'alcool, éprouve des problèmes de relations sentimentales, se sépare ou subit une perte importante (Josephson et Reiser, 1990). Il se suicide à la maison au moyen de son arme à feu (Violanti, 1996a). Toute tentative de caractérisation d'une réalité aussi intime et complexe que le suicide comporte forcément des lacunes qu'il faut tenter de combler en explorant en profondeur les facteurs aggravants.

8.2 Facteurs aggravants

Des raisons particulières appartenant à l'histoire de sa vie, probablement exacerbées par les séquelles d'événements pénibles vécus en cours de carrière, peuvent précipiter un policier vers le choix ultime du suicide. On peut cependant dégager de l'ensemble des histoires individuelles de ces policiers des constantes, observées chez plusieurs d'entre eux.

L'épuisement professionnel et la dépression

L'analyse biographique de policiers ayant opté pour le suicide permet de constater que l'épuisement professionnel, de même que des problèmes d'ordre psychologique et autres, sont associés au suicide. Dans l'échantillon d'Aussant (1984), 13 policiers québécois sur 27 ayant commis le suicide avaient des antécédents psychiatriques ou des problèmes médicaux.

L'analyse du dossier disciplinaire de certains policiers révèle une accumulation de plaintes de citoyens et de réprimandes, d'absences non motivées, d'omissions de rapporter un crime ou d'erreurs de jugement dans l'exercice de leurs fonctions. Ces comportements sont des indices de difficultés psychologiques d'origines diverses qui peuvent, chacune à leur manière, pousser un policier au suicide. Ils sont souvent associés à la **dépression** qui, à son tour, est reliée plus directement au suicide (Andrews, 1997). La biographie d'autres policiers, à la réputation impeccable cette fois, témoigne du contraire.

Proche parent de la dépression, le désespoir, ce sentiment de souffrance causé par l'impossibilité de trouver une issue à une situation difficile, pourrait jouer un rôle important dans l'émergence des idées suicidaires (Beck et coll., 1993 : *voir* Andrews, 1997). Ce désespoir est particulièrement présent chez les policiers en état de stress post-traumatique.

L'état de stress post-traumatique

En plus de l'accumulation de l'ensemble des agents stressants propres au travail policier, le stress post-traumatique peut agir comme facteur aggravant du suicide. Une étude effectuée à la GRC établit que 15 % des policiers s'étant suicidés avaient été exposés antérieurement à un incident critique (Loo, 1986 : *voir* Violanti, 1996a).

L'état de stress post-traumatique s'accompagne de sentiments inconnus et angoissants comme la vulnérabilité, l'anxiété et le sentiment de ne pas se contrôler (p. 139). Ces sentiments vont à l'encontre de ceux qu'éprouvent normalement les policiers, condition-nés depuis le début de leur formation à avoir la maîtrise d'eux-mêmes et des autres. Ce serait donc l'incapacité de certains policiers à admettre ces sentiments menaçants, et à rebâtir leur image d'eux-mêmes et de la vie, qui les conduirait à considérer le suicide comme une stratégie d'ajustement ultime face à leur souffrance devenue insupportable. Le policier, ne pouvant ni donner un sens à la souffrance ni changer la part de ses conditions de travail devenue intolérable, choisit la mort (Violanti, 1996a).

La dépendance à l'alcool

La dépendance à l'alcool est responsable de 25 % de tous les suicides commis chaque année aux U.S.A. (Violanti, 1996a). Une étude sur le suicide des hommes à Montréal et à Québec a révélé que 22,7 % d'entre eux avaient des problèmes d'alcool et de drogue (Lesage et coll., 1994 : *voir* Andrews, 1997). Certaines études, portant plus spécifiquement sur le suicide des policiers, établissent que plus de la majorité de ces policiers avaient un problème d'alcool ou se sont suicidés sous l'effet d'une intoxication (Violanti, 1996a, 1996c).

Les difficultés conjugales

La séparation ou le divorce agissent comme facteur aggravant du suicide chez les policiers, particulièrement lorsqu'ils sont dépendants à l'alcool (Ellison et Genz, 1983; Andrews, 1997).

Autant une relation amoureuse saine protège du stress policier, autant les difficultés conjugales ou familiales sont la goutte qui fait déborder le vase (Friedman, 1968 et Danto, 1978 : *voir* Violanti, 1996a). Janik et Kravitz (1994) ont analysé 134 dossiers de policiers pour lesquels leur superviseur avait requis une évaluation psychiatrique. De ce nombre, 55 % avaient déjà fait des tentatives de suicide. Ceux qui éprouvaient des difficultés conjugales avaient 4,8 fois plus de chances que les autres de faire une tentative de suicide.

La retraite

Une étude américaine conclut que le taux de suicide est plus élevé chez les policiers sur le point de prendre leur retraite, comparativement aux membres d'autres professions. Une autre étude observe également un taux plus élevé de suicide, chez les retraités cette fois, que dans la population en général (Violanti, 1996a).

À l'approche de ses vingt ans de service, le policier peut éprouver une crise d'identité liée à la retraite. D'une part, il est devenu cynique à l'égard du métier; d'autre part, il lui est difficile d'abandonner un travail qui l'a si intensément défini, qui a structuré sa vie et lui a procuré un milieu d'appartenance fort pendant toutes ces années. Le moment propice pour prendre sa retraite semble difficile à déterminer : vaut-il mieux quitter jeune pour s'ouvrir à d'autres possibilités de carrière ou continuer celle-ci ? Les obligations financières contractées interfèrent-elles avec la volonté de quitter ? Une promotion ou l'absence de possibilité de promotion peuvent aussi influencer sa prise de décision (Violanti, 1996a). Plusieurs blocages présents dans la vie du policier à ce moment décisif de sa carrière peuvent augmenter son stress, sa consommation d'alcool et le risque suicidaire potentiel.

L'accessibilité à une arme

Les policiers se suicident dans une très grande proportion[2] en retournant leur fusil contre eux. Leur arme a un effet définitif, peut être utilisée impulsivement et laisse peu de temps pour considérer d'autres alternatives. Le pourcentage élevé de policiers qui utilisent leur arme de service pour se suicider est dû à l'accessibilité immédiate de cette arme à feu (Baker et Baker, 1996). Une mesure préventive simple consisterait à limiter l'accès à une arme à feu aux quarts de travail (Violanti, 1996a).

En conclusion, les facteurs de risque présentés ici n'apparaissent habituellement pas de façon isolée. Ils interagissent plutôt pour augmenter le risque de suicide du policier simultanément aux prises avec plusieurs difficultés. Par exemple, un policier qui rencontre des conflits au travail est susceptible d'en éprouver aussi dans sa relation de couple. Les difficultés conjugales exercent à elles seules une influence déterminante, sinon la plus importante, sur sa détresse. S'il consomme abusivement de l'alcool pour diminuer l'effet de ces agents stressants, cette substance exercera ses effets dépresseurs sur son organisme, tout en contribuant à détériorer la qualité de son soutien social et à provoquer une séparation ou des sanctions disciplinaires. Celles-ci deviennent alors les éléments déclencheurs d'une crise suicidaire que l'accessibilité à l'arme de service précipite.

8.3 Éléments de compréhension du suicide policier

Les facteurs aggravants sont des indices de la crise profonde que traversait une personne avant de se suicider. En présence d'une crise, indissociable de la condition humaine quoique d'intensité variable selon les coups portés par la vie, il existe d'autres choix que celui du suicide. Pourquoi préférer le suicide ? Chaque policier emporte avec lui les raisons de son choix. Sans prétendre y apporter « la » réponse, on peut toutefois avancer des hypothèses, situées aux frontières de l'interaction entre le policier et son environnement social, pour favoriser une réflexion sur des actions préventives individuelles et systémiques.

---

2. Les auteurs suivants traitent de ce facteur aggravant : Aussant, 1984; Violanti, 1996a; Andrews, 1997; Quinnett, 1998.

Épuisement des ressources personnelles

> *Un homme qui pense au suicide est souvent un homme qui est épuisé de lui-même, de ce qu'il est ou de ce qu'il n'est pas, de ce qu'il n'arrive pas à être* (Chabot, 1998, p. 28).

Les facteurs aggravants du suicide contribuent à affaiblir, sinon à épuiser les ressources protectrices contre le stress. Par exemple, l'état de stress post-traumatique, les difficultés au travail et dans la vie conjugale, la consommation abusive d'alcool ou la dépression s'accompagnent d'une diminution des ressources physiques, psychologiques et sociales.

Le sommeil, l'alimentation et la condition physique générale sont nécessairement perturbés au cours de ces périodes de turbulence. Le policier aux prises avec une ou plusieurs de ces difficultés n'arrive pratiquement plus à exercer de la contrôlabilité sur son état et son environnement. Ses réserves d'estime de soi sont fortement menacées. Insidieusement, progressivement, l'impuissance ou le désespoir l'envahissent. De plus, son réseau de soutien social s'amenuise, de même que sa perception des appuis sur lesquels il peut compter.

À bout de ressources personnelles, pourquoi choisir le suicide plutôt que de demander l'aide susceptible de raviver de nouvelles ressources et d'aider à dénouer la crise ? Pour répondre à cette question, il faut examiner les influences systémiques exercées à l'endroit des policiers.

Influences systémiques

Ces influences proviennent du macrosystème environnant le policier, dont les valeurs, les stéréotypes et les règles peuvent entraîner la limitation progressive des solutions alternatives, comme la possibilité de demander de l'aide en période de crise.

La socialisation au rôle masculin

En 1996, 80 % du total des suicides au Québec, tout comme dans l'ensemble du Canada, étaient commis par des hommes (Saint-Laurent, 1998, Statistiques Canada, page consultée le 12 avril 2000). Au Québec, la majeure partie des hommes qui se suicident ont moins de 55 ans. Le taux de suicide des hommes québécois a augmenté entre 1976 et 1995 de 16 à 31 pour 100 000 personnes (ministère de la Santé et des Services sociaux, 1999). Ce taux élevé, encore davantage que celui du Canada et d'autres pays du monde, contribue à placer le Québec parmi les pays les plus tristement touchés par le suicide, en plus de constituer une problématique presque essentiellement masculine. Même si les policiers du Québec se suicident proportionnellement moins que la population civile, il n'en demeure pas moins que chaque suicide policier est superflu et que, les corps policiers étant majoritairement constitués d'hommes, il importe de soumettre ce geste au questionnement actuel sur le suicide chez les hommes.

Le recours au suicide des hommes remet en question leur socialisation. Les stéréotypes masculins liés à la force, au contrôle et à l'autonomie sont incompatibles, pour un homme, avec le fait de demander de l'aide. Lorsqu'il se retrouve aux prises avec une difficulté personnelle, la peur du ridicule et la crainte de s'avouer faible et incompétent, démontrant ainsi des sentiments opposés au modèle appris, poussent un homme à nier sa détresse émotionnelle, à endurer et à s'isoler, au lieu de saisir la perche que ses proches pourraient lui tendre (Dulac, 1997).

Ces conditionnements liés au rôle masculin pousseraient-ils au suicide les hommes aux prises avec une situation de crise, en limitant leur capacité à demander de l'aide ? Cette question centrale est l'objet de réflexions de la part des spécialistes en suicidologie, afin d'arriver à trouver des solutions susceptibles d'éliminer ces pressions pesant sur les hommes (Chabot, 1998; Charbonneau, 1998).

La socialisation au rôle policier

Le chapitre 4 a déjà traité des agents stressants liés à la culture policière homogène traditionnellement masculine, particulièrement dans le cas de ses membres minoritaires. Le suicide n'est pas exclusif aux hommes dans la police. En plus d'adhérer de près aux stéréotypes du rôle masculin, la culture policière, source de la socialisation du policier dans son rôle professionnel, serait-elle elle-même porteuse de contraintes associées de près ou de loin à ce choix fatal ? L'analyse du processus de socialisation au rôle policier propose des éléments de réponse (Violanti, 1996a, 1996c, 1997).

Le processus d'apprentissage individuel et social du rôle policier commence dans les cégeps qui enseignent les *techniques policières* et se poursuit essentiellement à l'École nationale de police du Québec et au cours des premières années de patrouille. *Individuellement*, les aspirants policiers, dès le début de leur formation, sont confirmés dans le fait qu'ils sont ou doivent devenir *spéciaux*. Le caractère intensif de la formation inculquée, la cohésion de groupe fortement encouragée et la maîtrise de l'ensemble des habiletés nécessaires aux opérations policières complexes développent chez le nouveau diplômé un attachement solide et fier à son rôle de policier.

Le chapitre 2 a soulevé l'hypothèse que la recherche constante de l'activation, provoquée par l'hypervigilance nécessaire au travail de patrouilleur, pouvait créer chez le nouveau policier une « dépendance sociale et physique à la police », rendant ainsi ennuyeuses ou plates toutes les autres personnes et activités en dehors de la police. Cette dépendance peut l'amener à se cantonner et à s'isoler dans son rôle de policier (Gilmartin, 1986).

Socialement, l'organisation policière exige, au plan *formel*, une forte adhésion des policiers à leur rôle. Le contrôle du comportement des policiers vise à maintenir l'image des services de police auprès des instances auxquelles elles ont des comptes à rendre : ministère de la Sécurité publique, système judiciaire, groupes de citoyens, médias. Ce contrôle bureaucratique et paramilitaire s'effectue par la prescription de codes d'honneur et de règles strictes de comportements à respecter. Elles ont pour effet d'imposer aux policiers une façade ou une fausse personnalité qui masque leurs propres sentiments ou pensées, et de leur faire porter le blâme s'ils ne respectent pas ces règles.

La culture policière *informelle* « tissée serrée » (Violanti, 1997, p. 703) exerce aussi des pressions de conformité sur le policier. La norme de solidarité et la loi du silence qui peut parfois en découler sont des règles dont la puissance est confirmée par ceux qui ont payé très cher leur transgression. À première vue, elles protègent le policier. Elles peuvent cependant lui faire subir des conflits de rôles lorsqu'il essaie de respecter à la fois des règles formelles et informelles contradictoires.

En raison de la puissance des apprentissages liés à son rôle qui sont inculqués par l'organisation policière, formelle et informelle, le policier peut en arriver à s'identifier totalement à cet unique rôle professionnel. Cette identité restreinte conditionne au premier chef sa façon de penser en situation de crise personnelle. En effet, les policiers développeraient une forme de pensée de type « noir ou blanc » ou « tout ou rien », dénuée des nuances intermédiaires pourtant si importantes pour affronter la détresse consécutive aux événements pénibles d'une vie. Ils se priveraient ainsi de la possibilité d'explorer diverses solutions alternatives pour n'en conserver que deux, victimes d'une « vision en tunnel » appelée **constriction cognitive**. Lorsqu'ils se perçoivent à bout de ressources, la mort est l'une de ces deux solutions, l'autre étant la souffrance intolérable qui les habite.

De plus, une personne ayant tout investi dans son seul rôle policier s'implique moins dans d'autres rôles sociaux. Or, il appert que plus un policier possède de rôles sociaux distincts les uns des autres, mieux il se protège contre la dépression et la détresse psychologique (Thoits, 1986 : *voir* Violanti, 1996a). S'il rencontre des problèmes au travail, il ira chercher du soutien dans son rôle de conjoint, de parent, d'ami ou de membre de son équipe de hochey. Au contraire, l'adhésion forte et unique au rôle policier réduit, au plan social, la possibilité de s'appuyer sur d'autres rôles pour aller chercher le soutien permettant d'améliorer une situation difficile.

Par conséquent, il est probable que les relations intimes du policier soient affectées en qualité et en quantité (tableau 4.5, p. 94). Par ailleurs, étant donné que les relations avec les collègues sont fortement conditionnées par la loyauté, la cohésion et la conformité, la menace d'un rejet sanctionnant le non-respect des codes informels dissuade le policier d'avouer sa vulnérabilité à un collègue. Certains suicides policiers semblent être des suicides altruistes : en effet, un policier qui enfreint les règles de l'organisation, ou dont l'attitude n'est pas à la hauteur de ses propres attentes et de celles de son groupe, peut décider de mettre fin à ses jours, en proie à la honte et à la culpabilité, pour rétablir son honneur tout en préservant celui du groupe. Enfin, l'adhésion au seul rôle policier peut contribuer à couper la personne de relations significatives avec l'ensemble des ressources de son milieu social élargi, la rendant ainsi isolée et plus vulnérable au choix suicidaire.

Reprise ultime de contrôle par l'arme à feu

La valeur symbolique qu'accorde le policier à son arme à feu contribue à son rôle essentiel et fatal dans l'acte ultime face à l'adversité : le suicide (adapté de Violanti, 1996a, p. 44).

Éduqué socialement à ne pas demander d'aide pour lui-même, en proie à une souffrance intolérable occasionnée par un ou plusieurs facteurs aggravants, le policier emploierait en dernier recours son arme à feu, retournée vers lui cette fois... L'arme à feu est le symbole de l'autorité et du pouvoir. Dans le cadre de la problématique de l'emploi de la force appliquée à son travail, l'utilisation de l'arme à feu est la dernière stratégie possible et efficace pour prendre rapidement le contrôle sur l'environnement. En retournant son arme contre lui, il reprendrait le contrôle sur sa souffrance (Turvey, 1995).

La figure 8.1 reprend ces éléments d'explication du suicide policier.

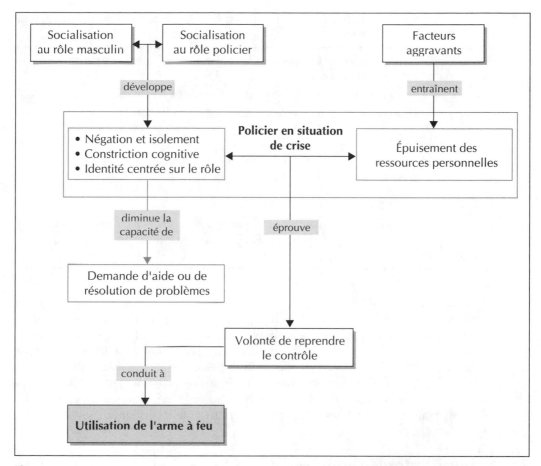

Figure 8.1   L'interaction de certains éléments susceptibles d'expliquer le suicide policier.

8.4 Réagir aux signes précurseurs du suicide

Étant donné que le suicide est l'aboutissement d'un processus d'affaiblissement des ressources personnelles, il sera d'abord question des comportements quotidiens à adopter en vue de bloquer ce processus, afin d'éviter d'être acculé à cette solution irrémédiable. Ensuite, nous vous suggérerons des actions à entreprendre auprès d'une personne suicidaire, et enfin nous examinerons l'éventualité de devoir survivre au suicide d'un collègue.

Stratégies d'ajustement préventives du suicide

Par l'instauration de programmes de prévention du suicide, les organisations policières développent chez leurs membres des réflexes collectifs de prévention et de dépistage des

Tableau 8.1 Méthodes individuelles favorisant la prévention du suicide (inspirées en partie de Violanti, 1996a, 1997).

---

1. Développez l'habitude d'utiliser des stratégies d'ajustement appropriées, même lors de situations peu ou moyennement stressantes.

2. Investissez-vous dans d'autres rôles que celui de policier (conjoint, parent, bénévole, ami, etc.).

3. Modifiez votre attitude envers le fait de demander de l'aide, en éliminant vos pensées non réalistes telles que l'illusion de la perfection, du contrôle sur les autres et sur soi (stratégie d'ajustement 18, p. 62).

4. Après une intervention ou un incident, prenez le risque d'exprimer verbalement les émotions que vous éprouvez (impuissance, rage, colère, dégoût, peur, fierté, compassion, etc.), même si vous vous sentirez probablement mal à l'aise au début; parlez-en à une personne en qui vous avez confiance et appréciez l'effet ressenti.

5. Entraînez-vous à appliquer aussi la résolution de problèmes à votre endroit lors des diverses situations moyennement stressantes de votre vie, afin que cela devienne un automatisme (stratégie d'ajustement 16, p. 61).

---

comportements suicidaires (Roy, 1999; SPCUM, page consultée le 10 avril 2000). Individuellement et collectivement, il est très difficile d'échapper aux effets pernicieux de la socialisation au rôle masculin et au rôle policier, lesquels entravent la recherche de solutions alternatives au suicide en période de crise personnelle. Le tableau 8.1 présente quelques méthodes individuelles susceptibles d'aider un policier à se maintenir quotidiennement dans sa zone de stabilité. Si l'on arrive à en faire des automatismes dans les situations « ordinaires », ces méthodes pourront éventuellement continuer à servir de pare-chocs en cas de coups durs.

Stratégies d'intervention

> *Affronter la souffrance n'est possible qu'ensemble, même si nous savons bien que nous ne pouvons jamais comprendre précisément la souffrance de l'autre* (Chabot, 1998, p. 28).

Cette partie portera sur les actions à mener auprès d'un policier suicidaire. La première étape consiste à identifier les « signaux de danger » présentés par la personne elle-même. De plus, des indications sur les caractéristiques de la crise suicidaire et sur les moyens d'évaluer le potentiel de risque seront apportées. Ensuite, des actions sont suggérées selon que vous êtes le collègue, le superviseur ou le (la) conjoint(e) de ce policier.

Les « signaux de danger »
Observez d'abord si le policier est présentement aux prises avec un ou plusieurs des facteurs aggravants décrits précédemment : 1) montrer des signes dépressifs; 2) avoir subi un traumatisme; 3) consommer abusivement de l'alcool; 4) avoir souffert d'une perte importante; 5) traverser des crises liées à la retraite; 6) disposer d'une arme à feu chez lui.

Par ailleurs, les personnes suicidaires présentent habituellement des signes qu'il importe de savoir décoder (Baker et Baker, 1996; Kirschman, 1997; Quinnett, 1998). En voici quelques-uns :

Les signes verbaux directs

Elles envisagent mort comme la solution à tous les problèmes : « Ce serait plus facile », « À quoi ça sert de continuer ? », « La vie n'a pas de sens ».

Les signes verbaux indirects

- Elles signalent qu'elles ne seront bientôt plus là, en laissant planer le doute sur un éventuel départ.
- Elles font des allusions au pouvoir libérateur de leur arme.

Les comportements

- Elles apportent des changements dans leur vie, comme si elles partaient : elles vendent leurs biens sans raison ou donnent les objets auxquels elles tiennent le plus.
- Vous savez qu'elles posent des gestes risqués pour leur vie : conduite dangereuse en état d'ébriété, présence d'armes chez elles, etc.
- Elles s'isolent et délaissent les activités qu'elles appréciaient auparavant.

Les situations

Toute situation grave peut augmenter le risque suicidaire : diagnostic d'une maladie incurable, décès d'un proche, poursuite judiciaire, mesure disciplinaire, etc. En cas de deuil, la tentation de vouloir rejoindre dans la mort la personne disparue est plus forte lors des anniversaires de cet événement (Kirschman, 1997). Enfin, un événement traumatisant touchant quelqu'un d'autre peut déclencher une crise suicidaire chez le policier à risque.

La crise suicidaire

La personne qui envisage le suicide traverse une crise. Elle est *ambivalente* face à son intention de mourir. Elle ne veut pas nécessairement mourir, mais plutôt mettre fin à une souffrance pourtant temporaire, mais qu'elle *perçoit* comme intolérable et sans issue. Le tableau 8.2 décrit les étapes de cette crise, qui révèlent la progression de la détermination à passer à l'acte suicidaire.

Cette crise a pour caractéristique d'être brève; elle commence et se termine approximativement en trois semaines. Chez certains policiers, il peut s'écouler aussi peu qu'une journée ou quelques instants entre la décision et le passage à l'acte, l'impulsivité du geste étant aggravée par la disponibilité de leur arme à feu. Chez la plupart des personnes, il

Tableau 8.2 Les étapes de la crise suicidaire (Poudrette, 1999).

1. La personne a des idées suicidaires passagères.
2. Elle élabore une vague planification de son suicide.
3. Elle entretient continuellement ses idées suicidaires.
4. Elle planifie précisément son projet.
5. Elle envoie des signaux et des messages plus ou moins clairs sur son intention suicidaire.

s'agit plutôt d'une question de semaines ou même d'années avant de franchir le pas entre l'intention et l'action. Si la crise suicidaire est abordée avec doigté, elle s'estompe.

Une personne proche d'un policier suicidaire doit s'assurer de pouvoir bénéficier elle-même au besoin de soutien social, car elle traverse une situation délicate et éprouvante au plan émotionnel. Elle doit chercher à *gagner du temps* pour contribuer, dans la mesure de ses limites personnelles, à soulager la souffrance perçue comme intolérable par la personne affligée d'une vision en tunnel, et lui permettre de *considérer d'autres possibilités que le suicide.*

Le QPR (questionner, persuader, référer)

La stratégie QPR (tableau 8.3) convient à tous les proches d'une personne présentant un risque suicidaire (Quinnett, 1998). Il est important de parcourir calmement chacune des étapes avec la personne avant de passer à la suivante.

Tableau 8.3   Le QPR.

1. Questionner

- Questionnez-le lorsqu'il fait des allusions au suicide. *Prenez au sérieux* ce qu'il vous dit. N'ayez pas peur d'*aborder directement la question,* au risque de vous tromper et de devoir remballer : « Es-tu en train de penser à te tuer ? »
- Posez-lui des *questions précises sur ses intentions* lorsqu'il les annonce directement ou indirectement. Soit il les niera catégoriquement, soit vous serez surpris de l'ouverture et du soulagement avec lesquels il vous confiera ses projets.
- S'il nie, ne lâchez pas prise facilement, surtout si vous êtes persuadé(e) que vos intuitions sont fondées.
- Plus vous évaluez que ses plans sont arrêtés et réalisables dans un futur immédiat, plus le danger est grand qu'il passe à l'acte. Il vous faudra donc user de *persuasion.*

2. Persuader

- Ne l'accusez pas et ne lui faites pas la morale.
- Oubliez vos recettes personnelles.
- Écoutez sans juger ce qu'il vous dit.
- Soyez naturel et parlez-lui de votre réaction émotionnelle s'il venait à se suicider.
- *Normalisez* ce qu'il vit, surtout s'il a été soumis à des épreuves stressantes. Rappelez-lui que le suicide est une solution *finale* à un problème *temporaire.*
- *Amenez-le* progressivement à envisager d'autres alternatives. N'abandonnez pas à la première objection; n'oubliez pas que vous devez déjouer la constriction cognitive à l'œuvre chez les personnes suicidaires. Essayez de lui faire découvrir « *sa* » lueur d'espoir.
- *Concentrez-vous sur ses ressources, rappelez-les lui.*
- Si ses intentions sont précises et imminentes, *faites un pacte avec lui* pour retarder l'échéance de son suicide et gagner du temps.

3. Référer

- Respectez vos limites personnelles.
- Amenez-le à identifier des ressources qu'il n'a pas encore envisagées, sans vous transformer pour autant en « agent de la résolution du problème » à sa place.
- Orientez-le rapidement vers les ressources appropriées et soutenez-le discrètement dans les jours à venir.

Tableau 8.4 Vous êtes le (la) collègue ou le superviseur.

Quoi faire ?

- Fiez-vous à vos intuitions, au risque qu'elles soient fausses.
- Utilisez le QPR.
- Lors de l'étape *persuasion* du QPR, vous aurez à restructurer les croyances ou les peurs de votre collègue et c'est vous qui pouvez le faire. Prenez soin de passer clairement quatre messages (Baker et Baker, 1996) :
  1. Demander de l'aide n'entraîne pas de renvoi ou de mesure disciplinaire.
  2. Toute information qu'il vous donne est respectée et confidentielle.
  3. Donnez de l'espoir : il existe toujours un autre moyen que le suicide pour faire face à une situation, même très pénible.
  4. Quelqu'un est disponible pour l'aider à passer à travers.

Quoi éviter ?

- Nier le problème.
- Vous impliquer trop personnellement dans la détresse de votre collègue.
- Paniquer et perdre confiance.

Tableau 8.5 Vous êtes le (la) conjoint(e).

Quoi faire ?

- Si votre conjoint(e) nie son intention de se suicider et que vous évaluez que le risque suicidaire est élevé, n'hésitez pas à poser des gestes qu'il (elle) désapprouvera ou condamnera pendant sa crise suicidaire, comme demander de l'aide ou intervenir auprès du superviseur.
- Respectez et admettez vos limites. Personne n'est responsable du suicide d'un autre.
- Veillez à assurer votre sécurité et celle des membres de la famille, car l'action d'une arme à feu est définitive.

Vous êtes le (la) collègue ou le superviseur

Vous êtes probablement « la personne » la plus susceptible de détecter les « signaux de danger ». Votre soutien en pareille situation est important. Reportez-vous au tableau 8.3 pour identifier les pistes d'action appropriées.

Vous êtes le (la) conjoint(e)

Vous êtes la personne qui subit en première ligne cette situation. Vous pouvez d'abord utiliser les suggestions faites aux collègues et au superviseur dans les tableaux 8.3 et 8.4. Ajoutez-y les suggestions du tableau 8.5, si la situation s'aggrave.

Survivre au suicide d'un collègue ou d'un conjoint

> *L'humain n'existe qu'accompagné* (Chabot, 1998, p. 30-31).

Un événement si tragique se surmonte difficilement. Une gamme d'émotions intenses sont éprouvées, allant de la peine à la honte ou à la colère envers la personne disparue. Les membres de la relève auront besoin, tout comme la famille, du soutien du Service de police et de leur soutien mutuel pour arriver à donner un sens personnel à ce geste, à exprimer les émotions qu'il déclenche et à reprendre progressivement contact avec leurs forces de vie. Au cours des semaines et des mois à venir, plus le réseau de soutien qu'établiront les collègues et la famille du (de la) conjoint(e) sera réconfortant, plus chaque personne verra sa détresse soulagée (Violanti, 1996b).

Résumé

L'incidence plus fréquente du suicide policier que de la mort en service mérite une attention préventive de la part du milieu policier.

Les facteurs aggravants du suicide sont la dépression, le stress post-traumatique, la dépendance à l'alcool, les difficultés conjugales, l'éventualité de la retraite et l'accessibilité de l'arme à feu.

Le fait d'être soumis à l'un ou l'autre de ces facteurs aggravants hypothèque les ressources du policier. En situation de crise personnelle, l'éventualité qu'il recherche des solutions alternatives au suicide est restreinte par les effets systémiques de la socialisation aux rôles masculin et policier sur son mode de pensée et sur sa volonté d'aller chercher du soutien. En dernier recours, à bout de ressources, conformément à la problématique de l'emploi de la force, l'utilisation de son arme à feu contre lui-même serait « le » moyen de reprendre le contrôle sur la situation.

Bien qu'il y ait encore beaucoup à faire pour contrer les effets pervers de cette double socialisation, quelques stratégies de prévention du suicide sont suggérées, telles que la diversification des rôles, la pratique systématique de l'expression des émotions et la recherche de solutions aux problèmes. En présence d'un collègue ou d'un conjoint suicidaire, le QPR permet de traverser la plupart des crises suicidaires. Comme la décision du suicide n'appartient qu'à la personne suicidaire, il arrive qu'elle adopte cette solution même lorsque tout a été tenté. Le soutien social demeure la ressource essentielle permettant d'apaiser la douleur ressentie par les proches à la suite d'un geste si grave.

Étude de cas

Éric, 33 ans, est patrouilleur dans une petite municipalité depuis 10 ans. On peut dire, au vu de ses années de carrière, qu'il est un « gars de police », son métier et le poste étant sa priorité numéro un. Ses collègues peuvent témoigner que sa vie a basculé il y a deux ans, lorsque sa conjointe Marie, avec qui il partageait sa vie depuis 10 ans, l'a quitté pour déménager dans une ville éloignée en amenant leurs deux enfants.

À partir de ce moment, Éric a commencé à consommer abusivement de l'alcool. Il s'est réfugié chez lui pour boire après les heures de travail, cessant peu à peu tout contact avec autrui. Il dort peu. Il a perdu du poids. Il a constamment cette boule dans l'estomac et ces serrements dans la gorge que seul l'alcool arrive à soulager. Profondément blessé, il n'acceptera jamais sa séparation. Plus rien n'a de sens maintenant. Plus rien n'aura jamais de sens. Il ne souffle pas mot à ses collègues de ce qu'il traverse : passer pour un gars incapable de résoudre ses problèmes, non merci ! Ceux-ci n'en observent pas moins la rage et le cynisme qui l'habitent, au point de mettre tout le monde dans l'embarras tellement son mal de vivre est perceptible.

La qualité de son travail s'était maintenue jusqu'à tout récemment. Depuis six mois, il a commencé à s'absenter pour des raisons de maladie. Son superviseur, d'abord respectueux de sa situation difficile, se propose maintenant d'intervenir assez rapidement pour qu'il change de comportement. La semaine dernière, à la veille de Noël, Éric a annoncé sur un ton lugubre à Pierre-Paul, son partenaire, qu'il allait « célébrer » son deuxième anniversaire de célibat pendant son congé et que ce serait « LA » fête. Pierre-Paul le sent très en colère de ne pas pouvoir voir ses enfants parce que ses horaires ne concordent pas avec ceux de Marie. Éric a l'habitude de garder son arme de service chez lui.

Un soir au début de janvier, pendant son congé, deux collègues l'appréhendent pour conduite avec facultés affaiblies lors d'un contrôle de sécurité routière. Son superviseur le reçoit au poste.

1. Identifiez les facteurs aggravants présents dans la vie d'Éric.

   _____

2. Dans la même situation qu'Éric, qu'auriez-vous fait ?

   _____

3. Appliquez chacun des éléments de la figure 8.1 à la situation personnelle d'Éric pour expliquer son niveau de risque suicidaire.

   _____

4. La veille de Noël, quel message Pierre-Paul a-t-il reçu de la part d'Éric ? Quelle stratégie s'imposait à Pierre-Paul, à ce moment ? Imaginez un scénario détaillé des comportements reliés à cette stratégie.

   _____

5. Compte tenu de ce que vous savez sur la crise suicidaire et sur la situation personnelle d'Éric, quelle stratégie suggérez-vous à son superviseur à son arrivée au poste ?

   _____

Conclusion

Nous espérons que cet ouvrage vous a permis de comprendre les multiples facettes du stress policier et que la pratique des stratégies suggérées vous a procuré le calme que vous en espériez. Notre objectif est atteint si l'« inoculation anti-stress » circule en vous et que vous avez conscience que des rappels de ce vaccin vous seront nécessaires en cours de carrière, car vous êtes maintenant dotés de connaissances sur le stress et les facteurs de stress propres aux policiers, mais vous n'êtes pas immunisés à jamais. Cependant, vous comprenez désormais les composantes physique, psychologique et sociale du stress, les stratégies d'ajustement reliées à chacune et vous avez découvert celles qui sont les plus susceptibles de vous aider à maintenir votre zone de stabilité en présence des agents stressants inhérents à votre vie professionnelle. En appliquant au jour le jour les quelques pratiques de base suivantes, vous bénéficierez forcément des stratégies spécifiques à chaque composante :

- Une saine alimentation, des habitudes de sommeil régulier, l'activité physique régulière et l'application de techniques de détente après une exposition à des agents stressants sont à la base d'une gestion de stress efficace.
- En n'assumant que la responsabilité des événements sur lesquels vous pouvez exercer un contrôle et en vous abstenant de tenter de contrôler l'incontrôlable, vous vous protégerez des effets pernicieux des agents stressants. Avant et après l'exposition à des agents stressants, confrontez et restructurez vos croyances, en vue de vous protéger contre la majeure partie des événements stressants de la vie.
- Répétez régulièrement des scénarios d'actions possibles dans l'éventualité d'un incident critique et tenez à jour vos habiletés d'intervention. Cela vous aidera à construire votre estime de soi et la mentalité de gagnant(e) qui vous aideront dans les situations difficiles.
- Les émotions sont naturelles, saines et humaines. Surtout parce que votre métier exige que vous les contrôliez, exercez-vous en dehors du travail à leur trouver un lieu d'expression qui vous convienne : des mots... des confidences... des larmes... des caresses... des rires...
- Les autres sont une vitamine anti-stress : développez votre propre capacité d'intimité et apprenez à demander l'aide nécessaire pour affronter les événements stressants.

La dernière partie de votre manuel a porté sur l'épuisement professionnel, le stress post-traumatique, la dépendance à l'alcool et le suicide, quatre conséquences graves du stress policier. Vous en comprenez maintenant les mécanismes, de même que les stratégies préventives auxquelles peuvent recourir les policiers aux prises avec ces problèmes. Les principes qui sous-tendent l'ensemble de ces stratégies sont les suivants :

- Il vaut mieux agir dès l'apparition des premiers symptômes d'une conséquence de stress.
- Il est essentiel de faire preuve de discrétion lorsqu'on tente d'apporter du soutien à une victime des conséquences du stress qui nous a fait des confidences. Le respect de l'autre est primordial.
- Il faut se rappeler qu'aucune situation n'est sans issue.

Nous aimerions maintenant que vous utilisiez cet ouvrage à la manière d'un livre de recettes. Ressortez-le à la suite d'un événement stressant pour consulter un chapitre ou y chercher une stratégie réductrice de stress dont vous ferez l'essai et que vous adapterez selon vos besoins.

Annexe

Démarche de gestion de stress : profil de stress et stratégies

Cette annexe présente un processus de résolution de problèmes en trois étapes à appliquer à votre propre stress. La première étape consistera à établir votre **profil de stress**. La deuxième orientera la **planification de votre démarche** et le choix des stratégies d'ajustement parmi celles qui sont décrites dans la partie *Démarche de gestion de stress* de chacun des chapitres 2, 3 et 4. La dernière étape guidera l'**évaluation** que vous ferez des stratégies utilisées.

A.1 Profil de stress

Votre profil de stress sera établi à partir des résultats que vous obtiendrez à chacun des dix courts questionnaires, qui visent à faire le portrait de vos réactions habituelles au stress. Ces tests sont une traduction libre de Girdano et coll. (1997). Ils ont été choisis parce qu'ils sont simples à utiliser et qu'ils conviennent au type d'agents stressants propres au milieu policier. Voici les numéros de ces tests et ce qu'ils mesurent :

Tests	Ce qu'ils mesurent
1a) (policiers et conjoints) et 1b) (étudiants)	Événements stressants actuels de votre vie (UC)
2	Vos réactions à la frustration (F)
3	La surcharge (S)
4	Le stress de privation (SP)
5	Les habitudes alimentaires et de consommation de psychotropes (HC)
6	La perception de soi (PS)
7	Les comportements de type A (CTA)
8	Les réactions d'anxiété (RA)
9	Le besoin de contrôle (BC)
10	Les agents stressants propres au travail (AST)

Avant de répondre aux questionnaires, lisez cette mise en garde : il est important que vous répondiez honnêtement, de façon réaliste. Évitez le plus possible de protéger votre image en ne donnant que des réponses positives, ou, au contraire, de vous déprécier à outrance, ce qui vous donnerait un résultat trop négatif. Répondez au meilleur de votre connaissance de vous-même, reportez chacun de vos résultats dans le tableau de compilation de la page 200 et déterminez votre profil personnel de stress.

Une fois ce tableau rempli, lisez les indications données à la page 203 pour faire une analyse globale de vos résultats à chacun des tests et en comprendre le sens.

Les tests

Test 1a)   Les unités de changement de vie (pour les policiers)

Si vous êtes étudiant(e), passez au test 1b).

Reportez dans la troisième colonne les unités de changement correspondant aux événements survenus dans votre vie au cours des 12 derniers mois.

Événements	Unités de changement	Votre résultat
Décès du conjoint	100	
Divorce	73	
Séparation	65	
Emprisonnement	63	
Décès d'un membre de la famille immédiate	63	
Blessure ou maladie	53	
Mariage	50	
Licenciement	47	
Réconciliation avec le conjoint	45	
Retraite	45	
Changement de l'état de santé d'un membre de la famille	44	
Grossesse	40	
Troubles d'ordre sexuel	39	
Ajout d'un nouveau membre dans la famille	39	
Changement d'ordre professionnel	39	
Changement d'ordre financier	38	
Décès d'un ami intime	37	
Changement d'activité professionnelle	36	
Augmentation de la fréquence des disputes avec le conjoint	35	
Total partiel à reporter à la page suivante		

Total partiel reporté	
Emprunt ou hypothèque excédant 25 % de votre revenu	31
Saisie d'un bien hypothéqué ou récupération d'un prêt	30
Changement de responsabilités professionnelles	29
Enfant qui quitte le foyer	29
Ennuis avec la parenté	29
Réalisation personnelle remarquable	28
Conjoint nommé à un nouveau poste ou licencié	26
Retour en classe ou fin des classes	26
Changement de conditions de vie	25
Transformation des habitudes de vie	24
Ennuis avec un patron	23
Modifications de l'horaire ou des conditions de travail	20
Déménagement	20
Changement d'école	20
Changement d'activités récréatives	19
Changement d'activités religieuses	19
Changement d'activités sociales	18
Hypothèque ou prêt inférieur à 10 000 $	17
Modification des habitudes de sommeil	16
Modification de la fréquence des rencontres familiales	15
Modification des habitudes alimentaires	15
Vacances	13
Noël	12
Infractions mineures aux lois	11
Total : reporter cette somme dans le tableau de la page 200 sous le titre UC	

Test 1b)   Les unités de changement de vie (pour les étudiants)

Reportez dans la troisième colonne les unités de changement correspondant aux événements survenus dans votre vie au cours des 12 derniers mois.

Événements	Unités de changement	Votre résultat
Décès d'un membre de la famille immédiate	100	
Séjour en prison	80	
Dernière année ou première année de collège	63	
Grossesse (vous ou votre copine)	60	
Maladie ou blessures graves	53	
Mariage	50	
Problèmes de relations interpersonnelles	45	
Difficultés financières	40	
Décès d'un ami intime	40	
Chicanes avec un colocataire (plus dures que d'habitude)	40	
Désaccords majeurs avec les membres de la famille	40	
Changements majeurs dans les habitudes personnelles	30	
Changements dans l'environnement de vie	30	
Début ou fin d'un emploi rémunéré	30	
Problèmes avec le patron ou un professeur	25	
Atteindre une réussite personnelle	25	
Échouer un cours	25	
Examens finals	20	
Augmenter ou diminuer le nombre des sorties pour rencontrer un(e) amoureux(se)	20	
Modification des conditions de travail	20	
Changement de programme	20	
Modification des habitudes de sommeil	18	
Vacances	15	
Modification des habitudes alimentaires	15	
Réunion de famille	15	
Changements dans les loisirs	15	
Blessure mineure	15	
Infractions mineures aux lois	11	
Total : reporter cette somme dans le tableau de la page 200 sous le titre UC		

Test 2   La frustration

Choisissez les réponses les plus appropriées à chaque numéro et inscrivez la lettre correspondante dans chaque case.

1. Vous vous sentez entravé(e) dans votre vie personnelle et professionnelle.
a) presque toujours
b) souvent
c) rarement
d) presque jamais

2. Vous éprouvez le besoin de vous réaliser plus pleinement.
a) presque toujours
b) souvent
c) rarement
d) presque jamais

3. Vous sentez que votre vie manque de direction ou de sens.
a) presque toujours
b) souvent
c) rarement
d) presque jamais

4. Vous vous impatientez.
a) presque toujours
b) souvent
c) rarement
d) presque jamais

5. Vous vous sentez pris(e) au piège et incapable de vous en sortir.
a) presque toujours
b) souvent
c) rarement
d) presque jamais

6. Vous vous sentez désillusionné(e).
a) presque toujours
b) souvent
c) rarement
d) presque jamais

7. Vous vous sentez frustré(e).
a) presque toujours
b) souvent
c) rarement
d) presque jamais

8. Vous êtes déçu(e).
a) presque toujours
b) souvent
c) rarement
d) presque jamais

9. Vous vous sentez inférieur(e).
a) presque toujours
b) souvent
c) rarement
d) presque jamais

10. Vous êtes bouleversé(e) quand les choses ne vont pas comme vous voudriez.
a) presque toujours
b) souvent
c) rarement
d) presque jamais

Traduction libre de Girdano et coll., 1997.

CALCUL DES RÉSULTATS

a) = 4 points   **b)** = 3 points   **c)** = 2 points   **d)** = 1 point

Reportez le total dans le tableau de la page 200 sous le titre **F** : _____

Test 3 La surcharge

Choisissez les réponses les plus appropriées à chaque numéro et inscrivez la lettre correspondante dans chaque case.

1. Vous manquez de temps pour faire les choses qui vous plaisent.
   a) presque toujours
   b) souvent
   c) rarement
   d) presque jamais

2. Vous aimeriez avoir plus de soutien ou d'aide.
   a) presque toujours
   b) souvent
   c) rarement
   d) presque jamais

3. Vous manquez de temps pour faire votre travail d'une façon satisfaisante.
   a) presque toujours
   b) souvent
   c) rarement
   d) presque jamais

4. Vous avez de la difficulté à vous endormir parce que trop de choses vous préoccupent.
   a) presque toujours
   b) souvent
   c) rarement
   d) presque jamais

5. Vous sentez que les gens attendent tout simplement trop de vous.
   a) presque toujours
   b) souvent
   c) rarement
   d) presque jamais

6. Vous vous sentez dépassé(e).
   a) presque toujours
   b) souvent
   c) rarement
   d) presque jamais

7. Vous avez des pertes de mémoire ou avez de la difficulté à prendre des décisions parce vous avez trop de choses à l'esprit.
   a) presque toujours
   b) souvent
   c) rarement
   d) presque jamais

8. Vous considérez être dans une situation où vous ressentez beaucoup de pression.
   a) presque toujours
   b) souvent
   c) rarement
   d) presque jamais

9. Vous sentez que vous avez trop de responsabilités.
   a) presque toujours
   b) souvent
   c) rarement
   d) presque jamais

10. Vous êtes épuisé(e) à la fin de la journée.
   a) presque toujours
   b) souvent
   c) rarement
   d) presque jamais

Traduction libre de Girdano et coll., 1997.

CALCUL DES RÉSULTATS

a) = 4 points   **b)** = 3 points   **c)** = 2 points   **d)** = 1 point

Reportez le total dans le tableau de la page 200 sous le titre **S** : _____

Test 4   Le stress de privation

Choisissez les réponses les plus appropriées à chaque numéro et inscrivez la lettre correspondante dans chaque case.

1. Vous sentez que votre travail n'est pas assez stimulant.
 a) presque toujours
 b) souvent
 c) rarement
 d) presque jamais

2. Vous perdez l'intérêt pour vos activités quotidiennes.
 a) presque toujours
 b) souvent
 c) rarement
 d) presque jamais

3. Vous vous sentez fébrile en accomplissant votre routine quotidienne.
 a) presque toujours
 b) souvent
 c) rarement
 d) presque jamais

4. Vous êtes embarrassé(e) par la simplicité de votre travail.
 a) presque toujours
 b) souvent
 c) rarement
 d) presque jamais

5. Vous voudriez que votre vie soit plus excitante.
 a) presque toujours
 b) souvent
 c) rarement
 d) presque jamais

6. Vous manquez de stimulation et cela vous angoisse.
 a) presque toujours
 b) souvent
 c) rarement
 d) presque jamais

7. Vous vous ennuyez.
 a) presque toujours
 b) souvent
 c) rarement
 d) presque jamais

8. Vous trouvez que vos activités quotidiennes ne vous posent pas de défi.
 a) presque toujours
 b) souvent
 c) rarement
 d) presque jamais

9. Vous rêvassez durant le travail.
 a) presque toujours
 b) souvent
 c) rarement
 d) presque jamais

10. Vous vous sentez seul(e).
 a) presque toujours
 b) souvent
 c) rarement
 d) presque jamais

Traduction libre de Girdano et coll., 1997.

CALCUL DES RÉSULTATS

a) = 4 points   **b)** = 3 points   **c)** = 2 points   **d)** = 1 point

Reportez le total dans le tableau de la page 200 sous le titre **SP** : _____

Test 5   Les habitudes alimentaires et de consommation de psychotropes

Choisissez les réponses les plus appropriées à chaque numéro et inscrivez la lettre correspondante dans chaque case.

1. Combien de cafés buvez-vous en moyenne par jour ?
a) 0 ou 1
b) 2 ou 3
c) 4 ou 5
d) plus de 5

2. Combien de cigarettes fumez-vous en moyenne par jour ?
a) 0 à 10
b) 11 à 20
c) 21 à 40
d) plus de 40

3. Ajoutez-vous du sel à votre nourriture ?
a) non
b) oui

4. Combien de tasses de thé buvez-vous en moyenne par jour ?
a) 0 ou 1
b) 1 ou 2
c) 3 ou 4
d) plus de 4

5. Combien de boissons gazeuses buvez-vous en moyenne par jour ?
a) 0 ou 1
b) 1 ou 2
c) 3 ou 4
d) plus de 4

6. Combien de consommations alcooliques prenez-vous en moyenne par semaine ?
a) 0 à 7 consommations
b) 8 à 15 consommations
c) 15 à 21 consommations
d) plus de 21 consommations

7. Avez-vous une alimentation équilibrée conforme au *Guide alimentaire canadien* ?
a) oui
b) non

8. En tout, combien de pâtisseries, de pointes de tarte, de gâteaux, de beignes, de muffins ou de barres de chocolat mangez-vous par jour ?
a) 0
b) 1 ou 2
c) 3 ou 4
d) plus de 4

9. Prenez-vous un déjeuner équilibré chaque matin ?
a) oui
b) non

10. Combien de tranches de pain blanc mangez-vous habituellement par jour ?
a) 0
b) 1 ou 2
c) 3 ou 4
d) plus de 4

Traduction libre de Girdano et coll., 1997.

CALCUL DES RÉSULTATS

Pour les questions 3, 7 et 9 : a) = 0 points   **b)** = 4 points
Pour les autres questions : a) = 1 point   **b)** = 2 points   **c)** = 3 points   **d)** = 4 points

Reportez ce total dans le tableau de la page 200 dans la colonne **HC** : _____

Test 6   La perception de soi

Choisissez les réponses les plus appropriées à chaque numéro et inscrivez la lettre correspondante dans chaque case.

1. Quand j'ai une tâche difficile, je fais de mon mieux et je réussis habituellement.
a) presque toujours
b) souvent
c) rarement
d) presque jamais ▢

2. Je suis à l'aise avec les personnes du sexe opposé.
a) presque toujours
b) souvent
c) rarement
d) presque jamais ▢

3. Je sens que beaucoup de personnes m'apprécient.
a) presque toujours
b) souvent
c) rarement
d) presque jamais ▢

4. J'ai une très grande confiance en mes propres capacités.
a) presque toujours
b) souvent
c) rarement
d) presque jamais ▢

5. Je préfère contrôler ma vie plutôt que laisser quelqu'un d'autre décider pour moi.
a) presque toujours
b) souvent
c) rarement

d) presque jamais ▢

6. Je suis à l'aise avec mes supérieurs.
a) presque toujours
b) souvent
c) rarement
d) presque jamais ▢

7. J'ai souvent trop conscience de ce qui se passe dans ma tête ou de mes malaises et je suis timide en compagnie d'étrangers.
a) presque toujours
b) souvent
c) rarement
d) presque jamais ▢

8. Chaque fois que quelque chose va mal, j'ai tendance à m'en blâmer.
a) presque toujours
b) souvent
c) rarement
d) presque jamais ▢

9. Mes échecs me dépriment profondément.
a) presque toujours
b) souvent
c) rarement
d) presque jamais ▢

10. J'ai souvent l'impression que les autres ne peuvent rien faire pour moi.
a) presque toujours
b) souvent
c) rarement
d) presque jamais ▢

Traduction libre de Girdano et coll., 1997.

CALCUL DES RÉSULTATS

Numéros 1 à 6 : a) = 1 point   **b)** = 2 points   **c)** = 3 points   **d)** = 4 points
Numéros 7 à 10 : a) = 4 points   **b)** = 3 points   **c)** = 2 points   **d)** = 1 point
Reportez ce total dans le tableau de la page 200 dans la colonne **PS** : ———

Test 7 Les comportements de type A

Choisissez les réponses les plus appropriées à chaque numéro et inscrivez la lettre correspondante dans chaque case.

1. Je n'ai pas de patience pour le retard des autres.
   a) presque toujours
   b) souvent
   c) rarement
   d) presque jamais

2. Les files d'attente m'exaspèrent.
   a) presque toujours
   b) souvent
   c) rarement
   d) presque jamais

3. Les gens me disent que je m'énerve facilement.
   a) presque toujours
   b) souvent
   c) rarement
   d) presque jamais

4. Je suis compétitif(ve) dans tout ce que je fais.
   a) presque toujours
   b) souvent
   c) rarement
   d) presque jamais

5. Je me sens coupable de prendre du temps pour autre chose quand il me reste du travail à faire.
   a) presque toujours
   b) souvent
   c) rarement
   d) presque jamais

6. Je perds les pédales ou je deviens irritable quand il y a beaucoup de pression.
   a) presque toujours
   b) souvent
   c) rarement
   d) presque jamais

7. J'ai l'habitude de toujours courir.
   a) presque toujours
   b) souvent
   c) rarement
   d) presque jamais

8. On me considère mauvais(e) perdant(e).
   a) presque toujours
   b) souvent
   c) rarement
   d) presque jamais

9. Je hais devoir attendre ou dépendre des autres pour ce que j'ai à faire.
   a) presque toujours
   b) souvent
   c) rarement
   d) presque jamais

10. Je me surprends à m'imposer inutilement de la pression.
    a) presque toujours
    b) souvent
    c) rarement
    d) presque jamais

Traduction libre de Girdano et coll., 1997.

CALCUL DES RÉSULTATS

a) = 4 points   **b)** = 3 points   **c)** = 2 points   **d)** = 1 point
Reportez ce total dans le tableau de la page 200 dans la colonne **CTA** : _____

Test 8   Les réactions d'anxiété

Choisissez les réponses les plus appropriées à chaque numéro et inscrivez la lettre correspondante dans chaque case.

Quand je ressens de l'anxiété,

1. j'ai tendance à imaginer le pire.
   a) presque toujours
   b) souvent
   c) rarement
   d) presque jamais

2. j'ai tendance à tout faire pour résoudre le problème immédiatement, car autrement, je me rendrai malade d'inquiétude.
   a) presque toujours
   b) souvent
   c) rarement
   d) presque jamais

3. je tourne et retourne la crise dans ma tête, même si tout est résolu.
   a) presque toujours
   b) souvent
   c) rarement
   d) presque jamais

4. je peux me rappeler une crise dans ses moindres détails, des heures et même des jours après.
   a) presque toujours
   b) souvent
   c) rarement
   d) presque jamais

5. j'ai le sentiment de perdre le contrôle.
   a) presque toujours
   b) souvent
   c) rarement
   d) presque jamais

6. j'ai l'estomac noué, la bouche sèche et le cœur qui palpite.
   a) presque toujours
   b) souvent
   c) rarement
   d) presque jamais

7. j'ai tendance à faire des montagnes avec des riens.
   a) presque toujours
   b) souvent
   c) rarement
   d) presque jamais

8. j'ai de la difficulté à m'endormir quand je me mets au lit.
   a) presque toujours
   b) souvent
   c) rarement
   d) presque jamais

9. j'ai de la difficulté à parler ou j'ai les mains et les doigts qui tremblent.
   a) presque toujours
   b) souvent
   c) rarement
   d) presque jamais

10. les pensées se bousculent dans ma tête.
   a) presque toujours
   b) souvent
   c) rarement
   d) presque jamais

Traduction libre de Girdano et coll., 1997.

CALCUL DES RÉSULTATS

a) = 4 points   **b)** = 3 points   **c)** = 2 points   **d)** = 1 point
Reportez ce total dans le tableau de la page 200 dans la colonne **RA** : _____

Test 9 Le besoin de contrôle

Choisissez les réponses les plus appropriées à chaque numéro et inscrivez la lettre correspondante dans chaque case.

1. Vous vous sentez dépourvu(e) et impuissant(e) dans des situations difficiles.
   a) presque toujours
   b) souvent
   c) rarement
   d) presque jamais

2. Vous avez l'impression d'être dans une situation incontrôlable.
   a) presque toujours
   b) souvent
   c) rarement
   d) presque jamais

3. Vous sentez le besoin d'une vie planifiée et bien organisée.
   a) presque toujours
   b) souvent
   c) rarement
   d) presque jamais

4. Vous vous sentez triste et déprimé(e).
   a) presque toujours
   b) souvent
   c) rarement
   d) presque jamais

5. Vous craignez de perdre le contrôle de votre vie.
   a) presque toujours
   b) souvent
   c) rarement
   d) presque jamais

6. Vous ressentez de l'insécurité.
   a) presque toujours
   b) souvent
   c) rarement
   d) presque jamais

7. Vous avez besoin de contrôler les gens autour de vous.
   a) presque toujours
   b) souvent
   c) rarement
   d) presque jamais

8. Vous avez besoin de contrôler votre environnement.
   a) presque toujours
   b) souvent
   c) rarement
   d) presque jamais

9. Vous avez besoin de structurer vos activités quotidiennes à l'heure ou à la minute près.
   a) presque toujours
   b) souvent
   c) rarement
   d) presque jamais

10. Vous vous sentez en sécurité.
   a) presque toujours
   b) souvent
   c) rarement
   d) presque jamais

Traduction libre de Girdano et coll., 1997.

CALCUL DES RÉSULTATS

Pour les numéros 1 à 9 : a) = 4 points   **b)** = 3 points   **c)** = 2 points   **d)** = 1 point
Pour le numéro 10 : a) = 1 point   **b)** = 2 points   **c)** = 3 points   **d)** = 4 points
Reportez ce total dans le tableau de la page 200 dans la colonne **BC** : ‗‗‗‗‗

Test 10   Les agents stressants propres au travail

Choisissez les réponses les plus appropriées à chaque numéro et inscrivez la lettre correspondante dans chaque case.

1. Vous avez des échéances importantes difficiles à honorer.
   a) une fois par jour ou plus
   b) plus d'une fois par semaine mais moins d'une fois par jour
   c) une fois par semaine
   d) moins d'une fois par semaine

2. Vous vous sentez moins compétent(e) que vous ne l'auriez cru.
   a) une fois par jour ou plus
   b) plus d'une fois par semaine mais moins d'une fois par jour
   c) une fois par semaine
   d) moins d'une fois par semaine

3. Vous souhaitez que votre travail soit moins complexe.
   a) une fois par jour ou plus
   b) plus d'une fois par semaine mais moins d'une fois par jour
   c) une fois par semaine
   d) moins d'une fois par semaine

4. Vous avez l'impression que votre travail vous dépasse.
   a) une fois par jour ou plus
   b) plus d'une fois par semaine mais moins d'une fois par jour
   c) une fois par semaine
   d) moins d'une fois par semaine

5. Vous ne vous sentez pas à votre place.
   a) une fois par jour ou plus
   b) plus d'une fois par semaine mais moins d'une fois par jour
   c) une fois par semaine
   d) moins d'une fois par semaine

6. Vous vous sentez submergé(e) par la paperasse.
   a) une fois par jour ou plus
   b) plus d'une fois par semaine mais moins d'une fois par jour
   c) une fois par semaine
   d) moins d'une fois par semaine

7. Au travail, vous avez l'impression d'être contraint(e) par la bureaucratie.
   a) une fois par jour ou plus
   b) plus d'une fois par semaine mais moins d'une fois par jour
   c) une fois par semaine
   d) moins d'une fois par semaine

8. Au travail, vous vous sentez coupable de prendre du temps pour autre chose que le travail.
   a) presque toujours vrai
   b) habituellement vrai
   c) rarement vrai
   d) jamais vrai

9. Vous avez tendance à vous mettre au travail sans connaître la méthode à employer ou réfléchir à la façon dont vous vous y prendrez.
   a) presque toujours vrai
   b) habituellement vrai
   c) rarement vrai
   d) jamais vrai

10. Vous avez tendance à faire deux ou trois choses à la fois.
   a) presque toujours vrai
   b) habituellement vrai
   c) rarement vrai
   d) jamais vrai

Traduction libre de Girdano et coll., 1997.

CALCUL DES RÉSULTATS

a) = 4 points   **b)** = 3 points   **c)** = 2 points   **d)** = 1 point

Reportez ce total dans le tableau de la page 200 dans la colonne **AST** : _____

Tableau de compilation

Établissez votre profil personnel de stress.

Vulnérabilité au stress	TEST									
	1. UC	2. F	3. S	4. SP	5. HC	6. PS	7. CTA	8. RA	9. BC	10. AST
Élevée	400	40	40	40	40	40	40	40	40	40
	350	35	35	35	35	35	35	35	35	35
	300	30	30	30	30	30	30	30	30	30
Modérée	250	25	25	25	25	25	25	25	25	25
	200	20	20	20	20	20	20	20	20	20
Basse										
	150	15	15	15	15	15	15	15	15	15
	100	10	10	10	10	10	10	10	10	10

L'analyse de votre profil personnel de stress

Avant d'analyser votre profil, rappelez-vous que les résultats que vous obtenez se situent dans le contexte actuel de votre vie, au moment précis où vous remplissez les tests. En effet, les niveaux de stress varient en fonction des événements de la vie d'une personne et de ses réactions ponctuelles à ces événements. Vous n'obtiendriez pas le même résultat dans six mois !

Le tableau de compilation permet de faire ressortir votre degré de vulnérabilité à chacune des dimensions du stress mesurées par les dix questionnaires.

- Si votre vulnérabilité est élevée pour une des dimensions du stress, cela signifie que la situation dans laquelle vous êtes ou les comportements que vous adoptez risquent d'entraîner, à court ou à moyen terme, des conséquences néfastes pour votre santé physique ou mentale.

- Si votre vulnérabilité est d'intensité moyenne pour une des dimensions, vous auriez avantage, dans la mesure du possible, à vous doter de stratégies pouvant vous aider à diminuer cet agent stressant.

- Un résultat de basse vulnérabilité au stress laisse présumer que la dimension mesurée constitue pour vous une ressource plutôt qu'un agent stressant.

Voyons maintenant plus précisément ce que chacun des tests mesure.

Les unités de changement de vie (UC)

Ce résultat indique le degré auquel vous avez éprouvé, au cours de la dernière année, des événements heureux ou malheureux dont l'accumulation est génératrice de stress. Il ne peut être traité indépendamment des autres dimensions, car il correspond aux exigences de ces événements pour vous, et non aux ressources dont vous disposez pour y faire face. Certains de ces événements dépendent de vous, d'autres non. En période de haute vulnérabilité au stress causé par plusieurs changements de vie, il importe de prévenir les conséquences de ces agents stressants en reconnaissant d'abord le caractère stressant des événements et en utilisant de façon combinée des stratégies d'ajustement physiques, psychologiques et sociales permettant d'en amoindrir les effets.

La frustration (F)

La frustration est présente dans les situations où vous ressentez un empêchement à la poursuite d'un objectif. Cette dimension correspond davantage à la façon dont vous encaissez les événements qui ne répondent pas à vos attentes, qu'aux événements comme tels. Elle dépend donc en grande partie de vos interprétations et de vos réactions émotionnelles en présence d'agents stressants. Vous êtes susceptible d'obtenir un résultat plus élevé concernant cette dimension si vous avez des attentes très élevées envers vous-même, envers les autres et par rapport à ce que la vie devrait vous apporter. Il vous est suggéré d'utiliser les stratégies d'ajustement psychologiques (p. 60) qui vous conviendront pour réajuster vos attentes ou modifier vos comportements.

La surcharge (S)

La surcharge désigne votre perception et vos réactions face à l'ampleur des responsabilités qui vous incombent et des tâches que vous devez effectuer. Plus votre tâche est lourde pendant une longue période, ce qui constitue un agent stressant, plus vous êtes susceptible de ressentir les conséquences de cette surcharge sur la qualité de votre sommeil, votre capacité de concentration et votre niveau d'énergie. Les stratégies d'ajustement physiques (p. 35), la stratégie d'ajustement 16 : *Un processus de résolution de problèmes à votre propre usage* (p. 61) et la stratégie d'ajustement 21 : *Du temps à soi* (p. 66) vous permettront de réduire la partie de surcharge sur laquelle vous pouvez agir.

Le stress de privation (SP)

À l'opposé de la dimension précédente se trouve le stress de privation. Celui-ci est créé par l'insatisfaction de se voir déployer des ressources inférieures à celles que l'on pourrait consacrer à ses activités quotidiennes. Le stress de privation peut provenir de l'isolement social, de la routine d'un emploi ou d'un manque de stimulation. Pour certains policiers, selon leur personnalité et le milieu dans lequel ils exercent, la tâche à accomplir peut comporter des éléments propices à générer du stress de privation. Afin de prévenir les conséquences de cet agent stressant sur votre santé, vous devez viser à augmenter votre niveau de stimulation. La stratégie d'ajustement 16 : *Un processus de résolution de problèmes à votre propre usage* (p. 61) dégage des pistes de solution. Les stratégies sociales d'ajustement vous permettant d'augmenter la qualité de vos relations sociales sont aussi recommandées (p. 111).

Les habitudes alimentaires et de consommation de psychotropes (HC)

Certaines habitudes de consommation sont mesurées sommairement par ce test. Si vous obtenez dans cette dimension un résultat indiquant une grande vulnérabilité au stress, il vous est suggéré d'identifier à partir de vos réponses les habitudes qui vous posent plus particulièrement problème pour ensuite orienter votre choix de stratégies. Celles-ci peuvent être liées à une diète ou à une modification de vos habitudes de vie et de consommation. Dans ce dernier cas, la lecture du chapitre 7 sur la dépendance à l'alcool pourra constituer un point de départ. Si vous comptez opérer des changements dans vos habitudes alimentaires ou de consommation, il est fortement suggéré de consulter un médecin ou une ressource professionnelle compétente.

La perception de soi (PS)

L'estime de soi est considérée comme une ressource psychologique importante pour atténuer les effets des exigences de votre métier de policier. Si votre résultat indique une faible vulnérabilité au stress dans cette dimension, vous possédez cette ressource. Si, toutefois, votre résultat indique une vulnérabilité élevée au stress, il importe que vous vous attachiez à renforcer votre estime de soi au moyen des stratégies psychologiques suggérées à la page 68.

Les comportements de type A (CTA)

Cette dimension indique jusqu'à quel point vous vous comportez comme les gens ayant une personnalité de type A. Ces personnes ressentent plus que les autres l'urgence du temps, ont tendance à entrer en compétition avec les autres et à ressentir de l'hostilité en présence d'obstacles. Elles sont également plus sujettes à développer des maladies cardiaques. Des stratégies d'ajustement physiques (p. 35) et psychologiques (p. 60) sont suggérées pour modifier les croyances et les comportements stressants des personnes dont la vulnérabilité au stress est élevée.

Les réactions d'anxiété (RA)

Si votre résultat indique une grande vulnérabilité au stress dans la dimension RA, vous vous sentez probablement souvent en état d'alerte, autant par rapport aux événements du passé que dans l'anticipation des scénarios pessimistes qui pourraient vous arriver dans l'avenir. Vous éprouvez aussi de multiples signes de tension physique inconfortables. Les stratégies d'ajustement physiques (p. 35), psychologiques (p. 60) et sociales (p. 98) vous permettront d'atténuer ces réactions gênantes.

Le besoin de contrôle (BC)

Chacun ressent le besoin d'exercer un contrôle sur sa vie. La capacité de contrôler efficacement sa vie est d'ailleurs considérée comme un facteur psychologique protecteur contre le stress. Une vulnérabilité élevée au stress dans la dimension BC signifie plutôt que vous tentez sans succès de contrôler certains aspects de votre vie ou de contrôler l'incontrôlable. Des stratégies d'ajustement psychologiques (p. 60) visent à transformer le besoin de contrôle en contrôlabilité.

Les agents stressants propres au travail (AST)

Cette dimension décrit votre capacité à satisfaire aux exigences de votre travail. Une vulnérabilité élevée au stress pourrait être un indice d'épuisement professionnel. La lecture du chapitre 5 pourrait apporter un éclairage à vos interrogations; cependant, il importe que vous en discutiez avec des personnes en qui vous avez confiance. La stratégie d'ajustement 16 : *Un processus de résolution de problèmes à votre propre usage* (p. 60) pourra vous aider à apporter les correctifs à cette situation difficile. De manière plus positive, un bas niveau de vulnérabilité au stress indique que vous vous adaptez aux demandes de votre travail.

Votre diagnostic

1. Consultez le tableau de compilation (p. 200)

2. Identifiez les tests pour lesquels vos résultats vous semblent problématiques, en y associant les situations actuelles ou récurrentes typiques. Chaque situation comporte ses propres agents stressants. Vous est-il possible d'identifier ces agents stressants et de préciser le degré auquel vous pouvez les changer ? Le tableau suivant résume ces points de diagnostic.

Test (l'identifier)	Situations actuelles ou récurrentes qui expliquent votre résultat	Agents stressants présents dans ces situations	Degré auquel vous pensez pouvoir changer ces agents stressants (échelle de 0 à 10)
1.		1. 2. 3.	1. 2. 3.
2.		1. 2. 3.	1. 2. 3.
3.		1. 2. 3.	1. 2. 3.

A.2 La planification de la démarche de gestion de stress

Votre objectif de résultat

Compte tenu des agents stressants identifiés dans le tableau de diagnostic précédent, précisez un **résultat bref et simple** que vous aimeriez obtenir :

Je veux _____

_____

Indiquez sur une échelle de 1 à 10 jusqu'à quel point vous êtes prêt(e) à réduire cet agent stressant.

| 1 | 2 | 3 | 4 | 5 | 6 | 7 | 8 | 9 | 10 |

pas prêt(e)   **très prêt(e)**

Évaluez votre capacité à réduire cet agent stressant.

| 1 | 2 | 3 | 4 | 5 | 6 | 7 | 8 | 9 | 10 |

pas bonne   **très bonne**

Si vous ne vous êtes pas donné au moins 8 sur les deux échelles, vos chances de succès sont faibles. Dans ce cas, vous auriez avantage à reconsidérer vos autres agents stressants pour faire un deuxième choix.

Les preuves à obtenir pour mesurer l'atteinte de votre résultat

Ayez des preuves **définies** et **mesurables**. Par exemple, comment saurez-vous que vous arrivez à garder votre calme ? Quelles preuves vous permettront d'évaluer ce résultat attendu ?

Si vous avez de la difficulté à trouver des preuves observables, imaginez comment vous observeriez ce comportement chez quelqu'un d'autre. Par exemple, comment observe-t-on qu'une personne maîtrise sa colère ?

Écrivez une courte liste des moyens que vous utiliserez pour vous prouver à vous-même que vous avez atteint le résultat visé :

J'aurai _____

si j'observe que je _____

_____

_____

_____

_____

Précisez le temps que vous prévoyez prendre pour essayer les stratégies avant de les évaluer. (Si vous voulez obtenir des résultats probants, il est préférable que vous étaliez votre démarche sur quelques mois, tout en l'évaluant en cours de réalisation au moment où vous en ressentirez le besoin.) _____

Comment choisir les stratégies d'ajustement ?

Compte tenu de votre profil de stress et du résultat que vous comptez atteindre, retournez aux pages 35, 60 et 98; 42, 79 et 111 qui vous guideront dans le choix de vos stratégies d'ajustement. Nous vous recommandons un programme incluant de saines conditions de vie et de l'exercice physique, en plus de l'utilisation des stratégies d'ajustement physiques, psychologiques et sociales. La combinaison de stratégies appartenant à chaque dimension peut être plus efficace qu'une seule. Par exemple, si vous voulez diminuer vos réactions de type A, l'exercice physique, accompagné de stratégies psychologiques et sociales auprès de personnes en qui vous avez confiance, sera plus efficace que seulement l'exercice physique.

Avant de choisir, lisez ces quelques constats, empruntés à Anderson et coll. (1995), pour orienter l'utilisation que vous ferez des stratégies d'ajustement.

• Pour arriver à maîtriser une stratégie, il faut la pratiquer; ses bienfaits ne se manifesteront pas magiquement du premier coup.

- Si vous ne trouvez pas le temps de prendre soin de vous maintenant, vous devrez en sacrifier deux fois plus lorsque vous serez malade.
- Choisissez des stratégies que vous pourrez intégrer dans votre mode de vie et utiliser tout le temps.
- Vous pouvez apprendre beaucoup sur vous et sur la nature humaine en observant comment vous vous empêchez de changer ce que vous désirez pourtant changer.

Les stratégies choisies

Conditions de vie et exercice physique

Décrivez précisément les changements que vous apporterez dans vos conditions de vie et le programme d'exercice physique que vous vous proposez de mettre en application.

Alimentation	Consommation de psychotropes	Sommeil	Activité physique (type d'activité, fréquence, durée)

Stratégies physiques, psychologiques et sociales

Décrivez les stratégies que vous utiliserez (modalités précises, fréquence, moment précis où vous les pratiquerez).

Stratégies physiques	Stratégies psychologiques	Stratégies sociales

Comment observer vos réactions et l'efficacité des stratégies choisies pendant votre démarche

Vous n'avez plus qu'à passer à l'action. En cours de route, vous aurez à faire face à des agents stressants. Vous serez plus en mesure de vérifier si les stratégies choisies vous conviennent. La connaissance des événements qui déclenchent des réponses de stress en vous et l'observation des effets des stratégies d'ajustement vous aideront à augmenter votre capacité à gérer votre stress.

C'est pourquoi nous vous suggérons de vous observer quelques fois par semaine pendant quelques semaines, à l'aide du questionnaire ci-dessous que vous pouvez reproduire dans vos propres mots dans un petit carnet.

Date : _____

Pour ne pas l'oublier, reportez ici le résultat visé à la page 204.

1. Identification de l'événement ou de l'agent stressant rencontré : _____

2. Description

Faits observables

Personnes impliquées	Éléments déclencheurs	Ce qui a été fait et dit	Conséquences

Vos réactions cognitives et émotionnelles

	Avant l'événement	Pendant l'événement	Après l'événement
Pensées et perceptions			
Émotions			

Vos réactions physiques

	Avant	Pendant	Après
Sensations corporelles et réactions non verbales observées			

Vos comportements observables

Ce que vous avez dit ou fait

Avant :

Pendant :

Après :

Stratégies d'ajustement utilisées

Avant :

Pendant :

Après :

3. Compréhension

Sur une échelle de 0 à 10, mesurez l'intensité de l'événement :   ———

Sur une échelle de 0 à 10, mesurez l'intensité de vos réactions cognitives et émotionnelles :   ———

Sur une échelle de 0 à 10, mesurez l'intensité de vos réactions physiques :   ———

Sur une échelle de 0 à 10, mesurez la pertinence de vos comportements :   ———

Identifiez au moins un point fort de votre comportement

Sur une échelle de 0 à 10, mesurez l'efficacité de la (ou des) stratégie(s)
utilisée(s), s'il y a lieu : _____

- Comment a-t-elle été efficace ou inefficace ?

  _____

  _____

  _____

- Par quoi vos réactions cognitives, émotionnelles et physiques ont-elles été principalement influencées ?

  _____

  _____

- Points à améliorer la prochaine fois.

  _____

  _____

A.3 L'évaluation de la démarche de gestion de stress

L'évaluation est la partie la plus souvent escamotée dans un processus de résolution de
problèmes. Cette étape joue un rôle primordial pour une personne qui veut gérer son
stress, car elle permet le réajustement normal et constant à de nouvelles conditions et à de
nouveaux besoins. Elle permet de mesurer et d'apprécier vos progrès, de réévaluer vos
ressources et d'améliorer votre capacité à affronter les agents stressants. Vous pouvez
utiliser les questions suivantes pour faire le point à n'importe quel moment de votre
démarche.

Questions d'évaluation

1. *Revoyez votre objectif de résultat (p. 204).*
2. *Déterminez le degré auquel vous avez atteint ce résultat (sur une échelle de 0 à 10).*
3. *Quelles stratégies avez-vous utilisées qui ont contribué à l'atteinte de votre objectif ?*
4. *Quelles stratégies avez-vous abandonnées ? Pourquoi ?*
5. *Quels obstacles avez-vous rencontrés ?*
6. *Quelles ressources avez-vous développées ?*
7. *Faites-vous face à de nouveaux agents stressants ?*
8. *Quels changements comptez-vous apporter à votre démarche à partir de maintenant (stratégies différentes, modalités différentes, nouvelles ressources) ?*

La démarche suggérée dans cette annexe vous servira de guide de départ. Vous la
transformerez ou l'adapterez à vos besoins, au fur et à mesure que vous l'utiliserez.
L'habitude d'évaluer votre stress et d'appliquer les stratégies appropriées deviendront des
automatismes intégrés à votre mode de vie. Bonne démarche de gestion de stress à vie !

Glossaire

Activation émotionnelle : Selon l'interprétation faite d'un agent stressant, déclenchement d'une ou de plusieurs émotions plus ou moins intenses ou menaçantes.

Adrénaline : Hormone produite par les glandes surrénales, faisant partie du système endocrinien, qui a pour fonction d'augmenter l'activité métabolique et le taux de glucose dans le sang.

Agents stressants : Stimuli, événements ou conditions physiques, sociaux ou psychologiques, incluant l'anticipation et l'imagination, qui suscitent une réponse de stress chez la personne.

Attribution : Interprétation par une personne des événements qui surviennent dans sa vie ou dans celle des autres. À la suite d'un événement, une personne peut lui donner une attribution **interne** ou **externe**, suivant qu'elle considère l'événement sous sa responsabilité ou sous celle de l'environnement. Elle en fera une attribution **contrôlable** ou **incontrôlable** selon sa capacité à changer ou non quelque chose à la situation. Elle lui donnera également une attribution **stable** ou **instable** dans la mesure où les causes de l'événement se répètent ou, au contraire, ne se manifestent que rarement ou une seule fois.

Cerveau : Structure englobant des sous-structures importantes pour comprendre les mécanismes du stress : 1) le cortex cérébral, responsable des fonctions mentales supérieures, comme l'interprétation des événements; 2) le complexe système limbique/hypothalamus, dont dépendent les émotions reliées à l'attaque et à la fuite.

Cognition : Ensemble des activités mentales, incluant les pensées, les croyances, le jugement, le savoir, la perception et la mémoire.

Constriction cognitive : Expression utilisée par Violanti (1996a) pour désigner une réduction forcée et étroite des alternatives de solutions ou de pensées possibles dans une situation. Modes de pensées dichotomiques et inflexibles.

Contrôlabilité : Perception qu'a une personne de maîtriser sa vie. Cette perception repose sur des attributions réalistes.

Cortex cérébral : Communément appelé matière grise. Structure du cerveau responsable du traitement de l'information.

Croyances irrationnelles : Il s'agit de croyances irréalistes entraînant chez les individus qui s'y soumettent un piètre contrôle de leur vie, davantage d'émotions négatives et, par conséquent, des stratégies d'ajustement moins efficaces. Parmi celles-ci, on retrouve la tendance à généraliser, à imaginer le pire, à vouloir être parfait, à aller vite, à plaire à tout prix, à être fort, etc. (*voir* le tableau 3.3, p. 63).

Cynisme : « Attitude de méfiance face à la nature humaine et à ses motivations. Un policier cynique s'attend aux pires conduites de la part de sa clientèle. Le cynisme est le contraire de l'idéalisme, de la confiance et de la justice. » (Graves, 1996, p. 16).

Décompression : Retour à l'état de calme et de repos après l'exposition à un agent stressant. Cette décompression peut se faire par des moyens physiques, cognitifs, émotifs ou en bénéficiant du soutien d'autrui.

Déféminisation : Processus par lequel une policière est amenée à désapprendre une partie de ses comportements dits « de fille » pour les remplacer par de nouveaux comportements traditionnellement masculins conformes au rôle policier (Lebœuf, 1997, p. 10).

Dépression : Terme utilisé dans le langage populaire pour désigner **un épisode dépressif majeur** dont les caractéristiques sont les suivantes : « **au moins cinq des symptômes suivants** doivent être présents pendant une même période d'une durée de **deux semaines** et avoir représenté un changement par rapport au fonctionnement antérieur; **au moins un des symptômes est soit (1) une humeur dépressive, soit (2) une perte d'intérêt ou de plaisir.**

1. Humeur dépressive présente pratiquement toute la journée, presque tous les jours, signalée par le sujet ou observée par les autres.
2. Diminution marquée de l'intérêt ou du plaisir pour toutes ou presque toutes les activités pratiquement toute la journée, presque tous les jours (signalée par le sujet ou observée par les autres).
3. Perte ou gain de poids significatif en l'absence de régime, ou diminution/augmentation de l'appétit presque tous les jours.
4. Insomnie ou hypersomnie presque tous les jours.
5. Agitation ou ralentissement moteur presque tous les jours.
6. Fatigue ou perte d'énergie presque tous les jours.
7. Sentiment de dévalorisation ou de culpabilité excessive ou inappropriée presque tous les jours.
8. Diminution de l'aptitude à penser ou à se concentrer, ou indécision presque tous les jours.
9. Pensées de mort récurrentes, idées suicidaires récurrentes sans plan précis ou tentative de suicide ou plan précis pour se suicider » (American Psychiatric Association, 1996, p. 162).

Dissociation post-traumatique : Mécanisme de protection apparaissant lors d'un incident critique, « se manifestant par l'inhibition anxieuse, l'amnésie des faits, le déni, mais aussi par des symptômes de dépersonnalisation (sentiment de dépossession de son intégrité physique ou psychique) ou de déréalisation (sentiment d'étrangeté et d'irréalité du monde, impression d'être dans un rêve, sans altération de la perception). La dépersonnalisation procure une impression de détachement » (Lopez et Sabourand-Séguin, 1998, p. 19).

DSM-IV : Manuel des critères utilisés par les médecins pour établir un diagnostic psychiatrique à partir des symptômes observés chez les personnes.

Effet aquarium : Traduction de l'expression anglaise *fishbowl effect* pour désigner le regard posé par la population sur le comportement des policiers; l'image de l'« aquarium » illustre la visibilité des policiers auprès de la société.

Émotion : Réponse d'une personne, accompagnée d'une activation physiologique (système nerveux autonome et système endocrinien), déclenchée par l'interprétation, consciente ou non, d'un événement réel ou imaginaire.

Engagement psychologique : « Importance relative de l'identification et de l'implication d'un individu » dans un domaine de sa vie (Neale et Northcraft, 1991 : *voir* Campbell, 1994, p. 65).

Épuisement professionnel : Traduction de l'anglais « *burn-out* ». Réactions physiques, psychologiques et comportementales à un stress chronique lié à l'emploi. L'épuisement professionnel se développe au sein d'un processus dynamique d'échanges entre la personne et son milieu de travail. Il comporte trois composantes : 1) l'épuisement émotionnel, 2) la déshumanisation, 3) les sentiments personnels d'échec. L'épuisement professionnel n'est pas reconnu en tant que maladie dans le DSM-IV.

Estime de soi : Évaluation positive de soi, acquise à travers les relations interpersonnelles, les réussites académiques ou sportives et le travail.

État de stress aigu : Ensemble de réactions éventuelles consécutives à l'exposition à un événement traumatique, pouvant durer de 2 jours à 4 semaines après l'incident (American Psychiatric Association, 1996).

État de stress post-traumatique (ESPT) : Ensemble de réactions éventuelles, consécutives à l'exposition à un événement traumatique, ayant suscité chez une personne une peur intense, un sentiment d'impuissance ou d'horreur. 1) L'événement traumatique est constamment revécu. 2) Il y a évitement persistant des stimuli associés au traumatisme et émoussement de la réactivité générale. 3) Il y a présence de symptômes persistants traduisant une activation du système nerveux sympathique. Ces réactions durent plus d'un mois et entraînent une souffrance et une modification du fonctionnement social et professionnel de la personne (American Psychiatric Association, 1996).

Eustress : Stress positif qui aide à se motiver pour faire des changements positifs, s'investir personnellement et atteindre des buts (Mitchell et Everly, 1997).

Harcèlement moral en milieu de travail : « Toute conduite abusive se manifestant notamment par des comportements, des actes, des gestes, des écrits, etc., pouvant porter atteinte à la personnalité, à la dignité ou à l'intégrité physique d'une personne, mettre en péril l'emploi de celle-ci ou dégrader le climat de travail » (Hirigoyen, 1999, p. 55).

Homéostasie : Équilibre des fonctions internes du corps.

Hypervigilance : État d'activation du système nerveux sympathique déclenché chez le policier par la nécessité d'analyser et de réagir rapidement à tout type de situation, infraction ou incident critique. L'hypervigilance est aussi un des signes observables de l'état de stress post-traumatique.

Hypophyse : Glande maîtresse du système endocrinien. Sous la gouverne de l'hypothalamus, elle régit les glandes surrénales responsables de la diffusion des hormones de stress, de l'adrénaline et de la noradrénaline dans l'organisme en présence d'un agent stressant.

Hypothalamus : Partie du système limbique qui commande le système endocrinien et le système nerveux autonome. Responsable des pulsions comme la faim, la soif, l'agressivité et la libido.

Incident critique : Événement soudain, puissant et étranger à l'expérience humaine normale (fusillade, accident mortel, catastrophe naturelle, prise d'otage, viol, etc.). Cet événement a un impact suffisant pour que les stratégies d'ajustement habituelles d'un individu ou d'un groupe ne suffisent plus. Par leur caractère inhabituel, les incidents critiques ont un impact émotionnel important sur les individus, même lorsque ceux-ci sont entraînés et expérimentés. Souvent appelé aussi événement de crise.

Loi du silence : Règle informelle pouvant prévaloir dans certains milieux de travail ou dans les familles. Elle consiste à ne pas régler ouvertement les conflits ou à cacher les erreurs ou secrets de membres d'un groupe pour en protéger l'image et la cohésion (Arcand et Brissette, 1998).

Personnalité : Ensemble de traits cognitifs, émotionnels et comportementaux, intrinsèquement reliés entre eux, que possède une personne et qui la rendent distincte des autres personnes.

Personnalité de type A : Les personnes possédant ce type de personnalité se caractérisent par :

1. Une perception de l'urgence du temps, le besoin d'en faire plus dans le moins de temps possible.
2. Une personnalité agressive pouvant faire preuve d'hostilité, de compétitivité, d'un esprit de contestation ainsi que d'une difficulté à ne jouer que pour le plaisir.
3. L'ambition et la recherche de la performance.
4. Une implication dans plusieurs tâches en même temps.

Personnalité robuste : Personnalité qui est capable de résister aux agents stressants de forte intensité. Trois variables semblent aider les personnes possédant cette personnalité à modérer leur stress ou à s'en protéger : l'engagement, le contrôle et le défi (Kobasa, 1979).

Réponse de stress : État de tension interne physique et psychologique causé par les agents stressants. Réponse de la personne à un agent stressant.

Répression émotionnelle : Clivage ou séparation psychologique entre les demandes objectives de la tâche du policier (contrôle de soi et contrôle sur la situation) et les émotions normalement vécues au contact de la misère et de la violence humaine. Traduction de l'anglais « *emotional dissonance* » (Violanti et coll., 1985) et « *professional protective emotional suppression* » (Machell, 1989).

Ressources : Moyens matériels, personnels et sociaux à la disposition d'une personne pour faire face à un agent stressant.

Reviviscence : Traduction de l'expression anglaise « *flash-back* », désignant un des symptômes vécus après un événement traumatique par la personne en état de stress aigu ou en état de stress post-traumatique. La reviviscence se manifeste par des images, des sons ou des sensations identifiés à l'incident, qui reviennent à la conscience du policier indépendamment de sa volonté.

Socialisation : Processus par lequel une personne devient un policier, apprend les normes, valeurs et attitudes nécessaires à l'appartenance au milieu organisationnel et acquiert le type de comportement accepté dans la culture policière.

Soutien social : « Fonds social » dans lequel une personne sent qu'elle peut puiser pour faire face aux agents stressants (Thoits, 1995). Les ressources de ce fonds social proviennent des microsystème, mésosystème et exosystème entourant une personne.

Stéréotype : Idée préconçue ou caractéristique attribuée à une personne uniquement en raison de son appartenance à un groupe donné. Ces opinions sont exprimées au moyen d'adjectifs ou de noms et peuvent être soit positives, soit négatives.

Stratégies d'ajustement : Traduction de l'anglais « coping ». Cette expression désigne les tentatives de neutraliser les réponses de stress. Ces stratégies incluent les comportements, les réactions physiologiques, les cognitions, les perceptions et les actions motrices. (Les stratégies peuvent être efficaces, en contribuant à maintenir le contrôle sur sa santé et sa vie, ou inefficaces, en causant des problèmes additionnels et en altérant la santé et le contrôle.

Stress : Résultat de l'interaction entre les agents stressants et les ressources d'une personne. Ce résultat se mesure par la qualité et l'intensité de la réponse de stress.

Substances psychotropes : Substances ayant un effet sur le système nerveux et modifiant le comportement et les fonctions mentales : café, cigarette, alcool, narcotiques, dépresseurs, stimulants et hallucinogènes.

Syndrome général d'adaptation (SGA) : Selon Selye (1974), réaction physiologique généralisée, provoquée par les agents stressants, qui se déroule en trois phases : l'alerte, la résistance et l'épuisement. Le processus peut s'interrompre à chaque phase si des actions sont posées pour rétablir l'équilibre.

Système endocrinien : Ensemble des glandes sous le contrôle de l'hypophyse, glande maîtresse de ce système reliée à l'hypothalamus. Les produits chimiques qu'elles libèrent dans le sang transmettent des informations à l'origine des modifications de comportement et de l'accomplissement de certaines fonctions organiques. Les glandes surrénales font partie de ce système et sécrètent l'adrénaline et la noradrénaline.

Système limbique : Ensemble de structures, dont l'hypothalamus, se situant sous le cortex et régissant les émotions et l'agressivité.

Système nerveux autonome (SNA) : Subdivision du système nerveux périphérique qui régit les muscles lisses des vaisseaux sanguins et des organes internes.

Système nerveux central (SNC) : Partie du système nerveux formée du cerveau et de la moelle épinière.

Système nerveux parasympathique : Subdivision du système nerveux autonome qui s'active à l'état de calme et de repos. Son activation est contraire à celle du système nerveux sympathique.

Système nerveux périphérique (SNP) : Partie du système nerveux formée de nerfs qui unissent le SNC au reste de l'organisme.

Système nerveux somatique (SNS) : Partie du système nerveux périphérique responsable de transmettre l'information provenant des sens au SNC et de donner les commandes motrices aux muscles squelettiques.

Système nerveux sympathique : Subdivision du système nerveux autonome qui s'active en situation de stress. Son activation est contraire à celle du système nerveux parasympathique.

Vision en tunnel : Distorsion perceptive qui consiste à ne porter son attention qu'à un élément d'une scène, négligeant ainsi tous les autres aspects périphériques. Cette distorsion est particulièrement associée à la peur lors d'incidents critiques.

Zone de stabilité : Degré de stimulation (depuis le seuil d'ennui jusqu'au seuil d'excitation perçus comme tolérables) qu'un individu peut supporter sans risquer de voir apparaître des signes de détresse. L'étendue de cette zone est différente pour chaque policier (traduction libre d'Anderson et coll., 1995, p. 17).

Bibliographie

ABERNETHY, A.D., COX, C. (1994) « Anger Management Training for Law Enforcement Personnel », *Journal of Criminal Justice*, 22 (5), p. 459-466.

ALEXANDER, D.A., WALKER, L.G. (1996) « The Perceived Impact of Police Work on Police Officers' Spouses and Families », *Stress Medecine*, 12, p. 239-246.

AMERICAN PSYCHIATRIC ASSOCIATION (1996) *Mini DSM-IV. Critères diagnostiques* (Washington DC, 1994). Traduction française par J.D. Guelfi et coll. Paris : Masson.

ANDERSON, W. et coll. (1995) *Stress Management for Law Enforcement Officers*. Englewood Cliffs : Prentice Hall.

ANDREWS, L. (1997) « Le suicide à la GRC de 1984 à 1995 », *La Gazette de la GRC*, 59 (5), p. 6-16.

ANSON, R.H., BLOOM, M.E. (1988) « Police Stress in an Occupational Context », *Journal of Police Science and Administration*, 16 (4), p. 229-235.

ARCAND, M., BRISSETTE, L. (1995) *Prévenir l'épuisement en relation d'aide. Démarche, formation et animation*. Chicoutimi : Gaëtan Morin.

ARCAND, M., BRISSETTE, L. (1998) *Échec au burn-out*. Montréal : Chenelière/Mc Graw-Hill.

ARTWOHL, A., CHRISTENSEN, L.W. (1997) *Deadly Force Encounters*. Boulder, Co : Paladin Press.

AUSSANT, G. (1984) « Le suicide chez les policiers », *La Gazette de la GRC*, 46 (5), p. 14-21.

BAND, S.R., MANUELE, C.A. (1987) « Stress and Police Officer Performance: An Examination of Effective Coping Behavior », dans L. Territo et J.D. Sewell (1998), *Stress Management in Law Enforcement* (p. 77-91). Durham : Carolina Academic Press.

BAKER, T.E., BAKER, J.P. (1996) « Preventing Police Suicide », *FBI Law Enforcement Bulletin*, octobre, p. 24-27.

BARTOL, C.R. et coll. (1992) « Women in Small-Town Policing, Job Stress and Performance », *Criminal Justice and Behavior*, 19 (3), p. 240-259.

BÉDARD, B. (1999) « L'approche émotivo-rationnelle », *Interface*, 20 (1), p. 36-37.

BEEHR, T.A. et coll. (1995) « Occupational Stress: Coping of Police and Their Spouses », *Journal of Organizational Behavior*, 16, p. 3-25.

BESNER, H.F., ROBINSON, S.J. (1982) *Police Marriage Problems*. Springfield : Charles C. Thomas.

BEUTLER, L.E. et coll. (1988) « Changing Personality Patterns of Police Officers », *Professional Psychology: Reseach and Practice*, 19 (5), p. 503-507.

BIGGAM, F. H. et coll. (1997) « Coping with the Occupational Stressors of Police Work: A Study of Scottish Officers », *Stress Medecine*, 13, p. 109-115.

BLACK, J.N. (1997) *Le stress post-traumatique et les techniques d'intervention de crise à la suite d'un traumatisme*. Colloque de l'OPQ, 30 mai 1997.

BLACK, J.N. (1999) *Le syndrome du stress post-traumatique et interventions cliniques à la suite d'un trauma*. Montréal : Atelier de formation.

BLAU, T.H. (1994) *Psychological Services for Law Enforcement*. New York : John Wiley and Sons.

BOIVIN, M.D., VIOLETTE, F. (1994) « L'alcoolisme : un problème qui concerne la famille entière, comment s'en protéger ? Quelles sont les avenues d'intervention à privilégier ? » *Revue québécoise de psychologie*, 15 (3), p. 109-134.

BORUM, R., PHILPOT, C. (1993) « Therapy with Law Enforcement Couples: Clinical Management of the "High-Risk Lifestyle" », dans L. Territo et J.D. Sewell (1998), *Stress Management in Law Enforcement* (p. 169-184). Durham : Carolina Academic Press.

BRILLON, P. et coll. (1996) « Modèles comportementaux et cognitifs du trouble de stress post-traumatique », *Santé mentale au Québec*, 21 (1), p. 129-144.

BRONFENBRENNER, U. (1979) *The Ecology of Human Behavior*. Cambridge, MA : Harvard University Press.

BROWN, H. *The Effects of Post-Traumatic Stress Disorder (PTSD) on the Officer and the Family.* (Page consultée le 23 décembre 1999.) Adresse URL : http://www.geocities.com/~halbrown/ptsd-family.html

BROWN, J.M., CAMPBELL, E.A. (1990) « Sources of Occupational Stress in the Police », *Work and Stress*, 4 (4), p. 350-318.

BROWN, J.M. et coll. (1995) « Adverse Impacts Experienced by Police Officers Following Exposure to Sex Discrimination and Sexual Harassment », *Stress Medecine*, 11, p. 221-228.

BROWN, J.M. (1998) « Aspects of Discriminatory Treatment of Women Police Officers Serving in Forces in England and Wales », *British Journal of Criminology*, 38 (2), p. 265-282.

BROWN, J., GROVER, J. (1998) « Stress and the Woman Sergeant », *The Police Journal*, LXXI (1), p. 47-54

BROWN, J. *Integrating Women in Policing : A Comparative European Perspective.* (Page consultée le 6 octobre 1999.) Adresse URL : http://www.ncjrs.org/unojust/policing/fem635.htm

BRUNET, A. (1996) « Expositions récurrentes aux événements traumatiques : inoculation ou vulnérabilité croissante ? », *Santé mentale au Québec*, 21 (1), p. 145-162.

BURKE, M. (1992) « Cop Culture and Homosexuality », *The Police Journal*, LXCV, p. 30-39.

BURKE, M. (1995) « Identities and Disclosures, the Case of Lesbian and Gay Police Officers », *The Psychologist*, 8, p. 543-548.

BURKE, R.J. (1994) « Stressful Events, Work-Family Conflict, Coping, Psychological Burn-Out, and Well-Being Among Police Officers », *Psychological Reports*, 75, p. 787-800.

CALDWELL, D.S. (1991) « Preventing Burn-Out in Police Organizations », *The Police Chief*, avril, p. 156-160.

CAMPBELL, S. (1994a) « Profession policiers policières », *La Flûte*, 50 (3), p. 14-17.

CAMPBELL, S. (1994b) *Stress et engagement organisationnel chez trois groupes de policiers-patrouilleurs.* Université du Québec à Trois-Rivières : Mémoire de maîtrise.

CANNIZZO, T.A., LIU, P. (1995) « The Relationship Between Levels of Perceived Burn-Out and Career Stage Among Sworn Police Officers, *Police Studies*, 18 (3-4), p. 53-67.

CARLIER, I.V.E. et coll. (1997) « Risk Factors for Posttraumatic Stress Symptomatology in Police Officers: A Prospective Analysis », *The Journal of Nervous and Mental Disease*, 185 (8), p. 498-503.

CÉDILOT, A. (1999) « Les cadres du SPCUM souffrent d'épuisement professionnel », *La Presse*, 3 octobre 1999, p. A2.

CHABOT, M. (1998) « Pourquoi tant d'hommes se suicident-ils ? » *Dossier* Hommes et suicide *de la semaine provinciale de prévention du suicide*, décembre, p. 25-31.

CHARBONNEAU, L. (1998) « Que pouvons-nous faire pour prévenir le suicide chez les hommes ? » *Vis-à-vie*, 8 (2). (Page consultée le 10 avril 2000.) Adresse URL : http://www.cam.org/aqs/docs/visavie/vol08/v08-2-charbonneau.html

CHARBONNEAU, L. (2000) « Le suicide chez les policiers au Québec : Enjeux méthodologiques et état de la situation », *Population*, 55 (2), (sous presse).

CHARLAND, H., CÔTÉ, G. (1996) « Fidélité et validité de la version française du "Children of Alcoholics Screening Test" », *Revue québécoise de psychologie*, 17 (1), p. 47-64.

COMITÉ DE COORDINATION PROVINCIALE DES COMITÉS DE SANTÉ ET DE SÉCURITÉ DU TRAVAIL. (1998) *Soyons respectueux entre nous !* Sûreté du Québec.

CÔTÉ, L. (1996) « Les facteurs de vulnérabilité et les enjeux psychodynamiques dans les réactions post-traumatiques », *Santé mentale au Québec*, 21 (1), p. 209-228.

CUMMINGS, J.P. « Le stress et le suicide chez les policiers », *Gazette de la GRC*, 59(5), p. 18-23.

CUNGI, C. (1998) *Savoir gérer son stress.* Paris : Retz.

DAVENPORT, G., TAYLOR, C. (1999) « Surmonter le défi de la violence en milieu de travail », *Gazette de la GRC*, 61 (4), p. 4-7.

DESHARNAIS, R. (1989) « Activité physique et santé : une perspective psychologique », *Revue québécoise de psychologie*, 10 (2), p. 119-136.

DIETRICH, J.F. (1986a) *Consommation non médicale de drogues, y compris l'alcool, chez les policiers : une bibliographie annotée.* Ottawa : Gendarmerie royale du Canada.

DIETRICH, J.F. (1986b) *Usage non médical de drogues, y compris l'alcool, chez les policiers : revue critique de la littérature.* Ottawa : Gendarmerie royale du Canada.

DIETRICH, J.F. (1988) *Politique type du programme policier. L'alcoodépendance et la pharmacodépendance : Aperçu, grandes lignes, contenu, documents d'appoints.* Ottawa : Gendarmerie royale du Canada.

DIETRICH, J.F. (1989) *L'usage de l'alcool et des drogues chez les policiers : comment deviennent-ils alcoodépendants et pharmacodépendants ?* Ottawa : Gendarmerie royale du Canada.

DIONNE-PROULX, J., PÉPIN, R. (1997) « Le travail et ses conséquences potentielles à long terme : comparaison de trois groupes professionnels québécois », *Revue québécoise de psychologie*, 18 (1), p. 21-41.

DROUIN, J. (1999) *L'humour, un moyen de survivre aux années 2000*. Cégep Édouard-Montpetit : Conférence donnée dans le cadre du Colloque de l'APPRCQ, 1999.

DUCHESNEAU, J. (1988) *Les réalités du stress en milieu policier, une étude effectuée au Service de police de la Communauté urbaine de Montréal*. Montréal : ÉNAP.

DUFFORD, P. (1986) *Police Personal Behavior and Human Relations*. Springfield : Charles C. Thomas.

DULAC, G., avec la collaboration de AIDRAH. (1997) *Les demandes d'aide des hommes*. École de Service social de l'université McGill : Centre d'études appliquées sur la famille.

ELIANY, M. (1991) « La consommation d'alcool et de drogues », *Tendances sociales canadiennes*, p. 19-26.

ELLISON, K.W., GENZ, J.L. (1983) *Stress and the Police Officer*. Springfield : Charles C. Thomas.

EVANS, B.J. et coll. (1992) « The Police Personality: Type A Behavior and Trait Anxiety », *Journal of Criminal Justice*, 20, p. 429-441.

FARBER, B.A. (1983) *Stress and Burn-Out in the Human Service Professions*. New York : Pergamon Press.

FEMINIST MAJORITY FOUNDATION AND THE NATIONAL CENTER FOR WOMEN AND POLICING. *Police Family Violence Fact Sheet*. (Page consultée le jeudi 11 novembre 1999.) Adresse URL : http://www.feminist.org/police/pfvfacts.html

FINN, P. (1997) Reducing Stress: An Organization-Centered Approach, *FBI Law Enforcement Bulletin*, août, p. 20-25.

FOLKMAN, S. et coll. (1986) « Dynamics of a Stressful Encounter: Cognitive Appraisal, Coping, and Encounter Outcomes », *Journal of Personality and Social Psychology*, 50 (5), p. 992-1003.

FREUDENBERGER, H.J. (1983) « Burn-Out: Contemporary Issues, Trends, and Concerns », dans B.A. Farber, *Stress and Burn-Out in the Human Service Professions* (p. 23-28). New York : Pergamon Press.

GELLER, W.A., SCOTT, M.S. (1992) *Deadly Force: What We Know. A Practitioner's Desk Reference on Police-Involved Shootings*. Washington : Police Executive Research Forum.

GENTZ, D. (1991) « The Psychological Impact of Critical Incidents on Police Officers », dans J.T. Reese et coll., *Critical Incidents in Policing* (p. 119-121). Washington : FBI.

GILBERT, R. (1986) « A Coordinated Approach to Alcoholism Treatment », dans J.T. Reese et H.A. Goldstein, *Psychological Services for Law Enforcement* (p. 115-120). Washington : FBI.

GILMARTIN, K.M. (1986) « Hypervigilance: A Learned Perceptual Set and its Consequences on Police Stress », dans J.T. Reese et H.A. Goldstein, *Psychological Services for Law Enforcement* (p. 445-448). FBI, Washington : U.S. Government Printing Office.

GIRDANO, D.A., EVERLY, G.S., DUSEK, D.E. (1997) *Controlling Stress and Tension* (5e éd.). Boston : Allyn et Bacon.

GOODWIN, D.W. (1988) *Is Alcoholism Hereditary?* New York : Ballantine Books.

GRAVES, W. (1996) « Police Cynicism, Causes and Cures », *FBI Law Enforcement Bulletin*, juin, p. 16-21.

GREENE, R.L. (1989) « Psychological Support for Women Entering Law Enforcement », dans H.W. More et P.C. Unsinger, *Police Managerial Use of Psychology and Psychologists* (p. 171-187). Springfield : Charles C. Thomas.

HAAR, R.N., MORASH, M. (1999) « Gender, Race, and Strategies Coping With Occupational Stress in Policing », *Justice Quarterly*, 16 (2), p. 303-336.

HALL, L., COHN, L. (1994) *L'estime de soi, un bien précieux*. Barret-le-Bas : Le Souffle d'or.

HANDFIELD, J. (1996) *Gestion du temps et du stress*. Direction de la formation continue et des services aux organisations : Collège de Bois-de-Boulogne.

HELGANS, R.M. (1991) *The Role of Aerobic Fitness and Social Support in Reactivity to Psychological Stress*. Thèse de doctorat : University of North Carolina at Chapel Hill.

HIRIGOYEN, M.F. (1999) *Le harcèlement en milieu de travail*. Paris : Fidion.

HURRELL, J.J. (1995) « Police Work, Occupational Stress and Individual Coping », *Journal of Organizational Behavior*, 16, p. 27-28.

IANNI, F.A., REUSS-IANNI, E. (1983) « "Take This Job and Shove It!" A Comparison of Organizational Stress and Burn-Out Among Teachers and Police », dans B.A. Farber, *Stress and Burn-Out in the Human Service Professions* (p. 82-96). New York : Pergamon Press.

JACOBSON, D.E. (1980) *Savoir relaxer pour combattre le stress*. Montréal : Les Éditions de l'Homme.

JANIK, J., KRAVITZ, H.M. (1994) « Linking Work and Domestic Problems With Police Suicide », *Suicide and Life-Threatening Behavior*, 24 (3), p. 267-274.

JANIK, J. (1995) « Reducing Police Officer Stress: Who Needs Peer Support? », *The Police Chief,* janvier, p. 38-41.

JEAMMET P. et coll. (1996) *Psychologie médicale* (2e éd.). Paris : Masson.

JETTÉ, M. (1984) « Stress Coping Through Physical Activity », dans A.S. Sethi et R.S. Schuler, *Handbook of Organizational Stress Coping Strategies* (p. 215-231). Cambridge : Ballinger Publishing Company.

JONES J.C., BARLOW, D.H. (1992) « A New Model of Posttraumatic Stress Disorder: Implications for the Future », dans P.A. Saigh, *Postraumatic Stress Disorder: A Behavioral Approach to Assessment and Treatment* (p. 147-165). Boston : Allyn et Bacon.

JOSEPHSON, R.L., REISER, M. (1990) « Officer Suicide in the Los Angeles Police Department: A Twelve-Year Follow-up », dans L. Territo et J.D. Sewell (1998), *Stress Management in Law Enforcement* (p. 119-127). Durham : Carolina Academic Press.

HAARR, R.N., MORASH, M. (1999) « Gender, Race, and Strategies With Occupational Stress in Policing », *Justice Quarterly*, 16 (2), p. 303-306.

HART, P.M. et coll. (1995) « Police Stress and Well-Being: Integrating Personality, Coping and Daily Work Experiences », *Journal of Occupational and Organizational Psychology*, 68, p. 133-156.

KANNADY, G. (1993) « Developing Stress-Resistant Police Families », dans L. Territo et J.D. Sewell (1998), *Stress Management in Law Enforcement* (p. 157-164). Durham : Carolina Academic Press.

KIRKCALDY, B.D. et coll. (1993) « Personality, Job Satisfaction and Well-Being Among Public Sector Managers », *European Review of Applied Psychology*, 43 (3), p. 241-248.

KIRSCHMAN, E. (1997) *I Love a Cop: What Police Families Need to Know.* New York : The Guilford Press.

KOBASA, S.C. (1979) « Stressful Life Events, Personality, and Health », *Journal of Personality and Social Psychology*, 37, p. 1-11.

KROES, W.H. (1985) *Society's Victims – the Police. An Analysis of Job Stress in Policing* (2e éd.). Springfield : Charles C. Thomas.

KURECZKA, A.W. (1996) « Critical Incident Stress in Law Enforcement », *FBI Law Enforcement Bulletin*, février-mars, p. 10-16.

LAVALLÉE, Y.-J. et coll. (1988) *Syndrome d'épuisement professionnel. Enquête auprès de trois corps de police.* Montréal : Université de Sherbrooke et Institut Philippe-Pinel.

LEBŒUF, M.E. (1997) *Les femmes dans la police : intégration, évolution et rayonnement.* Ministère de la Sécurité publique : Allocution présentée lors de la journée de formation pour les policières au grand quartier général de la Sûreté du Québec à Montréal.

LEDUC, P. (1995) « Dossier stress », *La flûte*, 51 (3), p. 4-11.

LIPPÉ, L. (1995) *Atelier de perfectionnement en milieu policier.* Québec : V.W.L.

LOEHR, J.E. (1993) *Toughness Training for Life.* Toronto : Penguin Books Canada.

LOGAN, M. (1995) « Application de la notion de système à la formation sur la gestion du stress à la Gendarmerie royale du Canada », *La Gazette de la GRC*, 57 (11), p. 2-16.

LOPEZ, G., SABOURAND-SÉGUIN. (1998) *Psychothérapie des victimes.* Paris : Dunod.

LORD, V.B. (1996) « An Impact of Community Policing; Reported Stressors, Social Support, and Strain Among Police Officers in a Changing Police Department », *Journal of Criminal Justice*, 24 (6), p. 503-522.

LOTT, L.D. (1995) « Deadly Secrets Violence in the Police Family », *FBI Law Enforcement Bulletin*, novembre, p. 12-16.

LUNNEBORG, P.W. (1989) *Women Police Officers. Current Career Profile.* Springfield : Charles C. Thomas.

MACHELL, D.F. (1989) « The Recovering Alcoholic Police Officer and the Danger of Professional Emotional Suppression », *Alcoholism Treatment Quarterly*, 6 (2), p. 85-95.

MALO, C. (2000) *Le modèle écologique du développement humain : conditions nécessaires de son utilité réelle.* Conférence présentée dans le cadre du colloque de l'APPRCQ, 1er juin 2000.

MANN, J.P., NEECE, J. (1990) « Workers Compensation for Law Enforcement Related Post Traumatic Stress Disorder », *Behavioral Sciences and the Law*, 8, p. 447-456.

MASLACH, C. et coll. (1996) *Maslach Burn-Out Inventory Manual.* Palo Alto : Consulting Psychologist Press, Inc.

MATSAKIS, A. (1994) *Post-Traumatic Stress Disorder. A Complete Treatment Guide.* Oakland : New Harbinger Press.

McCANN, L., PEARLMAN, L.A. (1990) « Vicarious Traumatization: A Framework for Understanding the Psychological Effects of Working With Victims », dans L. Territo et J.D. Sewell (1998), *Stress Management in Law Enforcement* (p. 187-207). Durham : Carolina Academic Press.

McNALLY, V.J., SOLOMON, R.M. (1999) « The FBI's Critical Incident Stress Management Program », *FBI Law Enforcement Bulletin*, février, p. 20-25.

MINISTÈRE DE LA SANTÉ ET DES SERVICES SOCIAUX. *Le suicide.* (Page consultée le 12 avril 1999.) Adresse URL : http://www.msss.gouv.qc.ca/fr/statisti/indisp/niveau5/suicides.htm

MITCHELL, J.T., EVERLY, G.S. (1997) *Critical Incident Stress Debriefing* (2e éd.). Ellicott City : Chevron Publishing Corporation.

MORIARTY, A., FIELD, M.K. (1990) « Proactive Intervention: A New Approach to Police EAP Programs », *Public Personnel Management*, 19 (2), p. 155-161.

NATIONAL CENTRE FOR WOMAN AND POLICING. *Equality Denied. The Status of Women in Policing: 1998.* (Page consultée le 12 novembre 1999.) Adresse URL : http://www.feminist.org/police/femcopstatus.html

NIELSEN, E. (1991) « Factors Influencing the Nature of Postraumatic Stress Disorders », dans J.T. Reese et coll. *Critical Incidents in Policing* (p. 213-218). Washington : FBI.

NURSE, D. (1996) « Le stress post-traumatique : une politique pour en atténuer les répercussions », *La Gazette de la GRC*, 58 (5), p. 2-5.

OLIGNY, M. (1990) *Stress et burn-out en milieu policier.* Montréal : PUQ.

O'NEIL, P.S. (1986) « Shift Work », dans J.T. Reese et H.A. Goldstein, *Psychological Services for Law Enforcement* (p. 471-475). FBI, Washington : U.S. Government Printing Office.

PAGEAU, M. et coll. (1997) *Indicateurs socio-sanitaires. Le Québec et ses régions.* Québec : MSSS.

PATON, D., STEPHENS, C. (1996) « Training and Support for Emergency Responders », dans D. Paton et J.M. Violanti, *Traumatic Stress in Critical Occupations. Recognition, Consequences and Treatment* (p. 173-205). Springfield : Charles C. Thomas.

PATRY-BUISSON, G. *Séminaire de formation sur le harcèlement sexuel en milieu de travail.* Québec : Commission des droits de la personne du Québec.

PATTERSON, B.L. (1992) « Job Experience and Perceived Job Stress Among Police, Correctional, and Probation/Parole Officers », *Criminal Justice and Behavior*, 19 (3), p. 260-285.

PAULHAN, I., BOURGEOIS, M. (1995) *Stress et coping. Les stratégies d'ajustement à l'adversité.* Paris : PUF.

PENDERGRASS, V.E., OSTROVE, N.M. (1986) « Correlates of Alcohol Use by Police Personnel », dans J.T. Reese et

H.A. Goldstein, *Psychological Services for Law Enforcement* (p. 489-494). Washington : U.S. Government Printing Office.

PÉPIN, R. (1999) *Stress, bien-être et productivité au travail.* Montréal : Les Éditions transcontinentales.

PINES, A. M. et coll. (1990) *Le burn-out : comment ne pas se vider dans la vie et au travail.* Montréal : Le Jour.

POGREBIN, M. (1986) « The Changing Role of Women: Female Police Officers' Occupational Problems », *Police Journal*, LVIX, 2, p. 127-133.

POGREBIN, M.R., POOLE, E.D. (1991) « Police and Tragic Events: The Management of Emotions », *Journal of Criminal Justice*, 19, p. 395-403.

POUDRETTE, P. (1999) *La prévention du suicide : en connaître plus pour intervenir.* Collège Édouard-Montpetit : conférence présentée dans le cadre du Colloque de l'APPRCQ, juin 1999.

PRÉVOST, L. (1999) *Résolution de problèmes en milieu policier.* Montréal : Modulo Éditeur.

PRICE, B. *Female Police Officer in the United States.* (Page consultée le 11 novembre 1999.) Adresse URL : http://www.ncjrs.org/unojust/policing/fem635.htm

QUINNETT, P. (1998) « QPR Police Suicide Prevention », *FBI Law Enforcement*, juillet 1998, p. 19-24.

ROY, P. (1999) « La campagne de prévention du suicide : une première au pays », *La Flûte*, 55 (1), p. 5-8.

ROSCH, P. (1998) « Stress, Social Drinking, and Alcoholism », *Stress Medecine*, 14, p. 137-141.

SABOURIN, M. (1992) *Techniques de relaxation.* N° BMGQCD-810. Montréal : BMG Musique.

SAINT-LAURENT, D. (1998) « Le suicide chez les hommes adultes ou la chronique d'une catastrophe annoncée », *Vis-à-vie*, 8 (2). (Page consultée le 12 avril 2000.) Adresse URL : http://www.cam.org/aqs/docs/visavie/vol08/v08-2-stlaurent.html

SARASON, I.G. et coll. (1979) « Helping Police Officers to Cope With Stress: A Cognitive-Behavioral Approach », *American Journal of Community Psychology*, 7 (6), p. 593-603.

SCHULTZ, J.H. (1987) *Le training autogène : méthode de relaxation par auto-décontraction concentrative : essai pratique et clinique.* Paris : P.U.F.

SELIGMAN, M.E.P. (1993) *What You Can Change and What You Can't.* New York : Ballantine Books.

SELYE, H. (1974) *Stress sans détresse.* Montréal : Les Éditions La Presse.

SELYE, H. (1976) *Le stress de ma vie.* Montréal : Stanké.

SEWELL, J.D. (1998) « Administrative Concern in Law Enforcement Stress Management », dans L. Territo et J.D. Sewell, *Stress Management in Law Enforcement* (p. 359-361). Durham : Carolina Academic Press.

SIRIM. (1983) *Alors survient la maladie.* Montréal : Les Éditions du Boréal Express.

SOLOMON, R.M., HORN, J.M. (1986) « Post-Shooting Traumatic Reactions: A Pilot Study », dans J.T. Reese et H.A. Goldstein, *Psychological Services for Law Enforcement* (p. 383-393). Washington : U.S. Governement Printing Office.

SOLOMON, R.M. (1991) « The Dynamics of Fear in Critical Incident: Implications for Training and Treatment », dans J.T. Reese et coll., *Critical Incidents in Policing* (p. 347-357). Washington : FBI.

SOUTHWORTH, R.N. (1990) « Taking the Job Home », dans L. Territo et J.D. Sewell, *Stress Management in Law Enforcement* (p. 141-148). Durham : Carolina Academic Press.

SPCUM. *Ensemble pour la vie.* (Page consultée le 11 avril 2000.) Adresse URL : http://www.spcum.qc.ca/Francais/Rubriq02/Papp/papp.html

STATISTIQUES CANADA. *Suicide et taux de suicide selon le sexe et l'âge.* (Page consultée le 12 avril 2000.) Adresse URL : http://www.statcan.ca/francais/Pgdb/People/health_f.htm

STEVENS, D.J. (1999) « Stress and the Police Officer », *The Police Journal*, juillet, p. 247-259.

STORCH, J.E. PANZARELLA, R. (1996) « Police Stress: State-Anxiety in Relation to Occupational and Personal Stressors, *Journal of Criminal Justice*, 24 (2), p. 99-107.

STOTLAND, E., BERBERICH, J. (1986) *The Psychology of the Police.* Seattle : Waveland Press.

THOITS, P.A. (1995) « Stress, Coping, and Social Support Processes : Where Are We? What Next? », *Journal of Health and Social Behavior*, p. 53-79.

TURVEY, B. (1995) *Police Officers: Control, Hopelessness, and Suicide.* Knowledge solutions Library. Electronic publication. (Page consultée le 10 avril 2000.) Adresse URL : http://www.corpus-delicti.com/suicide.html

VÉZINA, J. (1994) *La mort dans l'âme.* Montréal : Presses d'Amérique.

VIOLANTI, J.M. et coll. (1985) « Stress, Coping, and Alcohol Abuse: The Police Connection », *Journal of Police Science and Administration*, 13 (2), p. 106-110.

VIOLANTI, J.M. (1991) « Posttrauma Vulnerability: A Proposed Model », dans J.T. Reese et coll., *Critical Incidents in Policing* (p. 365-369). Washington : FBI.

VIOLANTI, J.M. (1992) « Coping Strategies Among Police : Recruits in a High-Stress Training Environment », *The Journal of Social Psychology*, 132 (6), p. 717-729.

VIOLANTI, J.M. (1993) « What Does High-Stress Police Training Teach Recruits? An Analysis of Coping », *Journal of Criminal Justice*, 21, p. 411-417.

VIOLANTI, J.M., ARON, F. (1993) « Sources of Police Stressors, Jobs Attitudes, and Psychological Distress », *Psychological Reports*, 72, p. 899-904.

VIOLANTI, J.M., ARON, F. (1994) « Ranking Police Stressors », *Psychological Reports*, 75, p. 824-826.

VIOLANTI, J.M., ARON, F. (1995) « Police Stressors: Variations in Perception Among Police Personnel », *Journal of Criminal Justice*, 23 (3), p. 287-294.

VIOLANTI, J.M. (1996a) *Police Suicide. Epidemic in Blue.* Springfield : Charles C. Thomas.

VIOLANTI, J.M. (1996b) « The Impact of Cohesive Groups in the Trauma Recovery Context: Police Spouse Survivors and Duty-Related Death », *Journal of Traumatic Stress*, 9 (2), p. 379-386.

VIOLANTI, J.M. (1996c) « Police Suicide: An Overview », *Police Studies*, 19 (2), p. 77-89.

VIOLANTI, J. M. (1997) « Suicide and the Police Role: A Psychosocial Model », *Policing: An International Journal of Police Strategy and Management*, 20 (4), p. 698-715.

WELLS, J.A. (1984) « The Role of Social Support Groups in Stress Coping in Organizational Settings », dans A.S. Sethi et R.S. Schuler, *Handbook of Organizational Stress Coping Strategies* (p. 113-143). Cambridge: Ballinger Publishing Company.

Index